OSTWALDS KLASSIKER
DER EXAKTEN WISSENSCHAFTEN
Band 261

Leonhard Euler
15.4.1707 - 18.9.1783

OSTWALDS KLASSIKER
DER EXAKTEN WISSENSCHAFTEN
Band 261

Zur Theorie komplexer Funktionen

(1768–1783)

von

Leonhard Euler

Herausgabe und Geleitwort
Hans Wußing
Einleitung und Anmerkungen von
Adolf P. Juschkewitsch

Verlag Harri Deutsch

Ins Deutsche übertragen von
W. Purkert (Einführung und Anmerkungen),
H. Maser (I.), H. Müller und R. Thiele (II.),
O. Neumann (III. und V.), A. Wangerin (IV.)
und E. Schuhmann (VI. und VII.)

Bibliografische Information Der Deutschen Nationalbibliothek

Die Deutsche Nationalbibliothek verzeichnet diese Publikation in der Deutschen Nationalbibliografie; detaillierte bibliografische Daten sind im Internet über http://dnb.d-nb.de abrufbar.

ISBN 978-3-8171-3261-4

1. Auflage Akademische Verlagsgesellschaft Geest & Portig, Leipzig
2. Auflage 1996, 2007
Druck: Rosch - Buch Druckerei GmbH, Scheßlitz
Printed in Germany

Inhalt

Geleitwort

Es ist eine Ehrenpflicht für die traditionsreiche Reihe „Ostwalds Klassiker der exakten Wissenschaften", den 200. Todestag von Leonhard Euler am 18. September 1983 auf gebührende Weise zu würdigen. Verlag, Herausgeber und Mitarbeiter an diesem Heft dürfen sich glücklich schätzen, Adolf Pawlowitsch Juschkewitsch, einen hervorragenden Mathematikhistoriker und herausragenden Kenner des Lebens und des Werkes von Euler als Gestalter dieser Euler-Edition gewonnen zu haben. Prof. Dr. Juschkewitsch ist seit Jahrzehnten an der Fortführung der Eulerschen „Opera omnia" (herausgegeben seit 1911) beteiligt, hat neben einer Vielzahl tiefgreifender Arbeiten über Euler den Artikel „Leonhard Euler" im „Dictionary of Scientific Biography" (Vol. IV, New York 1971, S. 467–484) verfaßt und, zusammen mit E. Winter, die hochinteressanten Bände „Die Berliner und die Petersburger Akademie der Wissenschaften im Briefwechsel Leonhard Eulers" (3 Bände, Berlin 1959–1976) herausgegeben.

Nach gründlicher Überlegung und Prüfung hat Prof. Dr. A. P. Juschkewitsch aus Anlaß des Euler-Gedenkjahres 1983 Texte von Euler ausgewählt, die sich thematisch um die Theorie der Funktionen komplexer Variabler gruppieren, im 18. Jahrhundert ein mathematisches Forschungsgebiet von größtem Schwierigkeitsgrad, das gerade durch Euler um entscheidende Schritte vorangebracht worden ist. Diese nun in ihren direkten historischen Zusammenhang gebrachten und hier nachgedruckten Arbeiten zeugen von Eulers Scharfsinn und rechnerischer Meisterschaft ebenso deutlich wie von seinem Streben nach möglichster begrifflicher Klarheit.

Zur Einstimmung in den Themenkomplex dieser Ausgabe hat Prof. Dr. A. P. Juschkewitsch eine ausführliche Einleitung vorangestellt, die in einem ersten Teil wesentliche Elemente der Biographie Eulers enthält und in einem zweiten Teil die von Euler vorgefundene problemgeschichtliche Situation im Gebiet der Theorie der Funktionen komplexer Variabler in großen Zügen beschreibt. Eine reiche Fülle historischer und mathematischer Annotationen von A. P. Juschkewitsch zu den ausgewählten sieben Arbeiten erläutert den speziellen problemgeschichtlichen Zusammenhang und den von Euler beschrittenen Lösungsweg.

Die Euler-Texte werden, dem Anliegen der Reihe entsprechend, in deutscher Sprache wiedergegeben. Dabei ist, der besseren Lesbarkeit wegen, grundsätzlich die heutige Formelschreibweise verwendet worden; im Formelapparat treten daher Unterschiede zum Original auf. Bei der Numerierung der Arbeiten im Text und in den Annotationen wird die auf Eneström zurückgehende Zählung verwendet.

Ein herzlicher Dank geht an Frau Dr. E. Schuhmann (Leipzig), Frau H. Müller und die Herren Dr. sc. O. Neumann (Jena), Dr. sc. W. Purkert (Leipzig) und Dr. R. Thiele (Halle), denen – sofern noch keine deutschsprachige Fassung vorlag – die Übersetzung der Euler-Texte bzw. der Einführung von Prof. Dr. A. P. Juschkewitsch ins Deutsche zu danken ist.

Leipzig, Sommer 1982 H. Wußing

Einführung

zur Sammlung von Aufsätzen L. Eulers zur Theorie der Funktionen komplexer Variabler

I.

Der hier der Öffentlichkeit vorgelegte Band von Ostwalds Klassikern erscheint zum zweihundertsten Todestag von Leonhard Euler, der 1983 begangen wird. Er enthält die wichtigsten Arbeiten Eulers zur Theorie der analytischen Funktionen. In dieser Einleitung wird nach einem knappen biographischen Abriß kurz die Entwicklung der Lehre von den komplexen Zahlen und ihren einfachsten Funktionen vor Euler dargestellt, und Eulers eigener Beitrag zu diesem Gebiet der Mathematik wird in gedrängter Form umrissen.

Leonhard Euler wurde am 15. April 1707 in Basel geboren. Den ersten Unterricht in Mathematik erteilte ihm sein Vater, der Pastor Paul Euler (1670–1745), der in seiner Jugend die Anfänge dieser Wissenschaft an der Universität Basel studiert hatte. Dort wurde sie damals von Jacob Bernoulli (1654–1705) vertreten, dem eifrigsten Jünger des Schöpfers der Differential- und Integralrechnung Gottfried Wilhelm Leibniz (1646 bis 1716). Im Baseler Gymnasium, welches der kleine Euler besuchte, war der Unterricht denkbar schlecht, und in der Mathematik beschäftigte sich Johann Burckhardt (1691–1743), hauptberuflich Theologe, zusätzlich mit dem Jungen. Am 20. Oktober 1720 wurde der Knabe als Student der Artistenfakultät der Universität Basel eingeschrieben – damals war ein so früher Beginn der Universitätsstudien keine Seltenheit. Euler erwies sich bald als aktiver und befähigter Student, und seine mathematische Begabung rief die Aufmerksamkeit von Johann I Bernoulli (1667–1748) hervor, der nach dem Tode seines älteren Bruders Jacob den Lehrstuhl für Mathematik innehatte. Euler beteiligte sich an philosophischen und historischen Disputationen und wurde bereits im Sommer 1722 Baccalaureus. Im Herbst des Jahres 1723 hielt der 16jährige Euler eine öffentliche Rede, in der er die philosophischen

Anschauungen von Descartes und Newton verglich, worauf ihm die Würde eines Magisters verliehen wurde.
Der Vater hatte die Hoffnung, daß der junge Mann Geistlicher werden würde wie er selbst und viele andere aus dem Geschlecht der Euler, welches sich Ende des 16. Jahrhunderts in Basel angesiedelt hatte; auch Eulers Mutter Margaretha geb. Brucker (1677–1761) stammte aus einer Pastorenfamilie. Euler begann mit Studien an der theologischen Fakultät, gab diese jedoch bald auf, um sich vollständig der Mathematik zu widmen. Die Vorlesungen auf diesem Gebiet waren höchst elementar und konnten ihm nicht viel bieten. Wie sich Euler in einer kurzen, von ihm im Dezember 1767 diktierten Autobiographie erinnert, half ihm Johann Bernoulli beim weiteren Studium der Mathematik, indem er ihm vorschlug, selbständig schwierigere Bücher zu studieren und an den Sonnabenden in seiner Wohnung gemeinsam die dabei aufgetretenen Fragen zu erörtern.[1] Euler wurde auch mit den mathematisch hochbegabten Söhnen seines Lehrers bekannt: Nicolaus II (1695 bis 1726), Daniel (1700–1782) und Johann II (1710–1790) – letzterer war sein Kommilitone an der Universität.
Die Studien mit Johann I Bernoulli, dem zu jener Zeit wohl ersten Mathematiker in der Welt, wenn man den hochbetagten, schon viele Jahre nicht mehr schöpferisch tätigen Isaac Newton (1643–1727) nicht zählt, zeitigten binnen kurzem erste Früchte. In den Jahren 1726/27 trat Euler mit Arbeiten an die Öffentlichkeit, in denen er das Problem der reziproken Trajektorien untersuchte. Dieses Problem, welches darin besteht, Kurven zu finden, die eine gegebene ebene Kurvenschar unter einem gegebenen Winkel schneiden, wurde 1697 von Jacob Bernoulli gestellt. 1720 legte Nicolaus II Bernoulli seine Variante des Problems vor: Man soll reziproke Trajektorien aufsuchen, welche zur selben Gattung von Linien gehören wie die gegebene Kurvenschar selbst. Zur selben Zeit nahm Euler an einer Ausschreibung der Pariser Akademie der Wissenschaften

---

[1] Der deutsche Text dieser Autobiographie wurde von P. Pekarski in den «Записки императорской Академии наук», Bd. 6, S. 75–77 (Petersburg 1865) publiziert.

über die günstigste Art der Anordnung der Masten auf einem Schiff teil. Den Preis erhielt er nicht, aber seine Arbeit erzielte ein accessit[2]), d. h., sie wurde durch die Akademie gutgeheißen und von ihr 1728 veröffentlicht. Später hat Euler noch 12mal Preise oder ein accessit bei verschiedenen Ausschreibungen der Pariser Akademie erhalten, mehr als irgendeiner seiner Zeitgenossen.

Unterdessen war es an der Zeit, an eine Anstellung zu denken. In der Schweiz unterzukommen war selbst für begabte Mathematiker fast unmöglich: An der kleinen Baseler Universität hatte man nur eine Professorenstelle, und in den anderen Städten war es auch nicht besser bestellt. Die Mathematiker wanderten in andere Länder ab, oder sie studierten zusätzlich ein anderes Fach – Medizin oder Jura usw. So erging es selbst Johann I Bernoulli, der lange Professor in Groningen war, bis in Basel die Stelle frei wurde, die sein verstorbener älterer Bruder innegehabt hatte. Ein Verwandter Eulers und Schüler von Jacob Bernoulli, der bedeutende Mathematiker und bekannte Vertreter der Mechanik Jacob Hermann (1678–1733), hielt viele Jahre lang Vorlesungen in Padua und danach in Frankfurt (Oder); Nicolaus I Bernoulli (1687–1759), der Neffe der Brüder Jacob I und Johann I Bernoulli, erhielt nach einigen Jahren der Tätigkeit in Padua in Basel eine Professur für Logik und Recht; Johann II wurde in Basel Professor der Beredsamkeit und nahm erst nach dem Tode seines Vaters dessen Lehrstuhl ein.

1725 erhielten Nicolaus II und Daniel Bernoulli das Angebot, an der gerade erst durch Peter den Großen ins Leben gerufenen Petersburger Akademie der Wissenschaften zu arbeiten, welches sie auch annahmen. Euler trug sich mit dem Wunsch, ihnen zu folgen, und im Herbst 1726 erhielt er die Berufung auf eine Adjunktenstelle für Physiologie mit der Maßgabe, Methoden der Mathematik und Mechanik in dieser Wissenschaft anzuwenden. Er hat dennoch den Versuch gemacht, in Basel eine Anstellung zu erhalten, weil mit dem Tode des Professors der Physik

---

2) Ehrenvolle Erwähnung – d. Übers.

hier unerwartet eine Stelle vakant geworden war. Die Auswahl für eine vakante Stelle traf man damals mittels Losentscheid in einem Kreis ausgesuchter Kandidaten. Euler jedoch wurde zur Auslosung nicht zugelassen, wahrscheinlich wegen seiner Jugend. Wie sein Schweizer Biograph O. Spiess schrieb, war das ein Glück für ihn, weil sich ihm in Petersburg ein unermeßlich breiteres Tätigkeitsfeld eröffnete.[3]) Am 5. April 1727 nahm Euler für immer Abschied von seiner Heimat, erreichte auf dem Rhein Mainz, reiste dann zu Lande über Frankfurt (Main), Kassel und Hamburg nach Lübeck, von dort auf dem Seeweg nach Petersburg, welches er nach 7 Wochen, am 24. Mai, erreichte.

Die erste Petersburger Periode im Leben Eulers verlief unter denkbar günstigen Bedingungen. Zum ersten hatte die Leitung der Akademie ihm erlaubt, sich hauptsächlich mit Mathematik und Mechanik zu beschäftigen. Zum zweiten befand er sich in der Umgebung tatkräftiger und talentierter Mathematiker, Astronomen, Physiker, Geographen, wodurch seine eigene Tätigkeit stimuliert wurde. Das waren die schon genannten Daniel Bernoulli, der sich bald einen Namen durch seine Arbeiten zur angewandten Mathematik, insbesondere zur Hydrodynamik machte (Nicolaus II war schon vor Eulers Ankunft gestorben) und Jacob Hermann, das waren ferner der vielseitig begabte Christian Goldbach (1690–1764), der bedeutende Astronom Josef-Nicolas Delisle (1688–1768) und andere. Nirgends in der Welt waren zu jener Zeit in einem wissenschaftlichen Zentrum so viele mathematische Talente vereinigt wie in Petersburg. Außerdem nahm Euler sehr bald den wissenschaftlichen Briefwechsel mit Gelehrten anderer Länder auf und hier in erster Linie mit Johann I Bernoulli, an den er den ersten Brief am 16. November 1727 absandte; danach korrespondierten sie über einen Zeitraum von 20 Jahren. Zum dritten ergab sich in Petersburg die Möglichkeit, die zahlreichen aus Eulers Feder fließenden Arbeiten zu publizieren: In der Aktivität bei der Publikationstätigkeit konnte sich nur die Pariser Akademie mit der

---

3) Spiess, O.: Leonhard Euler. Frauenfeld – Leipzig 1929, S. 51.

Petersburger messen. Und schließlich war Euler materiell gut gestellt und konnte rasch die Sprossen der akademischen Stufenleiter erklimmen: Im Alter von 24 Jahren erhielt er den Titel eines Professors der Physik, d. h., er wurde ordentliches Akademiemitglied, und 1733 nahm er die Stelle eines Professors der Mathematik ein, welche nach dem Weggang von Daniel Bernoulli in die Schweiz frei geworden war.

Euler begann in Petersburg unverzüglich eine intensive wissenschaftliche Tätigkeit. Spätestens am 5. August 1727 hielt er den ersten Vortrag in der Versammlung der Akademie (die Akademie führte zweimal wöchentlich Sitzungen durch), und seit diesem Zeitpunkt bis zur Sitzung vom 15. September 1783, die drei Tage vor seinem Tode stattfand, enthalten die Protokolle dieser Sitzungen außerordentlich häufig Vermerke über von ihm vorgetragene oder eingesandte Arbeiten, Vorschläge, Gutachten usw.

Die Petersburger Akademie führte nicht nur wissenschaftliche Forschungen durch, sondern sie führte auch vielfältige Aufträge der Regierung aus einschließlich der Heranbildung von Kadern der russischen wissenschaftlich-technischen Intelligenz, wofür an der Akademie ein Gymnasium und eine Universität eingerichtet worden waren. Euler beteiligte sich rege an solchen Unternehmungen der Akademie. Eine Reihe von Jahren arbeitete er viel an der Aufnahme von Karten Rußlands, beschäftigte sich mit der Untersuchung von Problemen des Schiffbaus und der Navigation, beteiligte sich an verschiedenen technischen Expertisen. All dies übte natürlich auch einen Einfluß auf sein wissenschaftliches Schaffen aus. Für die Gymnasiasten an der Akademie schrieb er die „Einleitung zur Rechenkunst" (Petersburg, 1738) [E. 17 (O. III–2)], die auch in russischer Sprache herausgegeben wurde und die auf die späteren russischen Lehrbücher der Arithmetik einen großen Einfluß ausgeübt hat.[4])

---

[4]) Verweisungen der Art [E. 17 (O. III – 2)] beziehen sich hier und im Folgenden auf die Liste der Schriften Eulers: Eneström, G.: Verzeichnis der Schriften Leonhard Eulers. Jahresbericht der DMV, 4. Ergänzungsband 1.2. (1912) und auf die entsprechende Serienbezeichnung und Bandnummer (III – 2 = Serie III, Band 2) von Leonhardi Euleri Opera omnia (ab 1911).

Mit dem Jahre 1728 begann die Herausgabe der jährlichen „Berichte“ der Akademie, die zuerst unter der Bezeichnung „Commentarii Academiae scientiarum Imperialis Petropolitanae“, später unter verschiedenen anderen Bezeichnungen bis 1806 in lateinischer Sprache erschienen. Danach wurde Latein durch Französisch ersetzt und im weiteren durch Russisch. Die Arbeiten Eulers erschienen in den „Commentarii“, beginnend mit dem zweiten Band für das Jahr 1727 (erschienen 1729), und seit dieser Zeit sind ausnahmslos in allen Bänden bis zu Eulers Tod, und auch noch lange danach, bis 1830, Arbeiten von ihm abgedruckt. Euler lebte in Petersburg zunächst 14 Jahre. Er paßte sich gut an die Lebensumstände in dieser Stadt an, die sich im Klima und in den Lebensbedingungen doch stark von Basel unterschied. Es gelang ihm sogar, ein mehr oder weniger befriedigendes Verhältnis mit dem Ratgeber der akademischen Kanzlei Johann Daniel Schumacher (1690–1761) herzustellen, einem selbstherrlichen und groben Bürokraten, der die Geschicke der Akademie leitete und dem die Akademiker fast einmütig eine heftige Antipathie entgegenbrachten. Die eigene wissenschaftliche Arbeit Eulers erstreckte sich in dieser Zeit auf verschiedenartige Richtungen von Mathematik und Mechanik, und bis 1741 hatte er ungefähr 85 Arbeiten zum Druck vorbereitet. Gedruckt waren ungefähr 50, darunter das zweibändige Werk „Mechanica sive motus scientia analytice exposita“ (Petersburg, 1736) [E. 15 (O. II–1, 2)], welches eine erste und höchst originelle Darstellung der Punktdynamik in der Sprache der Leibnizschen Differential- und Integralrechnung enthält. In diesen Jahren hat Euler viel Material für seine folgenden Schriften erarbeitet, deren Gesamtzahl 800 übertrifft (nicht gerechnet die bis heute unpublizierten Manuskripte, die im Archiv der Akademie der Wissenschaften der UdSSR aufbewahrt werden). Dabei ist bewundernswert, daß die wissenschaftliche Aktivität und die Publikationstätigkeit Eulers sich mit zunehmendem Alter nicht verringerten. Wenn man die unbedeutende Anzahl von Arbeiten ausschließt, deren Datierung unklar ist, ergibt sich folgende Verteilung seiner Arbeiten nach Jahrzehnten (ohne Berücksichtigung des Umfangs der Arbeiten):

1725–1734	35 – ca. 4 %
1735–1744	80 – ca. 10 %
1745–1754	150 – ca. 19 %
1755–1764	110 – ca. 14 %
1765–1774	145 – ca. 18 %
1775–1783	270 – ca. 34 %

Hierbei muß in Betracht gezogen werden, daß Euler ab 1745 die Möglichkeit erhielt, außer in den „Commentarii“ auch in den Berliner „Mémoires de l'Académie royale des sciences et des belles-lettres“ zu veröffentlichen, deren erster Band 1746 erschien. Insgesamt sind zu Lebzeiten Eulers ungefähr 560 seiner Arbeiten erschienen, die übrigen wurden postum veröffentlicht. Noch bewundernswerter sind die große Zahl und der Umfang der Publikationen nach dem Jahre 1766, als Euler sein Sehvermögen fast vollständig eingebüßt hatte (auf dem rechten Auge war er seit Ende der dreißiger Jahre blind), weder lesen noch schreiben konnte und seine Werke qualifizierten Mitarbeitern diktierte, die auch viele, häufig sehr komplizierte Berechnungen ausführten. Solche Mitarbeiter waren die Mitglieder der Petersburger Akademie Johann Albrecht Euler (der älteste Sohn des Gelehrten), Andreas Johann Lexell (1740–1784), Wolfgang Ludwig Krafft (1743–1813), Michail Golovin (1756–1780) und in den letzten Lebensjahren besonders Nikolaus Fuß (1755–1825), der später über 200 der postum veröffentlichten Aufsätze des großen Mathematikers für den Druck vorbereitet hat. Drei der genannten Persönlichkeiten – Johann Albrecht Euler, Golovin und Fuß – waren direkte Schüler Eulers.

Alle diese statistischen Angaben sollen nicht die Tatsache verhüllen, daß die Hauptinteressen Eulers und viele seiner Vorhaben in jungen Jahren entstanden sind, wie das meistens bei Mathematikern zu sein pflegt. Es ist unmöglich, nur nach der Zeit der Niederschrift oder gar der Publikation seiner Arbeiten auf die geistige Entwicklung Eulers zu schließen. Hier helfen die im Archiv der Akademie der Wissenschaften der UdSSR aufbewahrten Notizbücher und Manuskripte sowie seine ungeheuer umfangreiche Korrespondenz, die leider nicht vollständig erhalten geblieben ist. Man besitzt ungefähr 2850 Briefe, davon etwa 1000 von Euler selbst, es müßten ihrer jedoch einige Hundert mehr sein.[5]) Nach allen diesen Materialien zu urteilen, hat sich Euler schon in Basel mit einer Reihe von Fragen der Zahlentheorie, Analysis, Punktmechanik und Hydrodynamik beschäftigt und in den frühen Jahren seiner Petersburger Zeit auch mit Problemen der Festkörpermechanik und der Theorie optischer Instrumente.[6]) Euler ist im Verlaufe der Jahrzehnte beharrlich auf diejenigen Aufgaben zurückgekommen, die einmal seine Aufmerksamkeit gefesselt hatten und die aus irgendwelchen Gründen beiseite gelegt oder unvollständig gelöst worden waren. Zugleich zeichnete Euler sich auch in reifem Alter durch Empfänglichkeit für neue Ideen und Methoden anderer Gelehrter aus. Markante Beispiele dafür sind seine Untersuchungen zur mathematischen Physik, in denen er Arbeiten von Jean le Rond d'Alembert (1717–1783) weiterführte, zur Theorie der Mondbewegung, die er unter dem Einfluß von Alexis Claude Clairaut (1713–1765) umgestaltete, oder zur Variationsrechnung, die er auf vollkommen neuer Grundlage entwickelte, nachdem er mit den Entdeckungen von Joseph Louis Lagrange (1736–1813) bekannt geworden war.

In den dreißiger Jahren gestaltete sich das Leben Eulers in Petersburg in äußerst günstiger Weise. Petersburg wurde für ihn zur zweiten Heimat. Im Gegensatz zu vielen ausländischen Akademiemitgliedern eignete er sich die russische Sprache gut an. Im Januar 1734 hat er sich mit Katharina Gsell (1707–1773) glücklich verheiratet. Sie war die Tochter von Georg Gsell (1673–1740), einem Kunstmaler an der Akademie der Wissenschaften, der ebenfalls aus der Schweiz stammte. Im gleichen Jahre wurde der schon erwähnte älteste Sohn Johann Albrecht

---

[5]) L. Euler: Briefwechsel. Beschreibung, Zusammenfassungen der Briefe und Verzeichnisse. Hrsg. von A. P. Juškevič, V. I. Smirnov und W. Habicht (O. IV A–1).

[6]) Mikhailov, G. K.: Notizen über die unveröffentlichten Manuskripte von Leonhard Euler. Sammelband der zu Ehren des 250. Geburtstages Leonhard Eulers der Deutschen Akademie der Wissenschaften zu Berlin vorgelegten Abhandlungen. Unter verantwortlicher Redaktion von K. Schröder. Berlin 1959, S. 256–279.

(1734–1800) geboren. Euler erwarb ein unweit der Akademie gelegenes Haus. Sein jüngster Bruder, der Maler Johann Heinrich (1719–1750), der auch eine Anstellung an der Akademie erhalten hatte, nahm seinen Wohnsitz bei ihm. Aber zu Beginn der vierziger Jahre veränderte sich der ruhige Lebensablauf der Familie Euler.

Nachdem im Oktober 1740 die Zarin Anna Johannovna, eine Nichte Peters I., gestorben war, ging der russische Thron an den Sohn ihrer Nichte Anna Leopoldovna, Ivan VI. über, der damals ganze drei Monate alt war. Zwischen den zum Hofe gehörigen und militärischen Gruppierungen entbrannte ein Kampf um die Macht, von Palastrevolutionen begleitet. Für einige Zeit war Anna Leopoldovna Regentin, aber die Sympathien eines bedeutenden Teiles der Garde und der Bevölkerung gehörten Elisabetha, der Tochter Peters I. Die beunruhigende Situation in Petersburg und insbesondere die Besorgnis der dort lebenden Ausländer kommt in den folgenden Worten aus der bereits zitierten Autobiographie Eulers zum Ausdruck: „. . . und es bey der darauf folgenden Regentschaft ziemlich misslich auszusehen begint."

Inzwischen plante König Friedrich II., der 1740 den preußischen Thron bestiegen hatte, das Niveau der auf Vorschlag von Leibniz 1700 gegründeten preußischen Sozietät der Wissenschaften entschieden zu heben. Die Sozietät hatte unter Friedrich Wilhelm I., dem Vater Friedrichs II., ein höchst kümmerliches Dasein gefristet. Ab Juli 1740 trat Friedrich II. über zwei Gesandte in Petersburg in Verhandlungen mit Euler, um ihn nach Berlin zu bitten. Am 19. Juni 1741, einige Monate vor der nächsten Palastrevolution, in deren Ergebnis Elisabetha Petrovna Zarin wurde, verließ Euler mit seiner Familie zur See Petersburg, verbrachte 10 Tage in Stettin und traf am 25. Juli in Berlin ein, wo ein neuer Abschnitt in seinem Leben begann.

In Berlin lebte Euler 25 Jahre, den größten Teil in einem Haus in der Behrenstraße unweit des heutigen Gebäudes der Komischen Oper (das Haus ist erhalten geblieben, und im Jahre 1907 wurde aus Anlaß des 200. Geburtstages Eulers dort eine Gedenktafel angebracht). Als im Sommer 1746 auf der Basis der vorhandenen Sozietäten der Wissenschaften und der Literatur die Académie royale des sciences et des belles-lettres gegründet wurde, zu deren Präsidenten Friedrich II. den bekannten französischen Gelehrten Pierre-Louis de Maupertuis (1698–1759) berief, übernahm Euler das Amt des Direktors der Mathematischen Klasse. Euler hatte mit Maupertuis ein stets sehr gutes Verhältnis. Er vertrat ihn regelmäßig bei der Leitung der Akademie, weil Maupertuis wegen seines schlechten Gesundheitszustandes oft und lange nach Frankreich verreiste.

Der Kreis der administrativen Obliegenheiten Eulers war sehr weit gezogen, er umfaßte den Bau eines Observatoriums, die Sorgen um den botanischen Garten, die Auswahl der Bediensteten usw. Euler führte, wie vorher in Petersburg, auch Aufträge der Regierung aus und beschäftigte sich dabei mit weiteren praktischen Fragen, die nicht selten seine theoretischen Untersuchungen anregten, wie mit der Nivellierung des Finow-Kanals zwischen Havel und Oder, mit der Einrichtung einer staatlichen Lotterie usw. Besonders zu erwähnen ist seine Beschäftigung mit der Konstruktion achromatischer optischer Geräte, mit der Ballistik und auch mit der Theorie und Konstruktion von Wasserturbinen, wozu ihm die Erfindung von Johann Andreas Segners (1704–1777) hydraulischer Maschine den Anstoß gab (einfachste Modelle dieser Maschine demonstriert man in der Schule unter der Bezeichnung „Segnersches Rad"). Um den Interessen des Königs entgegenzukommen, dessen Regierungszeit zu einem beträchtlichen Teil durch Kriege in Anspruch genommen war, übersetzte Euler das Werk des Mathematikers und Ingenieurs Benjamin Robins (1707–1751) über Ballistik aus dem Englischen, dessen Original 1742 erschienen war. Das Buch kam 1745 in Berlin unter dem Titel „Neue Grundsätze der Artillerie" heraus [E. 77 (O. II–14)]. Zahlreiche originelle Ergänzungen und Kommentare Eulers erhöhten wesentlich den Wert des Buches; sie wurden später ins Englische und Französische übersetzt.

Eulers Tätigkeit in Deutschland beschränkte sich nicht auf den Rahmen der Berliner Akademie. Er übte einen bedeutenden Einfluß auf die Lehre der mathematischen und physikalischen

Wissenschaften an einer Reihe deutscher Universitäten aus. Das geschah auf dem Wege persönlicher Gespräche bzw. durch den Briefwechsel mit den Professoren Segner, der in Göttingen und Halle (Saale) wirkte, Wenzel Johann Gustav Karsten (1732–1782) in Rostock bzw. Bützow, Martin Knutzen (1713–1751) in Königsberg, Abraham Gotthelf Kästner (1719–1800) in Leipzig. Von noch größerer Bedeutung war die Tatsache, daß sich die Autoren von Lehrbüchern für den Universitätsunterricht auf Eulers Schriften stützten.

Die wissenschaftsorganisatorische Tätigkeit Eulers erstreckte sich auch auf die Petersburger Akademie der Wissenschaften, deren auswärtiges Mitglied er während der gesamten Zeit seines Berliner Aufenthalts blieb und die ihm eine beträchtliche jährliche Pension zahlte. Er redigierte den mathematischen Teil ihrer „Novi Commentarii", unterhielt einen regen Briefwechsel mit ihrer Leitung und mit einzelnen Akademikern, kaufte für die Akademie Bücher und wissenschaftliche Geräte an, unterstützte die Gewinnung einer ganzen Reihe hervorragender ausländischer Gelehrter der verschiedensten Fachgebiete für die Akademie. Euler akzeptierte das in Rußland vorhandene Bedürfnis nach Kadern einer eigenen nationalen Intelligenz und leistete auch in dieser Beziehung Hilfe. Durch seine objektiven Gutachten über die hervorragenden physikalischen Arbeiten des größten russischen Gelehrten des 18. Jahrhunderts, Akademiemitglied Michail Vasilevič Lomonosov (1711–1765), gab er diesem Rückhalt im Streit mit Schumacher. Semjon Kirillovič Kotelnikov (1723–1806), Stepan Jakovlevič Rumovski (1734–1812) und der früh verstorbene M. Sofronov (1729–1760) lebten als junge Adjunkten der Petersburger Akademie einige Jahre im Hause Eulers in Berlin, wo sie zusammen mit Johann Albrecht unter Eulers Leitung die höheren Teile der Mathematik studierten. Die Akademiker Kotelnikov und Rumovski, aber auch Johann Albrecht Euler, haben später eine bedeutende Rolle bei der Entwicklung der mathematischen Kultur in Rußland gespielt. Besonders sei hervorgehoben, daß auf Eulers Initiative hin die Petersburger Akademie die Organisation wissenschaftlicher Ausschreibungen in Angriff nahm. Als erstes Thema wurde auf Empfehlung Eulers das Problem der Mondbewegung gewählt; die Beobachtungsdaten, so schien es, wichen von den Berechnungen ab, welche auf dem universellen Gravitationsgesetz Newtons beruhten, und dies zog das Newtonsche System der Himmelsmechanik in Zweifel. Der Preis wurde, wiederum aufgrund eines Gutachtens Eulers, im Jahre 1751 Clairaut zugesprochen, der die Richtigkeit des Newtonschen Systems bestätigte, jenes Systems, an dem die genauesten Kenner des Problems – Clairaut selbst, d'Alembert und Euler – sämtlich einige Zeit gezweifelt hatten. Um Clairauts Resultate, denen Euler anfangs mit Mißtrauen begegnete, zu prüfen, arbeitete er eine eigene Theorie aus, die er in dem großangelegten Werk E. 187 (s. u.) niederlegte.[7])

Aber die Hauptarbeit Eulers blieben wissenschaftliche Untersuchungen, die z. T. jene Forschungen unmittelbar fortsetzten, welche in Petersburg begonnen worden waren. So erschienen umfangreiche Monographien (ich gebe sie in der Reihenfolge des Publikationsdatums an): „Methodus inveniendi lineas curvas maximi minimive proprietates gaudentes“ (Lausanne – Genf 1744, [E. 65 (O. I–24)], die erste Monographie, welche speziell der Variationsrechnung gewidmet ist, die zweibändige „Introductio in analysin infinitorum“ (Lausanne 1748) [E. 101–102 (O. I–8, 9)], die durch Klarheit und Eleganz der Darstellung besticht, die zwei Bände der im Auftrag der Petersburger Akademie verfaßten „Scientia navalis seu tractatus de construendis ac dirigendis navibus“ (Petersburg 1749) [E. 110–111 (O. II–18, 19)], die „Theoria motus Lunae exhibens omnes ejus inequalitates“ (Berlin 1753) [E. 187 (O. II–23)], die in Berlin auf Kosten der Petersburger Akademie verlegten „Institutiones calculi differentialis“ [E. 212 (O. I–10)], zu denen Euler einen ersten Plan

[7]) Eulers Berliner Lebensabschnitt spiegelt sich in den drei Bänden seines Briefwechsels mit der Petersburger Akademie der Wissenschaften sehr deutlich wider: Die Berliner und die Petersburger Akademie der Wissenschaften im Briefwechsel Leonhard Eulers. Bd. I–III. Herausgegeben und eingeleitet von A. P. Juškevič und E. Winter unter Mitwirkung von P. Hoffmann und Ju. Ch. Kopelevič. Berlin 1959–1976.

fast ein Vierteljahrhundert früher gefaßt hatte, und die „Theoria motus corporum solidorum sive rigidorum" (Rostock – Greifswald 1765) [E. 289 (II–3, 4)]. In allen diesen Werken sind Ergebnisse der langjährigen Forschungen von Euler selbst – und in verarbeiteter Form – solche seiner Vorgänger niedergelegt. Außer diesen Büchern veröffentlichte Euler zwischen 1743 und 1767 mehr als 250 größere und kleinere Aufsätze, die fast zu gleichen Teilen auf die „Berichte" der Berliner und der Petersburger Akademie verteilt sind (einige Arbeiten sind auch in anderen Schriften abgedruckt). In diese Zeit fallen die fundamentalen Untersuchungen zur Hydrodynamik, zu den Differentialgleichungen der mathematischen Physik (und der berühmte Streit über die Natur der Funktionen, welche sich als Lösung von Randwertaufgaben ergeben, an dem sich d'Alembert, Euler, D. Bernoulli und später weitere sehr bedeutende Mathematiker der gesamten zweiten Hälfte des 18. Jahrhunderts beteiligten), zur Zahlentheorie usw. Übrigens hat Euler in Anbetracht der Aufmerksamkeit, mit der Friedrich II. die Tätigkeit der Berliner Akademie verfolgte, in deren Berichten vor allem Arbeiten angewandten Charakters veröffentlicht, während er die mehr abstrakten Untersuchungen hauptsächlich in Petersburg publizierte.

Euler hielt sich fast ständig in Berlin auf, welches er nur kurzzeitig für seltene Reisen durch die deutschen Länder verließ. Er hat jedoch währenddessen den Zusammenhalt mit der Wissenschaftlergemeinschaft ganz Europas gepflegt. In diese Zeit fällt der Hauptteil seines höchst interessanten wissenschaftlichen Briefwechsels mit Clairaut, d'Alembert, Goldbach (mit dem er hauptsächlich zu Fragen der Zahlentheorie korrespondierte) und Lagrange. In jener Zeit, da wissenschaftliche Arbeiten häufig viele Jahre auf ihre Publikation warteten, da Reisen einen großen Aufwand an Zeit und Geld erforderten und es wissenschaftliche Konferenzen überhaupt nicht gab, diente die Korrespondenz als schnellstes Mittel des Austausches wissenschaftlicher Informationen. Außerdem haben die an diesem Austausch interessierten Akademiker die sehr beträchtlichen Postgebühren gewöhnlich nicht bezahlt.

Eulers Ruhm nahm schnell zu, er wurde der Erste unter den Mathematikern. Ausdruck der allgemeinen Anerkennung seiner Verdienste war die Wahl zum Mitglied der Royal Society in London (1747) und zum auswärtigen Mitglied der Pariser Akademie der Wissenschaften (1755).

Mit dem Tod von Maupertuis im Jahre 1759 hat sich Eulers Lage in Berlin einschneidend verändert. Einige Zeit befürchtete er, daß der Posten des Präsidenten d'Alembert angetragen würde, zu dem die Beziehungen zu wünschen übrig ließen, oder irgend einer anderen ihm unliebsamen Person. Dies geschah jedoch nicht, und Euler leitete nach wie vor einen beträchtlichen Teil der Arbeit der Berliner Akademie. Dennoch wurde ihm, dem bedeutendsten Gelehrten seiner Zeit, das Präsidentenamt nicht angetragen, und er war gezwungen, in unmittelbarer Abhängigkeit von Friedrich II. zu arbeiten, der die Leitung der Berliner Akademie an sich gezogen hatte und sich in ihre Angelegenheiten einzumischen begann. Zwischen Euler, der der Weltanschauung und Lebensweise nach stets ein Baseler Bürger geblieben war, und dem König, einem Verehrer weltmännischer französischer Manieren, einem Liebhaber des Scharfsinns und Freidenkertums der Salons (solange diese nicht die Existenz des „aufgeklärten Absolutismus" bedrohten), hatte es nie gegenseitige Sympathie gegeben. Von der höheren Mathematik verstand der König nichts und schätzte sie ebenso gering wie Euler die ironischen und antiklerikalen Schriften eines Voltaire. Unterdessen gingen aus Petersburg seit langem immer wieder Angebote zur Rückkehr ein, und Euler entschloß sich letzten Endes doch dazu, diesen Schritt zu tun, obwohl er schon auf die Sechzig zuging. 1763 verkaufte er vorsorglich sein früher erworbenes Landgut in Charlottenburg, welches damals nicht zur Stadt Berlin gehörte. Den endgültigen Entschluß faßte Euler, als der König heftig seine Unzufriedenheit mit der finanziellen Situation bei der Kalenderedition zum Ausdruck brachte. Der Verkaufserlös der Kalender floß nämlich der Akademie zu. Der König wollte den berühmten Euler nicht gehen lassen. Aber unter Ausnutzung der Tatsache, daß seine ganze Familie das Schweizer (Baseler) Bürgerrecht besaß und durch den Rückhalt bei der neuen mächtigen russischen Zarin

Katharina II. erreichte der Gelehrte die Bewilligung zur Abreise. Am 9. Juni 1766 verließ er Berlin und kehrte nach 10tägigem Aufenthalt in Warschau, wo er auf Einladung des Königs Stanislaw-August weilte, am 28. Juli nach Petersburg zurück – diesmal für immer.

In der Petersburger Akademie wurde Euler mit größter Ehrerbietung aufgenommen. Für ihn und seine Familie wurden die günstigsten Bedingungen geschaffen, unter denen er in Ruhe seine Arbeit fortsetzen konnte – sogar nach dem fast vollständigen Verlust des Sehvermögens auf dem linken Auge im Herbst desselben Jahres, denn ihm wurden, wie schon erwähnt, kompetente junge Wissenschaftler als Helfer zur Verfügung gestellt. Eulers ältester Sohn, Johann Albrecht, wurde zum Akademiemitglied gewählt und bekleidete von 1769 bis zu seinem Lebensende den Posten des Konferenz-Sekretars.

Auch die zwei jüngeren Söhne Eulers waren gut etabliert; Karl (1740–1790) als Arzt und Christoph (1743–1812) als Offizier. Letzterer wurde Direktor einer Waffenfabrik in Sestrorezk und brachte es bis zum Rang eines Generalmajors der Artillerie. Auch Nikolaus Fuß wurde Mitglied der Familie Euler. Er heiratete eine Tochter von Johann Albrecht Euler. Nach Johann Albrechts Tod nahm Fuß dessen administratives Amt ein, welches eine neue Bezeichnung erhalten hatte – Fuß wurde als ständiger Sekretar betitelt.

Euler hatte die Manuskripte einiger größerer Werke mitgebracht. Am 15. August 1766, kaum mehr als zwei Wochen nach seiner Ankunft, unterrichtete er das Plenum der Akademie über sein Gespräch mit Katharina II. über die Situation und die zukünftigen Aktivitäten der Akademie, und schon drei Tage später präsentierte er zwei der drei Bände seines gigantischen Werkes über Integralrechnung „Institutiones calculi integralis" (Petersburg 1768–1770) [E. 342–366–385 (O. I–11, 12, 13)], in dem auch die Theorie der gewöhnlichen und der partiellen Differentialgleichungen enthalten ist. Am 1. Juni des folgenden Jahres wurden die „Lettres à une princesse d'Allemagne sur divers sujets de physique et de philosophie" (Petersburg 1768 bis 1772) [E. 343–344–417 (O. III–11, 12)] vorgelegt. Diese populäre

Darstellung der Physik und Philosophie wurde wiederholt in verschiedenen Sprachen aufgelegt und fand eine weite Verbreitung. Der Name der Schrift rührt daher, daß sie im Ergebnis der Studien Eulers mit einer Verwandten Friedrichs II. entstand.

Ständig vollendete Euler neue Bücher und Aufsätze. So erschien sein ausgezeichnetes zweiteiliges Lehrbuch der Algebra „Vollständige Anleitung zur Algebra“[8]) (Petersburg 1770; in russischer Übersetzung etwas früher, nämlich 1768/69 erschienen) [E. 387–388 (O. I–1)], auf das sich in der Folgezeit zahlreiche Autoren von Schullehrbüchern stützten. Ferner erschienen ein neues Buch zur Theorie der Mondbewegung „Theoria motuum Lunae, nova methodo pertractata“ (Petersburg 1772) [E. 418 (O. II–22)], an dessen Ausarbeitung sich Johann Albrecht Euler, Krafft und Lexell aktiv beteiligt hatten, sowie drei Bände der „Dioptrica“ (Petersburg 1769–1771) [E. 367–386–404]. Hier sind nur die umfangreichen Bücher und diese nicht einmal vollständig genannt. Insgesamt sind während der zweiten 17jährigen Petersburger Periode Eulers von 1767 bis 1783 240 seiner Schriften erschienen. Viele davon waren reich an völlig neuen Ideen.

Das Leben des alternden Euler war abgesehen vom Verlust des Sehvermögens durch zwei Ereignisse verdüstert. Im Frühjahr 1771 fiel sein Haus einem Brand zum Opfer. Fast seine ganze Habe verbrannte, die Manuskripte konnten jedoch größtenteils gerettet werden. An der Stelle des alten Hauses wurde ein neues errichtet. Dieses Haus steht, wenn auch umgebaut, heute noch an der Uferstraße der Großen Newa. Im April 1957 wurde daran eine Marmortafel mit einer Profildarstellung Eulers nach der bekannten Büste von Rachette angebracht. Im November 1773 starb Eulers Frau; er hat im Sommer 1776 ein zweites Mal geheiratet, und zwar Salome Abigail Gsell, die Halbschwester seiner ersten Frau (sie starb nach 1790).

---

[8]) Ein bedeutender Teil dieses Werkes ist der diophantischen Analysis gewidmet. Zur französischen Ausgabe der „Algebra“ (Lyon 1783) [E. 387c–388c] hat deren Initiator Lagrange gerade zu diesem Teil sehr wertvolle eigene Ergänzungen beigefügt.

Ein Mann von kräftiger Natur, war Euler selten krank und hat sich bis an sein Lebensende ein ausgezeichnetes Gedächtnis und die Klarheit des Gedankens bewahrt. Im Umgang war er bescheiden und wohlwollend gegenüber allen befähigten Menschen. Seine Helfer unterstützte er bei ihren eigenen Untersuchungen, und er ließ ihnen Gerechtigkeit widerfahren, indem er offen anerkannte, daß sie seine Ideen häufig selbständig weiterentwickelten, nachdem sie diese einmal aufgegriffen hatten. Auf Euler sind mit vollen Recht die Worte anwendbar, die einst Bernard le Bovier de Fontenelle (1657–1757), der ständige Sekretar der Pariser Akademie der Wissenschaften, in Bezug auf Leibniz prägte: „Er freute sich, wenn er sah, wie in fremden Gärten die Blumen blühten, deren Samen er geliefert hatte." Euler hat auch selbst oft die Ideen seiner Zeitgenossen verwendet. Dieser große Gelehrte – „unser aller Lehrer" wie ihn der Überlieferung nach Pierre Simon Laplace (1749–1827) bezeichnet haben soll – war stets bereit, von seinen Schülern zu lernen.
In den letzten Tagen seines Lebens wurde Euler von Schwindelanfällen geplagt. Am 18. September 1783 unterhielt er sich nach dem Mittagessen mit Fuß und Lexell über verschiedene wissenschaftliche Fragen, insbesondere über den neu entdeckten Planeten (Uranus) und die eben erst aufgekommenen Luftballons. Abends beim Spiel mit seinem Enkel fiel ihm plötzlich die Pfeife herab. Er bückte sich danach, erhob sich für einen Augenblick, und mit den Worten „Ich sterbe" verlor er das Bewußtsein. Wenige Stunden später verstarb er an einer Gehirnblutung. Er wurde auf dem Smolensker lutherischen Friedhof in Petersburg beerdigt. 1837 ließ die Petersburger Akademie auf seinem Grabe ein massives Denkmal aus Granit errichten. 1957 wurden die sterblichen Überreste Eulers und das Denkmal in die Leningrader Nekropole überführt.
Euler war ein Geometer in jenem Sinne, den dieses Wort zu seiner Zeit hatte, d. h., er war Mathematiker, Mechaniker, Astronom, Geograph und Physiker in einer Person. Ergänzend muß man sagen, daß er auch Konstrukteur war. Seine mathematischen Forschungen standen in enger Wechselbeziehung zu den Arbeiten auf den anderen genannten Gebieten. Viele Methoden der Ana-

lysis und Geometrie hat er speziell für die Lösung angewandter Probleme ausgearbeitet, und nach Newton erscheint Euler als der bedeutendste Vertreter einer mathematisch aufgefaßten Naturwissenschaft.

Bei alledem blieb er immer in erster Linie Mathematiker. Indem er die mathematischen Methoden in der Einheit mit ihren Anwendungen entwickelte, behandelte Euler die Mathematik stets als ein einheitliches Ganzes. Jahre und Jahrzehnte vervollkommnete und systematisierte er einmal begonnene mathematische Untersuchungen, ständig aus einzelnen Stücken ganze Gebäude neuer wissenschaftlicher Disziplinen oder wesentlicher Teile davon errichtend. In dieser Beziehung unterschied er sich deutlich von seinem Freund Daniel Bernoulli, dem gleichfalls bedeutenden Mechaniker und Physiker, der die mathematischen Methoden vorzüglich beherrschte. Bernoulli dachte vor allem physikalisch, und hatte er die mathematische Lösung irgendeines Problems gefunden, so war er nicht bestrebt, die dabei von ihm angewandte und nicht selten auch von ihm erfundene mathematische Methode weiterzuentwickeln. Euler, der sich tiefliegender organischer Zusammenhänge zwischen den verschiedenen Teilen der Mathematik bewußt war, beschränkte sich nicht auf die gefundene Lösung einer konkreten Aufgabe, sondern nahm diese zum Ausgangspunkt, um neue Begriffe einzuführen und neue Theorien aufzubauen. Ebendeshalb erzielte er auf durchweg allen der Mathematik seiner Zeit bekannten Gebieten so überragende Erfolge.

Bezeichnend ist das Verhältnis der verschiedenen Mathematiker des 18. Jahrhunderts zur Zahlentheorie. Während sie Bernoulli, Clairaut, d'Alembert überhaupt nicht anzog, war sie für Euler jahrzehntelang, von seinen Jugendjahren bis ins Alter, eine seiner Lieblingsdisziplinen, wie auch nach ihm für Lagrange. Das verbindet Euler und Lagrange mit solch hervorragenden Mathematikern des 19. und 20. Jahrhunderts wie C. F. Gauß, P. G. Lejeune-Dirichlet, P. L. Čebyšev, H. Poincaré und D. Hilbert, die in ihrem Schaffen in glücklicher und harmonischer Weise Untersuchungen zur reinen und angewandten Mathematik vereinigt haben.

Interessant ist die Verteilung der Arbeiten Eulers auf die grundlegenden Richtungen der Mathematik. Von den 30 Bänden der ersten mathematischen Serie seiner „Opera omnia" entfallen 1,5 Bände auf die Algebra, 4,5, d. h. 15 % auf die Zahlentheorie, 4 Bände auf die Theorie der unendlichen Reihen, 8 Bände auf die Einführung in die Analysis, die Differential- und Integralrechnung (einschließlich elliptische Integrale), 4 Bände auf Differentialgleichungen, 2 Bände auf die Variationsrechnung und 5 Bände auf die Geometrie (analytische Geometrie und Differentialgeometrie). Somit entfallen auf die Analysis 18 der 30 Bände, d. h. ein Anteil von 60 %. Auf analytischem Fundament beruhen auch fast alle Arbeiten der zweiten Serie der „Opera omnia", in der die Arbeiten zur Mechanik und Astronomie enthalten sind. In vielen dieser Arbeiten werden Methoden der Analysis verwendet, die in den Bänden der ersten Serie nicht vorkommen, insbesondere Methoden zur Lösung von gewöhnlichen und partiellen Differentialgleichungen. Natürlich kann eine solche Aufteilung auf die verschiedenen mathematischen Disziplinen die Richtungen im Schaffen Eulers nur annähernd charakterisieren. Viele Gebiete der Mathematik wurden erst in den Arbeiten Eulers zu selbständigen Wissenschaften mit eigenem Gegenstand, eigenen Begriffen und Methoden. Das gilt für die Zahlentheorie, die Theorie der Differentialgleichungen, die Variationsrechnung. Die Theorie der analytischen Funktionen einer komplexen Veränderlichen hatte einen solchen Entwicklungsstand noch nicht erreicht. Die Entdeckungen Eulers auf diesem Gebiet sind in verschiedenen Büchern und Aufsätzen enthalten. In ihrer Gesamtheit stellen diese Entdeckungen jedoch eine vollkommen entwickelte Theorie der elementaren Funktionen einer komplexen Veränderlichen und die Keime einer allgemeinen Theorie dar. Im vorliegenden Band sind nur ausgewählte Arbeiten Eulers auf diesem Gebiet zusammengestellt.

II.

Heutzutage kann das System der komplexen Zahlen als der kleinste Körper definiert werden, der den Körper der reellen Zahlen und ein Element i, dessen Quadrat gleich -1 ist, enthält (es gibt auch andere Möglichkeiten der Einführung der komplexen Zahlen). Jede komplexe Zahl kann in der Form $z=x+yi$ geschrieben werden, wobei x und y reelle Zahlen sind; im Falle $y\neq 0$ heißt die komplexe Zahl imaginär[9]). Dann werden auf die bekannte Weise die algebraischen Operationen mit komplexen Zahlen definiert, welche die sämtlichen fünf Grundgesetze der Arithmetik erfüllen. Man kann die komplexen Zahlen $z=x+yi$ eineindeutig abbilden auf die Paare (x, y) reeller Zahlen oder auf die Punkte einer Ebene mit den rechtwinkligen Koordinaten x, y oder schließlich auf die Vektoren, deren Projektionen x und y sind. Die algebraischen Operationen im Körper der komplexen Zahlen können dann als gewisse Operationen mit diesen Vektoren interpretiert werden. Es ist üblich, die komplexen Zahlen in trigonometrischer Form $x+yi=r(\cos\varphi+i\sin\varphi)$ darzustellen. Dabei bedeutet der sogenannte Modul oder Betrag $r=|z|=$ $=\overset{+}{\sqrt{x^2+y^2}}$ der komplexen Zahl z die Länge des Vektors, und der Winkel φ zwischen dem Vektor und der positiven Richtung der Abszissenachse, das Argument der komplexen Zahl, ist durch die Gleichungen $\cos\varphi=\frac{x}{r}$, $\sin\varphi=\frac{y}{r}$ definiert. Das Argument einer jeden komplexen Zahl $z\neq 0$ hat unendlich viele Werte, die sich voneinander durch Vielfache von 2π unterscheiden. Die Zahlen $z=x+yi$ und $\bar{z}=x-yi$ heißen konjugiert. Die imaginären Zahlen erweisen sich aus Sicht der Logik als mit den reellen Zahlen vollkommen gleichberechtigte Abstraktionen, und die Bezeichnung „imaginär" wird nur aus Traditionsgründen beibehalten.[10])

---

9) „Imaginär" bedeutet hier und im Folgenden nicht „rein imaginär" wie im Deutschen üblich, sondern wie im Russischen **мнимый** „komplex, aber nicht reell" – d. Übers.

10) Es ist für das Weitere nützlich anzumerken, daß die heutige Schreibweise algebraischer Gleichungen hauptsächlich auf das Werk „La géométrie" (Paris 1637) von R. Descartes (1596–1650) zurückgeht, der auch den Terminus „imaginaire" aufbrachte, woraus das Symbol i abgeleitet ist, das erstmals von Euler in der Arbeit E. 671 (O. I–19) verwendet wurde. Dieser der Petersburger Akademie am 14. Mai 1777 vorgelegte Aufsatz wurde 1794 postum veröffentlicht. Eine weitere Verbreitung erfuhr das Symbol i durch C. F. Gauß (1777–1855), der es in seinen „Disquisitiones arithmeticae" (Leipzig 1801) verwendet

Aber nach der Einführung der komplexen Zahlen in die Mathematik betrachtete man sie zweieinhalb Jahrhunderte lang fast einmütig als vollkommen fiktive Ideen, die nur in Anbetracht ihres sich unerwartet offenbarten Nutzens zulässig seien. In einem 1702 gedruckten Aufsatz über die Integration rationaler Brüche kennzeichnete Leibniz die komplexen Zahlen als „feine und wunderbare Zuflucht des Geistes, ein Monstrum der idealen Welt, fast ein Amphibium zwischen Sein und Nichtsein“[11]), und in einem undatierten Manuskript bemerkte er: „Diese Ausdrücke haben etwas Wunderbares, weil sie in den Rechnungen nichts Absurdes oder Widersprüchliches hervorbringen und dennoch in der Natur der Dinge oder im Konkreten nichts darzustellen vermögen.“[12])

Fast bis zur Mitte des 16. Jahrhunderts klammerten die Mathematiker Aufgaben oder algebraische Gleichungen, die auf imaginäre Zahlen führten, aus der Betrachtung aus (eine solche Aufgabe, die sich Mitte des 1. Jahrhunderts bei Heron von Alexandria findet, war das Resultat falsch vorgegebener Ausgangsdaten, bei denen ein Pyramidenstumpf, dessen Höhe gesucht ist, nicht existieren kann)[13]). Imaginäre Zahlen wurden bald nach der Entdeckung der Lösung kubischer Gleichungen in Radikalen in der italienischen algebraischen Schule eingeführt. Voraussetzung dafür war, daß sich die Überzeugung von der Nützlichkeit und Rechtmäßigkeit der negativen Zahlen gefestigt hatte,

---

hatte. Gauß führte auch den Terminus komplexe Zahl ein („Theoria residuorum biquadraticorum“ 1831). Die Bezeichnung „Modul“ (1806) stammt von J. Argand (1768–1822), wurde aber erst durch A. Cauchy (1789–1855) gebräuchlich, auf den auch der Terminus „konjugiert“ – conjugué – zurückgeht (Analyse algébrique. Paris 1821).

11) Leibniz, G. W.: Mathematische Schriften. Hrsg. von C. I. Gerhardt (=LMS), Bd. V (Nachdruck: Hildesheim – New York 1971), S. 357.

12) LMS, Bd. VII, S. 73. Das lateinische Original lautet: Hae expressiones id habent mirabile, quod in calculo nihil involvunt absurdi vel contradictorii, et tamen exhiberi non possunt in natura rerum seu in concretis.

13) Tropfke, J.: Geschichte der Elementarmathematik. 4. Aufl. Bd. I: Arithmetik und Algebra. Vollständig neu bearbeitet von K. Vogel, K. Reich, H. Gericke. Berlin – New York 1980, S. 151.

obwohl man diese auch später noch als fiktive oder falsche Zahlen bezeichnete (numeri ficti, numeri falsi).
Zum ersten Male erscheinen komplexe Zahlen bei Aufgaben, die auf quadratische Gleichungen führen, jedoch in einer Arbeit, die in der Hauptsache der Lösung kubischer Gleichungen gewidmet ist, nämlich in der Schrift von Girolamo Cardano (1501–1576) „Artis magnis, sive de regulis algebraicis liber unus" (Nürenberg 1545). Im 37. Kapitel dieses Buches „Über die Regel, falsches anzunehmen" (De Regula falsum ponendi) erläutert Cardano den Nutzen der negativen Zahlen, die er mit m̃ bezeichnet (von minus) und bringt Beispiele für die Anwendung von Quadratwurzeln aus negativen Zahlen, die mit ℞m̃ bezeichnet werden (℞ ist eine Abkürzung des Wortes „Radix" – Wurzel). Die in Rede stehende Regel kommt laut Cardano in drei Formen vor, denn entweder ergibt sich m̃, oder es wird ℞m̃ gesucht oder gar etwas, „was nicht existiert".[14]) Schon früher weist Cardano in einer gesonderten Bemerkung zur III. Regel des 5. Kapitels, das den quadratischen Gleichungen gewidmet ist, darauf hin, daß im Falle – wie wir heute sagen – negativer Diskriminante die Frage selbst falsch ist, und das, was vorgelegt ist, nicht existieren kann (questio ipsa est falsa, nec esse potest, quod proponitur). So wird auch im 37. Kapitel bei der Lösung einer Aufgabe nach der II. Regel argumentiert: Es soll 10 in zwei Teile zerlegt werden, deren Produkt gleich 40 ist. Obwohl das auch unmöglich ist, berechnet Cardano formal diese Teile und schreibt sie in der Form 5p̃℞m̃ : 15 und 5m̃℞m̃ : 15 (p̃ kommt von dem Wort plus), d. h. $5+\sqrt{-15}$ und $5-\sqrt{-15}$. Nachdem Cardano verifiziert hat, daß $(5+\sqrt{-15})\,(5-\sqrt{-15})=25-(-15)=40$ ist, sagt er, daß eine solche Lösung eine wahrhaft sophistische sei (vere sophistica) und fügt hinzu, daß solche arithmetischen Spitzfindigkeiten nutzlos sind (adeo est subtile, ut sit inutile).
Cardano war noch unsicher bei der Handhabung der imaginären Zahlen. Davon zeugt die Abtrennung einer besonderen dritten Regel, in der etwas gesucht ist, „was nicht existiert" (quod non

---

14) Der lateinische Text lautet: Haec regula triplex est, aut enim ponit m̃ aut quaerit ℞m̃ aut quaerit quod non est – d. Übers.

est), im Falle, daß die Lösung sowohl nicht negativ als auch keine Quadratwurzel einer negativen Zahl ist. Davon zeugt auch ein Beispiel zu dieser Regel, welches elementare Rechenfehler in der Art $\frac{1}{4}\left(-\frac{1}{4}-\sqrt{-\frac{1}{4}}\right)=-\frac{1}{16}-\sqrt{\frac{1}{64}}=-\frac{1}{16}+\frac{1}{8}$ enthält.

Ein jüngerer Zeitgenosse von Cardano, Rafael Bombelli (1526–1572), ist um vieles weiter gegangen: in dem von ihm zwischen 1557 und 1560 verfaßten Werk „L'algebra" (Bologna 1572) entwickelte er eine formale Rechnung mit imaginären Zahlen und zeigte deren erste Anwendung. Bombellis Ausgangspunkt war die Untersuchung des sogenannten irreduziblen Falles der kubischen Gleichung

$$x^3 = px + q \qquad (p > 0,\ q > 0)\,,$$

wo bei $\left(\frac{p}{3}\right)^3 > \left(\frac{q}{2}\right)^2$ die positive Wurzel der Gleichung in Radikalen durch eine Formel ausgedrückt wird, die Kubikwurzeln aus imaginären Zahlen enthält:

$$x = \sqrt[3]{\frac{q}{2}+\sqrt{\left(\frac{q}{2}\right)^2-\left(\frac{p}{3}\right)^3}}+\sqrt[3]{\frac{q}{2}-\sqrt{\left(\frac{q}{2}\right)^2-\left(\frac{p}{3}\right)^3}}$$

(die anderen beiden Wurzeln sind in diesem Falle negativ).

Es schien rätselhaft, wie diese imaginären Ausdrücke eine positive Gleichungswurzel ergeben können. Bombelli überwand die Schwierigkeit durch die Feststellung, daß Kubikwurzeln aus konjugierten komplexen Zahlen selbst konjugiert sind und folglich ihre Summe einen reellen Wert hat.[15] Er demonstrierte das an geschickt gewählten Zahlenbeispielen. So hat die Gleichung

$$x^3 = 15x + 4$$

die positive Wurzel 4, denn in der Formel

$$x = \sqrt[3]{2+\sqrt{-121}} + \sqrt[3]{2-\sqrt{-121}}$$

---

[15] Zwei konjugierte komplexe Zahlen bezeichnete Bombelli mit il binomio und il residuo, wobei er die antike griechische Lehre von den quadratischen Irrationalitäten, wie sie im Buch X der „Elemente" des Euklid steht, in italienische Termini übersetzte.

sind die Kubikwurzeln $\sqrt[3]{2+11\sqrt{-1}}=2+i$ und $\sqrt[3]{2-11\sqrt{-1}}=2-i$, wie man leicht durch Erheben von $2\pm i$ in die dritte Potenz sieht (die beiden anderen negativen Wurzeln dieser Gleichung sind $-2\pm\sqrt{3}$)[16]).

Bombellis Analyse basiert auf folgenden 8 Rechenregeln für komplexe Zahlen:
$(\pm 1)\sqrt{-1}=\pm\sqrt{-1}$, $(\pm 1)(-\sqrt{-1})=\mp\sqrt{-1}$, $(+\sqrt{-1})(\pm\sqrt{-1})= =\mp 1$, $(-\sqrt{-1})(\pm\sqrt{-1})=\pm 1$. Die ersten vier Grundrechenarten mit komplexen Zahlen werden durch einige Beispiele erläutert. Bombelli gab keinerlei Interpretation der imaginären Zahlen. Sie treten bei ihm einfach als Symbole auf, die durch die angegebenen Regeln definiert werden. Er dachte sich eine eigenartige Terminologie und Symbolik aus, die übrigens von den späteren Autoren nicht übernommen worden ist. Er sagt, daß die Quadratwurzel aus einer negativen Zahl weder positiv noch negativ genannt werden kann oder weder plus noch minus (ne più, ne meno), und er bezeichnet sie mit più di meno ($\sqrt{-1}$) bzw. meno di meno ($-\sqrt{-1}$) oder abgekürzt pdm bzw. mdm; $\sqrt[3]{2+\sqrt{-2}}$ schreibt er als Rc ⌊2 pdm 2⌉ (Rc=radix cubica)[17]). Ein allgemeiner Beweis der von Bombelli gegebenen Erklärung mit Mitteln der Algebra führt doch wieder auf den irreduziblen Fall der kubischen Gleichung – daher auch die Bezeichnung dieses Falles.

Wie wir gesehen haben, geht auf Bombelli das allgemeine Problem zurück, aus einer komplexen Zahl die Wurzel mit beliebigem natürlichem Wurzelexponenten zu ziehen. Die Lösung dieses Problems wurde später mit Hilfe der Trigonometrie gefunden. Es verdient erwähnt zu werden, daß François Viète (1540–1603) im Jahre 1593 den irreduziblen Fall der kubischen Gleichung unter Umgehung der imaginären Zahlen löste: er drückte die kubische Gleichung durch die trigonometrische

---

16) Bombelli, R.: L'Algebra. Bologna 1572, S. 294.

17) Bombelli, R.: L'Algebra, S. 291 – E. Bortolotti hat angenommen, daß die Termini Bombellis als Abkürzung von più (oder meno) radix di meno, d. h. von plus (oder minus) Wurzel aus minus entstanden sind.

Gleichung der Winkeltrisektion aus und führte die Angelegenheit auf das Aufsuchen von $\cos\varphi$ bei gegebenem $\cos 3\varphi$ zurück. Auf Viète gehen auch die Formeln zurück, die $\cos n\varphi$ und $\sin n\varphi$ durch Polynome nach Potenzen von $\cos\varphi$ und $\sin\varphi$ ausdrücken (n= natürliche Zahl). Diese Formeln wurden in allgemeiner Form später von Newton, Abraham de Moivre (1667–1754) und den älteren Brüdern Bernoulli hergeleitet.

Eine neue folgenreiche Anwendung erfuhren die imaginären Zahlen bei der Formulierung des Fundamentalsatzes der Algebra, zu dem die Mathematiker vor allem durch die Tatsache kamen, daß Polynome durch Multiplikation von Binomen des Typs $x-a$ entstehen. Peter Roth († 1616), der nur reelle Wurzeln im Auge hatte, sprach diesen Satz 1608 aus, jedoch noch nicht vollständig: Eine algebraische Gleichung hat höchstens so viele Wurzeln, wie ihr Grad angibt, aber nicht mehr. 1629 gab Albert Girard (1595–1632) eine vollständige Formulierung des Satzes, indem er imaginäre Wurzeln in die Betrachtung einbezog. Die imaginären Wurzeln nannte er „verborgene" Wurzeln (enveloppées) und kennzeichnete sie als unmögliche (impossibles) oder unsinnige (ineptes) Wurzeln. Die Verwendung „unmöglicher" Wurzeln motivierte er damit, daß diese es erlauben, Theoreme in allgemeiner Form auszusprechen (das bezieht sich nicht nur auf den Fundamentalsatz der Algebra, sondern auch auf von Girard entdeckte wichtige Eigenschaften der symmetrischen Funktionen der Wurzeln), daß es andere Wurzeln nicht gibt und schließlich damit, daß diese Wurzeln bei der Lösung anderer Gleichungen nützlich sind.[18]) Es ist unklar, ob Girard wußte, daß die Wurzeln algebraischer Gleichungen durch die gewöhnlichen komplexen Zahlen erschöpft werden. Girard hat anscheinend zuerst den Gedanken ausgesprochen, daß es nützlich ist, solche mathematischen Objekte einzuführen, die wir heute als uneigentliche Objekte bezeichnen.

Die Schrift Girards war zu seiner Zeit wenig bekannt, und der Fundamentalsatz der Algebra wurde 1637 von Descartes zum

[18]) Girard, A.: Invention nouvelle en l'algèbre. Amsterdam 1629 (Nachdruck: Leiden 1884), f. 1r–4r.

zweiten Male ausgesprochen. Descartes schrieb, daß jede Gleichung so viele Wurzeln haben kann, wie die Unbekannte Dimensionen hat, und fügte dann hinzu, daß sowohl die wahren (vraies) als auch die falschen (fausses) Wurzeln einer Gleichung nicht immer real (réelles), sondern manchmal nur imaginär (imaginaires) sind, welch letzteren keinerlei Größe entspricht.[19]) Es ist jedoch wieder unklar, welchen Sinn Descartes dem Terminus „imaginäre Wurzel" beilegte.

Nach dem Erscheinen von Descartes' „Geometrie" und insbesondere ihrer kommentierten lateinischen Übersetzung, die im 17. Jahrhundert vier Auflagen hatte (1. Aufl. 1649), erfuhren die imaginären Wurzeln breite Anerkennung. Dabei bezeichnete man im 17. und zu Beginn des 18. Jahrhunderts als imaginär alle möglichen Ausdrücke, die bei beliebigen bekannten Operationen im Bereich der reellen Zahlen entstehen können, selbst aber nicht reell sind. Dabei setzte man voraus, daß man mit imaginären Größen nach den üblichen Regeln der Mathematik operieren kann. Zugleich war man sich noch nicht der Tatsache sicher, daß die imaginären Zahlen stets von der Form $a+b\sqrt{-1}$ sind. In dem schon erwähnten Artikel von 1702, in dem die Integration rationaler Funktionen mittels ihrer Zerlegung in eine Summe von Partialbrüchen geleistet wird, kam Leibniz bei der Betrachtung des Integrals $\int \frac{dx}{x^4+a^4}$ zu dem Schluß, daß sich die Wurzeln des Binoms x^4+a^4 von den gewöhnlichen imaginären Größen unterscheiden. Nach Darstellung dieses Binoms als Produkt $x^4+a^4=(x^2-a^2\sqrt{-1})\,(x^2+a^2\sqrt{-1})=(x+a\sqrt{\sqrt{-1}})\,(x-a\sqrt{\sqrt{-1}})\cdot(x+a\sqrt{-\sqrt{-1}})\,(x-a\sqrt{-\sqrt{-1}})$ erklärte er, daß keinerlei paarweise Produkte dieser vier Linearfaktoren reelle (quadratische) Faktoren des Binoms liefern.[20]) So waren in Leibniz' Augen $\sqrt{\sqrt{-1}}$, $\sqrt{(-\sqrt{-1})}$ und ähnliche Ausdrücke imaginäre Elemente,

---

[19]) Descartes, R.: Discours de la méthode plus ... la Géométrie. Leiden 1637, p. 380. – Deutsche Übersetzung: Descartes, R.: Geometrie. Leipzig 1923, S. 81.

[20]) Leibniz, G. W.: Specimen novum Analyseos pro Scientia infiniti circa Summas et Quadraturas = LMS, S. 359–360.

die sich von den früher bekannten unterschieden, und daraus zog er den Schluß, daß sich die Integrale $\int \frac{dx}{x^4+a^4}$, $\int \frac{dx}{x^8+a^8}$ usw. nicht mittels inverser trigonometrischer Funktionen oder Logarithmen ausdrücken lassen (er formulierte: nicht mittels Quadratur des Kreises oder der Hyperbel). Zu Beginn des 18. Jahrhunderts konnte man noch keine Wurzeln aus imaginären Zahlen ziehen und wußte nicht, daß $\sqrt{i}=\frac{\sqrt{2}}{2}(1+i)$, $\sqrt{-i}=\frac{\sqrt{2}}{2}(1-i)$ und folglich $\sqrt{i}+\sqrt{-i}=\sqrt{2}$ ist. Andererseits war Leibniz merkwürdigerweise entgangen, daß $x^4+a^4=(x^2+a^2)^2-2a^2x^2=(x^2+\sqrt{2}ax+a^2)(x^2-\sqrt{2}\,ax+a^2)$ ist.

Den ersten Versuch einer realen Deutung der imaginären Zahlen unternahm John Wallis (1616–1703) in einer algebraischen Abhandlung, die zunächst in Englisch und bald darauf in vervollständigter Form in Latein in Band II seiner Werke erschien.[21]) Den imaginären Zahlen sind die Kapitel 66–69 und 71 dieser Arbeit gewidmet. Konsequent verfolgte Wallis die Idee von der Notwendigkeit der Verallgemeinerung des Zahlbegriffs, von den ganzen Zahlen zu den Brüchen, von den rationalen zu den irrationalen, von den positiven zu den negativen, und er gab reale Interpretationen jeder neuen Klasse von Zahlen an. In diesem Zusammenhang war Wallis bestrebt, die imaginären Zahlen gleichberechtigt mit den anderen Zahlen zu behandeln. Das Auftreten imaginärer Zahlen bei der Lösung irgendeiner Aufgabe habe schon deshalb Bedeutung, weil es auf die Unmöglichkeit der Aufgabe hinweise.[22]) Wallis schlägt zwei Interpretationen der imaginären Größen vor. Bei aller Unvollkommenheit enthalten sie beide einen gewissen rationellen Kern und zeugen von kühnem

---

21) Wallis, J.: Treatise of algebra, both historical and practical. Oxford 1685. – Opera mathematica, vol. II, Oxford 1693.

22) I. Newton hat in seinen Vorlesungen zur Algebra, die in den Jahren 1683 bis 1689 niedergeschrieben wurden, denselben Gedanken ausgesprochen: Die Gleichungswurzeln müssen bisweilen unmögliche (impossibiles) Wurzeln sein, sonst würden die Wurzeln jene Fälle von Aufgaben als mögliche anzeigen, die eigentlich unmöglich sind. (Newton, I.: Arithmetica universalis etc. Cambridge 1707).

Denken. Erstens betrachtet Wallis eine verlorene Fläche ähnlich einem verlorenen Vermögen oder einer Schuld als Fläche mit negativem Vorzeichen $-a^2$, und so tritt $\sqrt{-a^2}$ als Seite eines Quadrats mit negativer Fläche auf. Zweitens, wenn man die negativen Zahlen als Strecken der Zahlengeraden darstellen kann, so werden die imaginären Zahlen als Strecken in der Ebene dargestellt. Und zwar wird $\sqrt{-bc}$, $b>0$, $c>0$ als Strecke der Länge $\sqrt{bc}$ interpretiert, welche im Punkt B zu den auf einer Geraden liegenden Strecken $AB=-b$ und $BC=c$ senkrecht steht. – Wallis hat auch beiläufig erwähnt, daß die Anzahl der imaginären Wurzeln einer Gleichung (mit reellen Koeffizienten) gerade ist und daß diese Wurzeln immer mit dem Ziehen von Quadratwurzeln aus negativen Zahlen verbunden sind.

Die Idee, die der ersten Interpretation von Wallis zugrunde liegt, wurde Mitte des 18. Jahrhunderts von Heinrich Kühn (1690–1769) erneut entwickelt, der sich dabei in Widersprüche verstrickte. Die Entscheidung der Petersburger Akademie, den Aufsatz von Kühn in ihren „Commentarii" abzudrucken, rief bei Euler großen Unwillen hervor. Die Arbeit war ihm schon früher von Kühn zugeschickt worden, und Euler brachte in einigen Briefen an Schumacher vom 14. und 17. Juni und vom 4. September 1753 seine scharfe Ablehnung dieser Arbeit zum Ausdruck.[23] Der Artikel von Kühn wurde dennoch gedruckt[24], aber im einleitenden Resumé zum Inhalt des Bandes stand darüber zu lesen: „Diese Erörterung ist von ihrer Bedeutung her derart, daß über sie auf Grund des Charakters der Darstellung nichts zu sagen ist; weshalb wir wünschen würden, daß die Leser selbst hineinschauten."[25] Wie aus einem Brief Eulers an den

[23] Die Berliner und die Petersburger Akademie der Wissenschaften im Briefwechsel Leonhard Eulers. T. 2, S. 15–17, 313–315, 322.

[24] Kuehnius, H.: Meditationes de quantitatibus imaginariis construendis et radicibus imaginariis exhibendis. – Novi Commentarii Ac. Sc. Petrop. III (1750–1751) 1753, p. 170–223.

[25] Novi Commentarii Ac. Sc. Petrop., III, Summarium, p. 18. – Der lateinische Text lautet: Haec dissertatio talis est valeris, de qua nihil, propter ejusdem modum procedendis est dicendum; hinc velimus, ut lectores dissertationem ipsam introspicerint.

Konferenz-Sekretar der Petersburger Akademie Gerhard Friedrich Müller (1705–1783) ersichtlich ist, hielt er die redaktionelle Bemerkung für unzureichend, weil sie den Eindruck erwecke, daß „diese erbärmliche Schmiererei" doch Aufmerksamkeit verdiene.[26]

Die erste vollgültige geometrische (vektorielle) Interpretation der imaginären Zahlen gelang im Jahre 1799 Kasper Wessel (1745–1818). Wessel verstand, daß man nicht nur ein gewisses geometrisches Bild der Zahl $\sqrt{-1}$ finden, sondern auch alle algebraischen Operationen im Körper der komplexen Zahlen geometrisch interpretieren muß. Wessels 1799 in Kopenhagen veröffentlichte Schrift blieb lange Zeit unbeachtet, und mehrere andere analoge Deutungen sind zu Beginn des 19. Jahrhunderts von anderen Gelehrten unabhängig voneinander vorgelegt worden.

Den entscheidenden Anstoß zur Entwicklung der Theorie der Funktionen einer komplexen Veränderlichen gab ein Artikel von Johann I Bernoulli über die Integration rationaler Funktionen, der 1702 im wesentlichen abgeschlossen war und der in den Jahren 1703 und 1704 erschienen ist. Nachdem Bernoulli das Differential $\frac{adz}{b^2-z^2}$ durch die Substitution $z=b\frac{t-1}{t+1}$ in das logarithmische Differential $\frac{adt}{2bt}$ überführt hatte, transformierte er $\frac{adz}{b^2+z^2}$ (d. h. das Differential des Arcustangens) in „das Differential des imaginären Logarithmus" $\frac{-adt}{2\sqrt{-1}\,bt}$. Am Schluß des Artikels schrieb er: „Weil $\int\frac{adz}{b^2+z^2}$ von der Quadratur des Kreises abhängt und ferner $\frac{adz}{b^2+z^2}=\frac{1}{2}\frac{adz}{b^2+bz\sqrt{-1}}+$ $+\frac{1}{2}\frac{adz}{b^2-bz\sqrt{-1}}$ ist, welche beide Differentiale eines imaginären

[26]) Die Berliner und die Petersburger Akademie der Wissenschaften im Briefwechsel Leonhard Eulers. T. I, S. 87–88.

Logarithmus sind, so sieht man, daß imaginäre Logarithmen für reelle Kreissektoren genommen werden können, weil diese imaginären Größen, wenn man sie zusammenfaßt, sich gegenseitig kompensieren und aufheben und die Summe somit vollkommen reell wird."[27]) Hätte Bernoulli die Integration zu Ende geführt, so hätte er die wichtige Formel erhalten, die den Arcustangens und den Logarithmus verknüpft. Aber er machte vor einem solchen Schritt, der ihn vor eine Reihe schwieriger Fragen gestellt hätte, halt. Er integrierte auch nicht eine andere in demselben Artikel enthaltene Gleichung zwischen den Differentialen des Arcussinus und des „imaginären Logarithmus".
Bernoulli überging die Frage nach den Eigenschaften der „imaginären Logarithmen" auch in einer Arbeit von 1712, in der er die Gleichung $\frac{n\,dx}{x^2+1}=\frac{dy}{y^2+1}$ integrierte, nachdem er vorher die Nenner in imaginäre Faktoren zerlegt hatte. Dabei ist $x=\tan\varphi$, $y=\tan n\varphi$. Auf diese Weise erhielt er die Gleichung $(x-\sqrt{-1})^n\,(y+\sqrt{-1})=(x+\sqrt{-1})^n\,(y-\sqrt{-1})$, welche ihm den rationalen Ausdruck von $\tan n\varphi$ durch $\tan\varphi$ lieferte, den vor ihm schon Jakob Hermann (1706) ohne Beweis angegeben hatte.[28])
Am weiteren Fortschreiten hinderten Bernoulli – wie auch Leibniz – die Unklarheiten, die damals dem Begriff des Logarithmus anhafteten, für den man keine passende eindeutige Definition besaß. Davon zeugt der Streit zwischen beiden Gelehrten über die Eigenschaften der Logarithmen von negativen und imaginären Zahlen in ihrer Korrespondenz zwischen dem Frühjahr 1712 und dem Sommer 1713. Leibniz meinte, daß $\log(-a)$, $a>0$ imaginär ist, aber worin die Natur dieser Imaginarität besteht, vermochte er nicht zu erklären. Bernoulli war gar der Ansicht, daß $\log(-a)=\log a$ ist. Die Argumentation von Leibniz und Bernoulli ist in der im vorliegenden Bändchen enthaltenen Arbeit E. 168 von Euler eingehend analysiert worden (s. Arbeit II.).

[27]) Bernoulli, Johann: Opera omnia, t. I. Lausanne und Genf, S. 399–400 (Nachdruck: Hildesheim 1968).
[28]) Bernoulli, Johann: Ibid., S. 511–514.

Neue Entdeckungen in der Theorie der elementaren Funktionen einer komplexen Veränderlichen wurden zu dieser Zeit und auch etwas danach in England von Moivre und Roger Cotes (1682–1716) gemacht, deren Untersuchungen eng miteinander verflochten sind. Moivre untersuchte das Problem der Teilung des Kreis- und des Hyperbelsektors in n gleiche Teile. Mit dem ersten Problem ist die Aufgabe verbunden, die trigonometrischen Funktionen des Arguments $n\varphi$ durch diejenigen des Arguments φ auszudrücken, mit dem zweiten die analoge Aufgabe für die Hyperbelfunktionen.[29] Im Zusammenhang mit diesen Untersuchungen kam Moivre in Arbeiten, die 1707, 1724 und 1730 publiziert wurden, zu folgendem grundlegendem Resultat: Wenn $x=\cos\varphi$, $l=\cos n\varphi$ (n = natürliche Zahl) ist, dann gilt[30]

$$x=\frac{1}{2}\sqrt[n]{l+\sqrt{l^2-1}}+\frac{1}{2}\,\frac{1}{\sqrt[n]{l+\sqrt{l^2-1}}},$$

oder, was dasselbe ist,

$$\cos\varphi=\frac{1}{2}\,(\cos n\varphi+i\sin n\varphi)^{\frac{1}{n}}+\frac{1}{2}\,(\cos n\varphi+i\sin n\varphi)^{-\frac{1}{n}}.$$

Diese Beziehung erhielt Moivre aus den Gleichungen

$$z^{2n}-2lz^n+1=0, \qquad z^2-2xz+1=0,$$

deren Auflösung nach z sofort die „Moivresche Formel“ in der gewohnten Form, die ihr Euler gegeben hat, liefert (s. den entsprechenden Text I. von Euler). Ohne ins Detail zu gehen, bemerken wir, daß Moivre eine Integration und imaginäre Substitutionen verwendet hat ähnlich denen, welche Johann I Bernoulli benutzte, mit dem Moivre in den Jahren 1704–1714 korrespondierte.

Auf Cotes gehen zwei Theoreme zurück, deren Beweis er nicht mitteilte. In dem einen, welches 1717 publiziert wurde, ist verbal

---

[29]) Die Hyperbelfunktionen wurden 1757 von W. Riccati (1707–1775) als spezielle Funktionenklasse herausgehoben.

[30]) Moivre, A. de: Miscellanea analytica de seriebus et quadraturis. London 1731, S. 1.

eine Aussage formuliert[31]), die man (wenn man von einem von Cotes begangenen Vorzeichenfehler absieht) als Formel in der Form $\varphi\sqrt{-1}=\ln(\cos\varphi+\sqrt{-1}\ \sin\varphi)$ aufschreiben kann. Das ist nichts anderes als die berühmte Eulersche Formel (s. u. S. 40); wie Cotes auf sie gekommen ist, ist nicht bekannt. Der Artikel von 1717 wurde in ein postum erschienenes Buch[32]) aufgenommen, in dem das andere Theorem von Cotes über die Zerlegung von Binomen der Form $a^n \pm z^n$ in lineare und quadratische reelle Faktoren enthalten ist. Einen Beweis dafür teilte Moivre in einem Buch aus dem Jahre 1730 mit. Später verwendete Moivre seine Verfahren zur Berechnung von Wurzeln aus komplexen Zahlen.[33])

Das waren die hauptsächlichen Errungenschaften in der Lehre von den imaginären Zahlen und ihren elementaren Funktionen, als Euler sich mit ihrem Studium zu beschäftigen begann.

III.

Wir wollen den Entwicklungsgang der Untersuchungen Eulers und seinen Beitrag zur Theorie der analytischen Funktionen kurz charakterisieren und werden dabei etwas detaillierter nur bei jenen Dingen verweilen, die sich in den im vorliegenden Sammelband publizierten Arbeiten nicht widerspiegeln.

Die früheste Erwähnung der imaginären Größen findet sich bei Euler in seinem Briefwechsel mit Johann I Bernoulli. Schon im ersten Brief an seinen Lehrer vom 16. November 1727 teilte Euler mit, daß er zufällig auf die Gleichung $y=(-1)^x$ gestoßen sei, deren geometrische Darstellung schwierig sei, weil sich y bald als positiv, bald als negativ, bald als imaginär erweise. Nach Meinung Eulers wird diese Gleichung nicht durch eine stetige Linie (linea continua) dargestellt, sondern durch eine Menge diskreter Punkte, die auf beiden Seiten der Abszissenachse

---

[31]) Cotes, R.: Logometria. Philosoph. Transactions 1714 (1717), N 338, S. 32.

[32]) Cotes, R.: Harmonia mensurarum . . . London 1722.

[33]) Detaillierter s. in Schneider, I.: Der Mathematiker Abraham de Moivre. Archive for History of Exact Sciences, v. 5, n° 3/4, 1968, S. 177–317.

im Abstand 1 angeordnet sind. In seiner Antwort vom 9. Januar 1728 brachte Bernoulli zum Ausdruck, daß er mit Euler nicht übereinstimme. Bernoulli differenzierte die Funktion $y=(-n)^x$ logarithmisch und bewies, wie er glaubte, damit, daß $\ln(-z)= =\ln z$ ist, weil $d\ln(-z)=\frac{-dz}{-z}=\frac{+dz}{+z}=d\ln z$ gilt. Er schloß daraus, daß $y=(-n)^x=n^x$ und folglich $y=(-1)^x=1^x=1$ sei. Euler erwiderte am 10. Dezember 1728 mit allem Respekt, daß aus der Gleichheit der Differentiale $d\ln(-z)=d\ln z$ lediglich folge, daß $\ln(-x)=\ln x+C$ gilt, wo $C=\ln(-1)$ ist, die Annahme der Gleichung $\ln(-1)=\ln 1=0$ aber zu Widersprüchen führe. Darüber hinaus leitete Euler durch Anwendung der Methode „der Zurückführung der Quadratur des Kreises auf Logarithmen“[34], die in dem schon zitierten Aufsatz von Bernoulli aus den Jahren 1703–1704 dargelegt ist, und durch die bis zu Ende ausgeführte Integration der darin enthaltenen Differentialgleichung die Gleichung $z=\frac{1}{2\sqrt{-1}}\ln\frac{\cos z+\sqrt{-1}\sin z}{\cos z-\sqrt{-1}\sin z}$ her (mit etwas anderen Bezeichnungen), woraus er für $\cos z=0$ $\left(\text{wir würden sagen für } z=\frac{\pi}{2}\right)$ $\ln(-1)=\pi\sqrt{-1}$ erhielt. Die weiteren Überlegungen Bernoullis, der versuchte, seine Konzeption der Logarithmen negativer Zahlen mit den Schlußfolgerungen in Einklang zu bringen, die Euler aus seiner eigenen Arbeit gezogen hatte, waren unklar, und die Korrespondenten gingen zur Erörterung anderer Fragen über.[35]

Dieser glänzende Beginn Eulers führte ihn geradewegs auf den Kernpunkt der Probleme in der Theorie der elementaren Funktionen einer komplexen Veränderlichen. Gut bekannt mit den

---

34) Ex methodo . . . quadraturam circuli ad logarithmos reducendi.

35) Die genannten Briefe Eulers und Johann Bernoullis wurden von G. Eneström publiziert; s. Bibliotheca mathematica, 3 F., B. 4, 1903, S. 346–354. Eine genaue Analyse der Frage der graphischen Darstellung der Funktion $y=(-1)^x$ hat Euler im zweiten Band der „Einführung in die Analysis des Unendlichen“ im § 517 vorgenommen.

Arbeiten seiner Vorgänger und insbesondere Moivres[36], entwickelte Euler diese in verschiedenen Richtungen weiter. Vor allem baute er eine ins einzelne gehende Theorie der elementaren analytischen Funktionen auf und beantwortete die Frage nach der Natur der Wurzeln algebraischer Gleichungen. Zur gleichen Zeit skizzierte er einige allgemeine Richtungen der Theorie der analytischen Funktionen, die erst im 19. Jahrhundert eine tiefere Weiterentwicklung erfahren haben. Viele fundamentale Resultate Eulers sind in Band I der schon mehrfach erwähnten „Einführung in die Analysis des Unendlichen" enthalten. Dieser Band war 1744 fertiggestellt, wurde aber erst 1748 gedruckt.
Von den ersten Seiten der „Einführung" an tauchen die imaginären Zahlen und Veränderlichen als völlig gleichberechtigt mit den reellen auf (§ 3). Der Begriff der Funktion wird dann nach Johann I Bernoulli (1718) als analytischer Ausdruck definiert, nämlich als Ausdruck, der auf irgendeine Weise mittels algebraischer und transzendenter Operationen gebildet wird. Zu den letzteren Operationen gehören exponentielle, logarithmische und unzählige andere, welche die Integralrechnung liefert (§§ 4–6). Danach wird der noch sehr unbestimmte Begriff „analytischer Ausdruck" präzisiert: Euler behauptet, daß jede Funktion einer Veränderlichen z durch eine unendliche Potenzreihe $A+Bz+Cz^2+Dz^3+\dots$ ausgedrückt werde, welche die geeignetste Form für das Studium der Eigenschaften einer Funktion darstelle. Ausnahmslos in jedem Falle werde eine Funktion durch eine Reihe der Form $Az^\alpha+Bz^\beta+Cz^\gamma+Dz^\delta+\dots$ ausgedrückt, wo die Exponenten beliebige Zahlen bezeichnen (§ 59). Die Entwicklung von Funktionen in Potenzreihen hatte in der Analysis nach Newton und Leibniz eine weite Verbreitung erfahren. Aber erst Euler hob mit aller Entschiedenheit die Klasse derjenigen Funktionen heraus, die auf diese Weise dar-

[36] Die Arbeiten von Moivre sind von den Petersburger Mathematikern – J. Hermann, D. Bernoulli, Ch. Goldbach – schon 1726 erörtert worden, wovon der Briefwechsel vom Herbst 1728 zwischen den beiden letzteren zeugt. S. Correspondance mathématique et physique de quelques célèbres géomètres du XVIIIème siècle, t. II, p. 271–279.

stellbar sind. Lagrange machte, von Eulers Behauptung ausgehend, später den Versuch zu beweisen, daß alle Funktionen der Analysis oder, wie er sagte, alle analytischen Funktionen im wesentlichen (d. h. mit Ausnahme einzelner Werte des Arguments) in Potenzreihen mit natürlichen Exponenten entwickelt werden können (1797). Dieser Versuch erwies sich natürlich als erfolglos, aber der Fachausdruck „analytische Funktion" hat sich durchgesetzt, nachdem er etwa 1840 durch Karl Weierstraß (1815–1897) jenen Sinn erhalten hatte, den er jetzt hat und in welchem wir ihn hier verwenden. Im Hinblick auf die Klassen von Funktionen, die von Euler tatsächlich untersucht worden sind, ist seine Behauptung richtig: Sie sind überall analytisch außer möglicherweise in isolierten Punkten, in denen sie durch verallgemeinerte Potenzreihen dargestellt werden können.[37])

Die heutzutage übliche Absonderung der Gruppe der elementaren Funktionen ist faktisch von Euler vorgeschlagen worden. Vor ihm verstand man unter integrierbaren Funktionen solche, deren Integrale algebraisch sind; so schrieb noch 1729 Daniel Bernoulli an Goldbach, daß rationale Differentiale entweder integrierbar sind oder durch Kreis- oder Hyperbelquadratur dargestellt werden. Euler hat in Briefen an Goldbach vom 17. Oktober und 9. November 1730[38]) vorgeschlagen, das Gebiet der elementaren Funktionen zu erweitern, und in der „Einführung in die Analysis des Unendlichen" führte er dies allgemein ein. Paragraphen dieses Werkes, die eine erstaunlich einfache (wenn auch vom Standpunkt der Analysis des 19. Jahrhunderts

---

37) In den „Institutiones calculi differentialis" (1755) [E. 212 (O. I–10)] definierte Euler eine Funktion als beliebige eineindeutige Beziehung zwischen den Elementen zweier Zahlenmengen (wir verwenden hier unsere heutige Terminologie). Eine solche Definition haben im 19. Jahrhundert auch andere Mathematiker vorgeschlagen und durch P. G. Lejeune-Dirichlet (1805–1859) hat sie sich seit 1837 in der klassischen Analysis eingebürgert. Auch N. I. Lobačevskij (1792–1856) hat 1834 eine solche Definition angegeben. Vgl. Youschkevitch, A. P.: The Conception of Function up to the Middle of the 19th Century. Archive for History of Exact Sciences, v. 16, N° I, 1976, p. 37–85.

38) Leonhard Euler und Christian Goldbach. Briefwechsel 1729–1764, S. 43–49.

nicht völlig strenge) Ableitung der Beziehungen zwischen den trigonometrischen, Exponential- und Logarithmusfunktionen enthalten, werden unten als Text I wiedergegeben. Ergänzend erwähnen wir noch einige Theoreme über die Eigenschaften von Polynomen, insbesondere §31, wo die Möglichkeit der Zerlegung eines beliebigen (reellen) Polynoms 4. Grades in zwei reelle quadratische Faktoren bewiesen ist und dadurch der Fehler von Leibniz korrigiert wird (dessen Name übrigens nicht genannt ist). Im Kapitel IX wird die trigonometrische Form der Darstellung komplexer Zahlen ausgiebig verwendet. Besondere Aufmerksamkeit verdient die Übertragung gewisser grundlegender Eigenschaften von Polynomen und rationalen Funktionen auf transzendente Funktionen. Schon in der Arbeit „De summis serierum reciprocarum" [E. 41 (O. I–14)], die der Petersburger Akademie am 16. Dezember 1735 vorgelegt und 1740 gedruckt wurde, hat Euler bei der Beschäftigung mit der Summation der Reihen $\sum\limits_{k=1}^{\infty} \frac{1}{k^{2n}}$ den Sinus in der Form eines unendlichen Produktes

$$\sin z = z \prod_{k=1}^{\infty} \left(1 - \frac{z^2}{k^2\pi^2}\right)$$

und den Sekans in Form einer Summe von Partialbrüchen

$$\frac{1}{\sin z} = \frac{1}{z} + 2z + \sum_{k=1}^{\infty} \frac{(-1)^k}{z^2 - k^2\pi^2}$$

dargestellt (wir schreiben die Formeln von Euler in der heute gebräuchlichen Form). Weitere Beispiele solcher Darstellungen gab er im IX. und X. Kapitel des ersten Bandes der „Einführung". Hier haben wir die ersten Beispiele für zwei wichtige allgemeine Theoreme, die mehr als hundert Jahre später aufgestellt worden sind. 1876 bewies Weierstraß, daß eine beliebige ganze Funktion (d. h. eine in der ganzen Ebene analytische Funktion) mit unendlich vielen Nullstellen (Wurzeln) als unendliches Produkt von Faktoren darstellbar ist, deren jeder genau eine der gegebenen Nullstellen besitzt. Zur gleichen Zeit zeigte Gösta Mittag-Leffler (1846–1927), daß sich jede meromorphe

Funktion (d. h. jeder Quotient zweier ganzer Funktionen) mit unendlich vielen Polen in Form einer unendlichen Reihe von Partialbrüchen darstellen läßt, von denen jeder nur einen der Pole der Funktion besitzt. Im § 69 des ersten Bandes der „Einführung" werden spezielle Beispiele für die Entwicklung meromorpher Funktionen in unendliche Reihen von der Art

$$\frac{a+bz+cz^2+\dots}{z^2(1-\alpha z-\beta z^2-\dots)}=\frac{A}{z^2}+\frac{B}{z}+C+Dz+Ez^2+\dots$$

betrachtet. Der heutige Leser erkennt hier die Entwicklung in eine Laurent-Reihe in der Umgebung des Pols $z=0$ (solche Typen von Reihen wurden 1843 von Pierre Alphonse Laurent (1813–1854) untersucht). Es muß indessen hervorgehoben werden, daß Euler weder hier noch in anderen Fällen die Frage nach der Konvergenz unendlicher Reihen oder anderer Ausdrücke aufwirft. Aber das ist ein besonderes Thema, welches wir hier nicht berühren werden.

In der „Einführung in die Analysis des Unendlichen" ist die allgemeine Theorie der Logarithmusfunktion nicht auseinandergesetzt. Der Logarithmus wird hier nur für reelle Werte (>0) des Arguments betrachtet. Aber um die Zeit der Niederschrift dieses Werkes war Euler beim Studium der Logarithmusfunktion schon weiter vorangekommen. So kam er zu dem Schluß, daß jede positive Zahl eine unendliche Menge von Logarithmen besitzt, von denen einer reell ist, die übrigen aber imaginär (Bd. II, §§ 515–516). Zu einer tiefergehenden Untersuchung dieser Frage regte ihn die 1745 herausgegebene Korrespondenz von Leibniz mit Johann Bernoulli an, und bereits in Briefen vom 24. September 1746 an Gabriel Cramer (1704–1752) und vom 29. Dezember desselben Jahres an d'Alembert legte Euler einige grundlegende Folgerungen der allgemeinen Theorie dar. Diese ist in den Arbeiten E. 807 (O. I–19), welche erst 1862 erschien, und E. 168 (O. I–17), die 1751 gedruckt wurde, niedergelegt. Die letztgenannte Arbeit ist unter II. abgedruckt, so daß hier darauf nicht eingegangen zu werden braucht. Eulers Theorie wurde von vielen seiner Zeitgenossen, darunter von d'Alembert, nicht richtig gewürdigt. Von der langdauernden

Polemik zwischen beiden Gelehrten zu dieser Frage wird unten in den Anmerkungen zur Arbeit E. 168 die Rede sein.
Wie gesagt sind im Band I der „Einführung" einige Theoreme über die Wurzeln algebraischer Gleichungen enthalten. Noch zu Beginn der 40er Jahre des 18. Jahrhunderts glaubten viele Mathematiker nach wie vor, daß neben den komplexen Wurzeln noch imaginäre Gebilde anderer Art existieren. Darüber schrieb z. B. Nicolaus I Bernoulli am 24. Oktober 1742 an Euler. Bernoulli war es, wie vorher Leibniz, nicht gelungen, ein bestimmtes Polynom vierten Grades in reelle quadratische Faktoren zu zerlegen (im Brief vom 6. April 1743 gab er seinen Fehler zu)[39]. Euler hat in einem Brief an Goldbach vom 15. Dezember 1742 über den ersten der Briefe Bernoullis berichtet und in diesem Zusammenhang zum ersten Male den Satz ausgesprochen, daß jedes Polynom in ein Produkt von linearen und quadratischen reellen Faktoren zerlegt werden kann. Er fügte hinzu, daß er diesen für die Integralrechnung wichtigen Satz noch nicht in aller Strenge beweisen könne.[40] Dieser Satz findet sich auch in § 32 des ersten Bandes der „Einführung in die Analysis des Unendlichen".
Zwei prinzipiell verschiedene Beweise für den Fundamentalsatz der Algebra gaben unabhängig voneinander d'Alembert in den „Mémoires" der Berliner Akademie für 1746 (1748) und Euler in einem Aufsatz, dessen lateinische Version der Berliner Akademie am 10. November 1746 vorgelegt wurde und dessen französische Version „Recherches sur les racines imaginaires des équations" [E. 170 (O. I–6)] ebenfalls in den Berliner „Mémoires", und zwar für das Jahr 1749 (1751), abgedruckt ist. Beide Beweise sind nicht völlig streng, können aber so vervollständigt werden, daß sie den Anforderungen der Mathematik des 20. Jahrhunderts völlig genügen.[41] In der Folgezeit wurden weitere vollkommenere

[39] Correspondance mathématique et physique de quelques célèbres géomètres du XVIIIème siècle, t. II, p. 694–695, 702–704.
[40] Leonhard Euler und Christian Goldbach. Briefwechsel 1729–1764, S. 131.
[41] Башмакова, И. Г.: О доказательстве основной теоремы алгебры. Историко-математические исследования, вып. X, 1957, с. 257–304. Petrova, S. S.: Sur l'histoire des démonstrations analytiques

Beweise von Carl Friedrich Gauß und noch vielen anderen Gelehrten angegeben. Die Arbeit E. 170 ist in diesem Sammelband nicht nachgedruckt, weil ihr Hauptinhalt zur Geschichte der Algebra gehört. Wir wollen daraus jedoch einige wichtige Sätze über komplexe Zahlen anführen. So wird in den Sätzen 12 und 13 bewiesen, daß der Körper der komplexen Zahlen gegenüber allen algebraischen Operationen abgeschlossen ist. Dann wird in einer Reihe von „Problemen" diese Eigenschaft auf das Potenzieren mit komplexem Exponenten erweitert (ein Resultat, das d'Alembert 1747 bewiesen hat) und auf andere wichtige transzendente Operationen.

So hat Euler um die Mitte des 18. Jahrhunderts, teils in Konkurrenz mit d'Alembert, eine vollständige Theorie der elementaren analytischen Funktionen ausgearbeitet und die Voraussetzungen der späteren allgemeinen Theorie geschaffen, indem er die Entwicklung von Funktionen in Potenzreihen in den Vordergrund stellte und Beispiele für die Entwicklung ganzer transzendenter Funktionen in unendliche Produkte und meromorpher Funktionen in Summen von Partialbrüchen angab. In dieser Zeit schuf Euler auch die Voraussetzungen für eine Theorie spezieller Funktionen im Komplexen, obwohl er selbst diese nur für reelle Argumente betrachtet hat. Das Gesagte bezieht sich z. B. auf Summen der Art $\sum_{k=1}^{\infty} \frac{1}{k^n}$, $n > 1$ (s. o. S. 43), die Bernhard Riemann (1826–1866) 1859 Zeta-Funktionen nannte und mit $\zeta(n)$ bezeichnete, wobei er die Definition von $\zeta(z)$ auf komplexe z erweiterte. Aus Platzgründen kann hier nicht über die anderen von Euler eingeführten wichtigen Klassen spezieller Funktionen, wie Γ-Funktion, B-Funktion, Zylinderfunktionen, berichtet werden.

Mitte des 18. Jahrhunderts haben d'Alembert und bald darauf auch Euler die Funktionen einer komplexen Veränderlichen auf ein neues breites Gebiet der Analysis erfolgreich angewandt, auf die Theorie der partiellen Differentialgleichungen. Sie lösten mit

---

du théorème fondamental de l'algèbre. Historia mathematica, v. 1, 1974, p. 255–261.

Hilfe der analytischen Funktionen komplexen Arguments eine Reihe schwieriger Probleme der mathematischen Physik, insbesondere der Hydrodynamik. Eine Besprechung dieses Kreises von Arbeiten der beiden Mathematiker ist im Rahmen dieser Einleitung nicht möglich[42]), und wir werden uns auf eine einzige Bemerkung beschränken. 1752 zeigte d'Alembert, wenn auch in ganz anderer Form, daß Real- und Imaginärteil einer Funktion $f(z)=u+vi$ des Arguments $x+yi$ durch die Gleichungen

$$\frac{\partial u}{\partial x}=\frac{\partial v}{\partial y}, \quad \frac{\partial u}{\partial y}=-\frac{\partial v}{\partial x} \qquad \text{(C.-R.)}$$

verbunden sind ($u(x, y)$, $v(x, y)$ sind reelle Funktionen, denen man gewisse Beschränkungen auferlegen muß, was man zu jener Zeit jedoch noch nicht tat). Später, im Jahre 1761, zeigte d'Alembert darüber hinaus, daß die Funktionen u und v den Gleichungen

$$\frac{\partial^2 u}{\partial x^2}+\frac{\partial^2 u}{\partial y^2}=0, \quad \frac{\partial^2 v}{\partial x^2}+\frac{\partial^2 v}{\partial y^2}=0$$

genügen und – in heutiger Terminologie – konjugierte harmonische Funktionen sind. Analoge Ergebnisse wurden von Euler erzielt. Indessen waren die Gleichungen (C.-R.) hier bei d'Alembert und Euler lediglich Nebenprodukte ihrer Untersuchungen auf dem Gebiet der mathematischen Physik. Später erlangten diese Gleichungen eine fundamentale Bedeutung für die zwei Arten des Aufbaus einer allgemeinen Theorie der analytischen Funktionen, die von Augustin Louis Cauchy (1789–1857) in einer 1814 begonnenen Serie von Arbeiten und 1851 von Riemann angegeben worden sind. Deshalb ist es in der einschlägigen Literatur üblich, die Gleichungen (C.-R.) als die Cauchy-Riemannschen Differentialgleichungen zu bezeichnen, obwohl d'Alembert und Euler sie früher hatten.

Etwas später wandte Euler die analytischen Funktionen auf Probleme der Geometrie an, und zwar auf die Bestimmung orthogonaler Trajektorien und auf die Kartographie. Diese Arbeiten

---

[42]) Siehe Markuschewitsch, A. I.: Skizzen zur Geschichte der analytischen Funktionen. Übers. aus dem Russischen. Berlin 1955, besonders die Seiten 23–28.

erlangten für die Entwicklung der allgemeinen Theorie eine prinzipielle Bedeutung, weil in ihnen der Grundstein für ein neues Gebiet gelegt ist, nämlich für die Theorie der konformen Abbildungen. Sie werden im vorliegenden Band durch zwei Aufsätze Eulers repräsentiert: E. 390 (O. I–28), der Petersburger Akademie vorgelegt am 29. August 1768, gedruckt 1770, und E. 490 (O. I–28), vorgelegt am 15. September 1775 und gedruckt 1778 (s. III. und IV.). In diesen Arbeiten sind natürlich die Koordinaten x, y der Punkte der Ebene mit den komplexen Zahlen $x+y\sqrt{-1}$ verknüpft, aber Euler war nach wie vor weit von einer geometrischen Interpretation der imaginären Zahlen entfernt. Er blieb dabei, diese als mathematische Fiktionen anzusehen, die zwar sehr nützlich bei den Rechnungen, aber bar eines realen Inhaltes sind.

Schließlich wandte Euler in den letzten Jahren seines Lebens die analytischen Funktionen in der Integralrechnung an und leitete in sehr eleganter Weise erneut die Cauchy-Riemannschen Gleichungen her. Von den drei diesbezüglichen für den vorliegenden Sammelband ausgewählten Arbeiten Eulers E. 656, E. 694 und E. 657 (O. I–19) wurden die ersten beiden der Petersburger Akademie am 31. März bzw. 11. April 1777 vorgelegt, die dritte am 2. Mai 1781 und nochmals am 27. Januar 1783, nur wenige Monate vor seinem Tode. Diese Arbeiten Eulers haben eine besondere Bedeutung (s. V., VI. und VII.). Die darin verwendeten Methoden zur Berechnung bestimmter Integrale mittels Transformationen der Art $z=x+iy$ wurden fast gleichzeitig von Laplace entwickelt, beginnend mit einer 1782 fertiggestellten und 1785 gedruckten Arbeit. Später wurden sie von vielen anderen Mathematikern, wie Simeon Denis Poisson (1781–1840), Cauchy u. a. aufgegriffen und weiterentwickelt. Den schon zitierten Ausspruch von Laplace etwas variierend können wir sagen, daß Euler mit diesen Arbeiten seiner letzten Jahre zum Lehrer aller derjenigen geworden ist, die am Beginn der Entwicklung einer allgemeinen Theorie der analytischen Funktionen gestanden haben.

I.

Herleitung der Formeln von Moivre und Euler nach der „Einleitung in die Analysis des Unendlichen“

§ 132

Da $\sin^2 z + \cos^2 z = 1$ ist, so ist auch, wenn man die linke Seite dieser Gleichung in ihre Faktoren auflöst:

$$(\cos z + \sqrt{-1} \sin z)\,(\cos z - \sqrt{-1} \sin z) = 1\,.$$

Obwohl nun diese Faktoren imaginär sind, so gewähren sie doch bei der Addition und bei der Vervielfältigung der Bogen einen sehr erheblichen Nutzen. Sucht man nämlich das Produkt zweier solcher Faktoren:

$$(\cos z + \sqrt{-1} \sin z)\,(\cos y + \sqrt{-1} \sin y)\,,$$

so findet man:

$$\cos y \cos z - \sin y \sin z + (\cos y \sin z + \sin y \cos z)\sqrt{-1}\,.$$

Da nun aber

$$\cos y \cos z - \sin y \sin z = \cos (y+z),$$

und

$$\sin y \cos z + \cos y \sin z = \sin (y+z)$$

ist, so ist das Produkt:

$$(\cos y + \sqrt{-1} \sin y)\,(\cos z + \sqrt{-1} \sin z)$$
$$= \cos (y+z) + \sqrt{-1} \sin (y+z)\,.$$

Ebenso findet man:

$$(\cos y - \sqrt{-1} \sin y)\,(\cos z - \sqrt{-1} \sin z)$$
$$= \cos (y+z) - \sqrt{-1} \sin (y+z)\,,$$

und ferner

$$(\cos x \pm \sqrt{-1} \sin x)\,(\cos y \pm \sqrt{-1} \sin y)\,(\cos z \pm \sqrt{-1} \sin z)$$
$$= \cos (x+y+z) \pm \sqrt{-1} \sin (x+y+z)\,.$$

§ 133

Hieraus folgt:

$$(\cos z \pm \sqrt{-1} \sin z)^2 = \cos 2z \pm \sqrt{-1} \sin 2z\,,$$

und

$$(\cos z \pm \sqrt{-1}\,\sin z)^3 = \cos 3z \pm \sqrt{-1}\,\sin 3z\,,$$

und somit allgemein

$$(\cos z \pm \sqrt{-1}\,\sin z)^n = \cos nz \pm \sqrt{-1}\,\sin nz\,. \quad [1]$$

Wegen des doppelten Vorzeichens erhält man hieraus:

$$\cos nz = \frac{(\cos z + \sqrt{-1}\,\sin z)^n + (\cos z - \sqrt{-1}\,\sin z)^n}{2}$$

$$\sin nz = \frac{(\cos z + \sqrt{-1}\,\sin z)^n - (\cos z - \sqrt{-1}\,\sin z)^n}{2\sqrt{-1}}\,.$$

Entwickelt man aber diese Binomien in Reihen, so wird:

$$\cos nz = \cos^n z - \frac{n\,(n-1)}{1\cdot 2}\cos^{n-2} z\,\sin^2 z + \frac{n\,(n-1)\,(n-2)\,(n-3)}{1\cdot 2\cdot 3\cdot 4}\cos^{n-4} z\,\sin^4 z - \frac{n\,(n-1)\,(n-2)\,(n-3)\,(n-4)\,(n-5)}{1\cdot 2\cdot 3\cdot 4\cdot 5\cdot 6}\cos^{n-6} z\,\sin^6 z + \dots$$

und

$$\sin nz = \frac{n}{1}\cos^{n-1} z\,\sin z - \frac{n\,(n-1)\,(n-2)}{1\cdot 2\cdot 3}\cos^{n-3} z\,\sin^3 z + \frac{n\,(n-1)\,(n-2)\,(n-3)\,(n-4)}{1\cdot 2\cdot 3\cdot 4\cdot 5}\cos^{n-5} z\,\sin^5 z - \dots$$

§ 138

Es werde nun abermals in den Formeln des § 133 der Bogen z als *unendlich klein* vorausgesetzt und ferner für n eine *unendlich große* Zahl i von der Beschaffenheit angenommen, daß iz einen *endlichen* Wert v erhält. Dann ist also $nz = v$, $z = \frac{v}{i}$, folglich $\sin z = \frac{v}{i}$ und $\cos z = 1$. [2]

Setzt man diese Werte in die Formeln des § 133 ein, so nehmen dieselben die Gestalt an:

$$\cos\varphi = \frac{\left(1+\frac{\varphi\sqrt{-1}}{i}\right)^i + \left(1-\frac{\varphi\sqrt{-1}}{i}\right)^i}{2}$$

und

$$\sin\varphi = \frac{\left(1+\frac{\varphi\sqrt{-1}}{i}\right)^i - \left(1-\frac{\varphi\sqrt{-1}}{i}\right)^i}{2\sqrt{-1}}\,.$$

Im vorhergehenden Kapitel sahen wir aber, daß $\left(1+\frac{z}{i}\right)^i = e^z$ ist, wenn e die Basis der hyperbolischen Logarithmen bezeichnet; [3] schreibt man daher für z einmal $+\varphi\sqrt{-1}$, das andere Mal $-\varphi\sqrt{-1}$, so erhält man:

$$\cos\varphi = \frac{e^{+\varphi\sqrt{-1}} + e^{-\varphi\sqrt{-1}}}{2}$$

und

$$\sin\varphi = \frac{e^{+\varphi\sqrt{-1}} - e^{-\varphi\sqrt{-1}}}{2\sqrt{-1}}\,.$$

Hieraus ist ersichtlich, wie die *imaginären Exponentialgrößen auf die Sinus und Cosinus reeller Bogen zurückgeführt* werden können. Es ist nämlich:

$$e^{+\varphi\sqrt{-1}} = \cos\varphi + \sqrt{-1}\sin\varphi\,,$$

und

$$e^{-\varphi\sqrt{-1}} = \cos\varphi - \sqrt{-1}\sin\varphi\,. \quad [4]$$

§ 139

Es sei jetzt in denselben Formeln des § 133 n eine *unendlich kleine* Zahl oder $n = \frac{1}{i}$, wo i eine *unendlich große* Zahl bedeutet. Dann ist

$$\cos nz = \cos\frac{z}{i} = 1 \quad \text{und} \quad \sin nz = \sin\frac{z}{i} = \frac{z}{i}\,,$$

da der Sinus eines unendlich kleinen Bogens dem Bogen selbst gleich, der Cosinus aber gleich 1 ist. Man erhält dadurch:

$$1=\frac{(\cos z+\sqrt{-1}\sin z)^{\frac{1}{i}}+(\cos z-\sqrt{-1}\sin z)^{\frac{1}{i}}}{2}$$

und

$$\frac{z}{i}=\frac{(\cos z+\sqrt{-1}\sin z)^{\frac{1}{i}}-(\cos z-\sqrt{-1}\sin z)^{\frac{1}{i}}}{2\sqrt{-1}}\,.$$

Nun haben wir aber in § 125 gezeigt, daß, wenn man die hyperbolischen Logarithmen nimmt, $\log(1+x)=i\,(1+x)^{\frac{1}{i}}-i$, oder, wenn man y für $1+x$ schreibt, $y^{\frac{1}{i}}=\frac{1}{i}\log y+1$ ist. Setzt man daher hier für y einmal $\cos z+\sqrt{-1}\sin z$, das andere Mal $\cos z-\sqrt{-1}$ $\sin z$, so ergibt sich zunächst aus der ersten der eben hingeschriebenen Formeln:

$$1=\frac{1+\frac{1}{i}\log(\cos z+\sqrt{-1}\sin z)+1+\frac{1}{i}\log(\cos z-\sqrt{-1}\sin z)}{2}=1\,,$$

weil die logarithmischen Glieder wegen des Faktors $\frac{1}{i}$ verschwinden. Es folgt daher aus dieser ersten Gleichung nichts besonderes. Die zweite Gleichung aber gibt:

$$\frac{z}{i}=\frac{\frac{1}{i}\log(\cos z+\sqrt{-1}\sin z)-\frac{1}{i}\log(\cos z-\sqrt{-1}\sin z)}{2\sqrt{-1}}\,,$$

folglich:

$$z=\frac{1}{2\sqrt{-1}}\log\frac{\cos z+\sqrt{-1}\sin z}{\cos z-\sqrt{-1}\sin z}\,. \quad [5]$$

Hieraus geht hervor, wie man die *imaginären Logarithmen auf Kreisbogen zurückführen* kann.

§ 140

Da $\frac{\sin z}{\cos z} = \tan z$ ist, so drückt sich nach der letzten Formel des vorigen Paragraphen der Bogen z durch seine Tangente folgendermaßen aus:

$$z = \frac{1}{2\sqrt{-1}} \log \frac{1+\sqrt{-1}\tan z}{1-\sqrt{-1}\tan z}.$$

Nun ist aber nach § 123:

$$\log \frac{1+x}{1-x} = \frac{2x}{1} + \frac{2x^3}{3} + \frac{2x^5}{5} + \frac{2x^7}{7} + \dots$$

Setzt man also $x = \sqrt{-1}\tan z$, so ergibt sich:

$$z = \frac{\tan z}{1} - \frac{\tan^3 z}{3} - \frac{\tan^5 z}{5} - \frac{\tan^7 z}{7} + \dots$$

Ist also $\tan z = t$, folglich z ein Bogen, dessen Tangente t ist, so daß man ihn also mit $\operatorname{arc}\tan t$ bezeichnen, d. h. $z = \operatorname{arc}\tan t$ setzen kann, so ist, wenn die Tangente t bekannt ist, der zu ihr gehörige Bogen:

$$z = \operatorname{arc}\tan t = \frac{t}{1} - \frac{t^3}{3} + \frac{t^5}{5} - \frac{t^7}{7} + \frac{t^9}{9} - \dots$$

Da nun, wenn die Tangente t gleich dem Radius 1 ist, der Bogen z gleich dem Bogen von 45°, also $z = \frac{\pi}{4}$ wird, so hat man:

$$\frac{\pi}{4} = 1 - \frac{1}{3} + \frac{1}{5} - \frac{1}{7} + \dots,$$

und dies ist die Reihe, welche zuerst Leibniz zur *Berechnung des Kreisumfanges* gegeben hat.

II.

Über die Kontroverse zwischen den Herren Leibniz und Bernoulli über die Logarithmen negativer und imaginärer Zahlen

Obgleich die Lehre von den Logarithmen so fest gegründet ist, daß die in ihr enthaltenen Wahrheiten ebenso streng bewiesen zu sein scheinen wie die der Geometrie, sind die Mathematiker dennoch noch sehr unterschiedlicher Auffassung über die Natur der Logarithmen negativer und imaginärer Zahlen. Wenn diese Kontroverse nicht sehr heftig zu sein scheint, so liegt die Ursache offensichtlich darin, daß man nicht die Gewißheit all dessen, was man in den reinen Teilgebieten der Mathematik behauptet, in Zweifel ziehen wollte, indem man vor den Augen der ganzen Welt die Schwierigkeiten und sogar die Widersprüche entwickelt, denen die Auffassungen der Mathematiker über die Logarithmen negativer und imaginärer Zahlen unterworfen sind. Denn obwohl ihre Auffassungen über Fragen der angewandten Mathematik, wo die verschiedenen Weisen, die Objekte zu betrachten und begrifflich genau zu erfassen, zu echten Kontroversen führen können, sehr unterschiedlich sein mögen, hat man immer behauptet, daß die reinen Teilgebiete der Mathematik von jeder Art Disput völlig ausgeschlossen seien und daß darin nichts vorkomme, von dem man nicht entweder die Richtigkeit oder die Falschheit beweisen könne.

Da die Lehre von den Logarithmen unstreitig der reinen Mathematik angehört, wird man sehr überrascht sein zu erfahren, daß sie bis jetzt dermaßen verworrenen Kontroversen unterworfen gewesen ist, so daß man, welche Partei man auch ergreift, immer in Widersprüche gerät, die zu lösen gänzlich unmöglich erscheint. Indessen gibt es, wenn sich die Wahrheit überall behaupten soll, keinen Zweifel daran, daß alle diese Widersprüche, so offensichtlich sie auch erscheinen mögen, nur scheinbare sein können und daß es nicht an Beweisgründen mangeln kann, um die Wahrheit zu retten, wiewohl wir nicht wissen, woher wir diese Beweisgründe beziehen könnten.

Diese Kontroverse über die Logarithmen negativer und imaginä-

rer Zahlen findet sich mit großem Nachdruck im Commerce litteraire zwischen Herrn Leibniz und Herrn Johann Bernoulli abgehandelt [1]. Diese zwei großen Mathematiker, denen wir hauptsächlich für die Analysis des Unendlichen zu Dank verpflichtet sind, waren über diesen Gegenstand dermaßen geteilter Meinung, daß es keinen Weg gab, sie in bezug auf diesen Gegenstand in Übereinstimmung zu bringen, obwohl sowohl der eine wie auch der andere nur die Wahrheit im Auge hatte und sie gleichermaßen davon Abstand genommen hatten, ihre Auffassungen mit Halsstarrigkeit zu verteidigen. Jedoch hatte jeder in der Auffassung des anderen so viele Widersprüche entdeckt, daß es eine zu übertriebene Gefälligkeit gewesen wäre, wenn der eine seine Auffassung zugunsten des anderen geändert hätte. Denn man muß bemerken, daß die Widersprüche, die sich diese beiden Großen vorwarfen, real waren und durchaus nicht derart, daß sie nur einer eigensinnig auf ihrer eigenen Auffassung bestehenden Gegenpartei als solche erscheinen.
Um nun diese bemerkenswerte Kontroverse ins rechte Licht zu setzen, werde ich hier getrennt die Auffassungen des Herrn Bernoulli und des Herrn Leibniz darstellen. Danach werde ich alle die Argumente hinzufügen, deren sich jeder bedient hat, um seine Auffassung zu stützen. Zum Schluß werde ich die Einwände im einzelnen darstellen, die man sowohl gegen die Argumente als auch gegen jede Auffassung selbst erheben kann, und werde alle Widersprüche, mit denen die eine und die andere dieser zwei Auffassungen behaftet ist, in ihrer ganzen Stärke deutlich machen, damit man um so besser in der Lage ist zu beurteilen, wie schwierig es sein muß, die Wahrheit aufzudecken und sie gegen alle Einwände zu sichern, nachdem sich die zwei größten Männer hierum ohne Erfolg bemüht haben.

Auffassung des Herrn Bernoulli

Herr Bernoulli hat behauptet, daß die Logarithmen der negativen Zahlen gleich denen der positiven Zahlen seien oder daß der Logarithmus der negativen Zahl $-a$ gleich dem Logarithmus der positiven Zahl $+a$ sei. Die Auffassung des Herrn Bernoulli besagt also, daß $\log -a = \log +a$ *ist.*

Herr Leibniz hat den Anlaß für diese Erklärung des Herrn Bernoulli gegeben, als er im CXC. Brief des Commerce [2] behauptete, daß das Verhältnis von $+1$ zu -1 oder von -1 zu $+1$ imaginär sei, weil der Logarithmus oder das Maß [3] dieses Verhältnisses, d. h. der Logarithmus von -1, der der Exponent dieses Verhältnisses ist, imaginär sei. Dazu erklärte Herr Bernoulli im CXCIII. Brief [4], daß er überhaupt nicht der gleichen Ansicht sei und daß er sogar glaube, daß die Logarithmen negativer Zahlen nicht nur reell, sondern auch gleich den Logarithmen der positiv genommenen gleichen Zahlen seien. Herr Bernoulli bekräftigte seine Auffassung auch durch die folgenden Beweisgründe.

1. Beweisgrund

Um zu beweisen, daß $\log -x = \log +x$ gilt, welche Zahl man auch mit x bezeichnet, greift er auf die Differentiale zurück. Da $\frac{-\mathrm{d}x}{-x}$ das Differential von $\log -x$ und $\frac{\mathrm{d}x}{x}$ das von $\log +x$ ist, schließt er, daß die Größen $\log -x$ und $\log +x$ selbst, deren Differentiale gleich sind, untereinander gleich sein müssen, und folglich gilt $\log -x = \log +x$.

2. Beweisgrund

Diese Beweisführung wurde aus der Natur der logarithmischen Kurve abgeleitet. Um sie besser verständlich zu machen, sei VBM (Abb. 1) eine logarithmische Kurve, die über der Achse OAP, die gleichzeitig deren Asymptote ist, dargestellt ist. Die Subtangente dieser logarithmischen Kurve, die, wie man weiß, konstant ist, sei $=1$, und die feste Ordinate AB sei ebenfalls $=1$. Wenn man unter diesen Voraussetzungen eine beliebige Abszisse, vom festen Punkt A aus genommen, mit $AP=x$ und die entsprechende Ordinate mit $PM=y$ bezeichnet, so weiß man, daß x den Logarithmus von y ausdrückt oder daß $x=\log y$ gilt.

Folglich wird man, wenn man zu den Differentialen übergeht, für diese logarithmische Kurve die Differentialgleichung $\mathrm{d}x=\frac{\mathrm{d}y}{y}$

oder $y\mathrm{d}x = \mathrm{d}y$ erhalten. Aus der Tatsache, daß diese Gleichung die gleiche bleibt, wenn man $-y$ an Stelle von y setzt, schloß Herr Bernoulli, daß die Kurve VBM auf Grund des Gesetzes der Stetigkeit vom Zweig *vbm* begleitet wird, der ihr gleich und ähnlich ist und auf der anderen Seite der Achse OP liegt, so daß diese Achse gleichzeitig ein Durchmesser der gesamten Kurve ist [5]. Da jedoch die gleiche Abszisse AP gleichermaßen den zwei

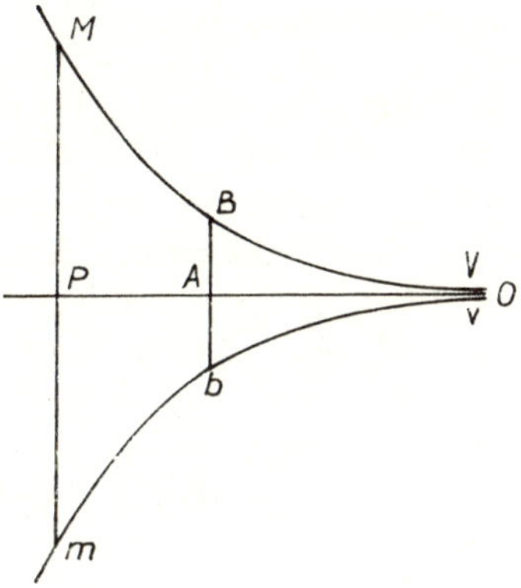

Abb. II. 1

Ordinaten PM und Pm entspricht, von denen die eine die negative der anderen ist, so daß $Pm = -y$ ist, wenn $PM = y$ gesetzt wird, folgt demgemäß, daß x ebenso der Logarithmus von $-y$ wie von $+y$ ist, folglich $\log -y = \log +y$ gilt.

3. Beweisgrund

Da sich alles darauf reduziert zu beweisen, daß die logarithmische Kurve aus zwei gleichen Zweigen zusammengesetzt ist, die sich beiderseits der Asymptote OP befinden, führt Herr Bernoulli noch eine andere Beweisführung an, nach der bei der Betrachtung der Kurven, die in der allgemeineren Gleichung $\mathrm{d}x = \frac{\mathrm{d}y}{y^n}$ zusammengefaßt sind, Übereinstimmung darüber besteht, daß alle diese Kurven, wenn der Exponent n eine ungerade Zahl ist, zwei Zweige von der Art besitzen, daß die Achse, auf der die Abszissen x gewählt sind, einen Durchmesser darstellt. Folglich müßte diese Eigenschaft auch gelten, wenn $n=1$ ist. In diesem Fall aber wird die logarithmische Kurve des vorhergehenden Abschnitts vorliegen, woraus folgt, daß sowohl der Logarithmus von $PM=+y$ als auch der Logarithmus von $Pm=-y$ gleich $AP=x$ ist.

4. Beweisgrund

Da es gemäß der Natur der Logarithmen sicher ist, daß der Logarithmus einer beliebigen Potenz p^n dem Logarithmus der Wurzel p selbst, multipliziert mit dem Exponenten n, gleich ist oder daß $\log p^n = n \log p$ ist, folgt daraus, daß man, wenn man p durch eine negative Zahl $-a$ ersetzt, $\log(-a)^n = n \log(-a)$ erhalten wird. Es sei $n=2$; dann wird $\log(-a)^2 = 2\log(-a)$ sein. Weil aber $(-a)^2 = a^2$ ist, werden wir $\log(-a)^2 = \log a^2 = 2\log a$ erhalten. Daraus folgt, daß $2\log(-a) = 2\log a$ ist, also $\log -a = \log +a$. Dies zeigt sich unmittelbarer auf folgende Art: Weil $(-a)^2 = (+a)^2$ ist, wird man $\log(-a)^2 = \log(+a)^2$ oder $2\log -a = 2\log +a$ und folglich $\log -a = \log +a$ erhalten.
Alle anderen Beweisgründe, die man anführen kann, um diese Auffassung zu beweisen, lassen sich leicht auf eine der vier reduzieren, die ich gerade dargestellt habe. Ich werde nun die Einwände, die man gegen diese Auffassung erhebt, sowie die Gründe, worauf diese sich stützt, darlegen.

1. Einwand

Herr Leibniz wandte gegen die erste Beweisführung ein, daß die Regel, den Logarithmus einer variablen Größe x zu differenzieren, indem man das Differential von x durch die gleiche Größe x teilt, nur gilt, wenn x eine positive Größe ist, so daß man sich irrt, wenn man das Differential von $\log -x$ gleich $\frac{-\mathrm{d}x}{-x}$ oder $\frac{\mathrm{d}x}{x}$ setzt [6]. Man muß nun aber zugeben, daß dieser Einwand nicht nur äußerst schwach ist und durch keinen gültigen

Beweisgrund gestützt wird, sondern die Differentialrechnung der Logarithmen völlig umstoßen würde. Da sich diese Rechnung auf variable Größen bezieht, d. h. auf allgemein betrachtete Größen, könnte man sich niemals dieser Regel bedienen, wenn es nicht allgemein wahr wäre, daß $\mathrm{d}\log x=\frac{\mathrm{d}x}{x}$ gilt, welche Größe man auch x zuordnet, sei es eine positive oder eine negative oder selbst eine imaginäre, denn die Richtigkeit der Differentialrechnung ist auf der Allgemeinheit der Regeln gegründet, die sie einschließt. Herr Leibniz hätte nun aber keine Veranlassung, sich auf diesen Einwand zu stützen, um seine Auffassung zu erhalten, weil er die Erklärung des Herrn Bernoulli durch einen sehr viel stärkeren Einwand als diesen hätte angreifen können.

2. Einwand

Indem Herr Bernoulli durch die Gleichheit der Differentiale beweisen wollte, daß $\log -x=\log +x$ sei, würde er durch den gleichen Gedankengang beweisen, daß $\log 2x=\log x$ sei, denn das Differential von $\log 2x$ ist $\frac{2\mathrm{d}x}{2x}=\frac{\mathrm{d}x}{x}$, genau das gleiche wie das von $\log x$. Dementsprechend würde, wenn der Gedankengang des Herrn Bernoulli berechtigt wäre, daraus folgen, daß nicht nur $\log -x=\log +x$ ist, sondern auch $\log 2x=\log x$ und allgemein $\log nx=\log x$ ist, welche Zahl auch immer mit n bezeichnet wird, eine Schlußfolgerung, der Herr Bernoulli selbst niemals zustimmen würde. Man weiß nun, daß, wenn die Differentiale von zwei variablen Größen gleich sind, dann nicht mehr daraus folgt, als daß sich diese variablen Größen voneinander durch eine konstante Größe unterscheiden. Man wird daraus nicht schließen können, daß sie gleich seien. So wäre, obwohl das Differential von $x+a$ ebenso wie das von x gleich $\mathrm{d}x$ ist, die Schlußfolgerung durchaus falsch, daß $x+a=x$ sei. Durch diesen Gedankengang ist es also klar, daß sich die Größen $\log -x$ und $\log +x$, weil das Differential von $\log -x$ und das von $\log +x$ gleich $\frac{\mathrm{d}x}{x}$ ist, voneinander nur durch eine konstante Größe unterscheiden, was ebenfalls offensichtlich ist, da $\log -x = \log -1 + \log x$ ist. Hieraus versteht man ebenso leicht, daß wegen $\log nx = \log x + \log n$ das Differential von $\log nx$ gleich dem Differential von $\log x$ sein muß. Herr Bernoulli nimmt allerdings an, daß $\log -1 = 0$ ist, ebenso wie $\log 1 = 0$ ist, so daß $\log -x = \log x + \log -1 = \log x$ wäre. Da dies aber genau das ist, was Herr Bernoulli durch diesen Gedankengang beweisen will, ist klar zu erkennen, daß diese Annahme nicht zugelassen werden kann.

3. Einwand

Man kann den gleichen Einwand vorbringen gegen den zweiten Beweisgrund des Herrn Bernoulli, in dem er mit Hilfe der Differentialgleichung $y\mathrm{d}x = \mathrm{d}y$ der logarithmischen Kurve beweisen will, daß diese Kurve zwei gleichartige Zweige hat, die beiderseits der Achse liegen. Diese Gleichung würde nämlich nicht nur die gleiche bleiben, wenn man y durch $-y$ ersetzen würde, sondern auch, wenn man y durch $2y$ oder allgemein durch ny ersetzte. Daraus würde folgen, daß diese Kurve unendlich viele Zweige hätte und daß die Abszisse x der gemeinsame Logarithmus nicht nur von y und von $-y$, sondern auch von $2y$ und allgemein von ny, welche Zahl n auch sei, wäre. Aus dem gleichen Grund, aus dem man das Recht hat, eine unendliche Anzahl von Zweigen der logarithmischen Kurve zu verneinen, wird man auch die Existenz von zwei Zweigen, die Herr Bernoulli einführen will, verneinen.

4. Einwand

Dieser Einwand ist wiederum gegen die zwei Zweige der logarithmischen Kurve gerichtet. Obwohl man sicher auf die Existenz eines Durchmessers einer Kurve schließen könnte, wenn ihre Gleichung in den Koordinaten x und y derart ist, daß sie unverändert bleibt, wenn man y durch $-y$ ersetzt, ist dieses Kriterium jedoch nur gerechtfertigt, wenn die Gleichung für die Kurve algebraisch ist oder auf endliche Glieder beschränkt ist. Man weiß nämlich, daß eine Differentialgleichung sehr viel allgemeiner ist als die endliche Gleichung, aus der sie abgeleitet wurde, und daß sie unendlich viele Kurven einschließt, die nicht von der endlichen Gleichung umfaßt werden. So besitzt die Gleichung der Parabel $yy=ax$ das Differential $2y\mathrm{d}y=a\mathrm{d}x$. Diese Differentialgleichung entspricht aber ebenso der allgemeinen Gleichung $yy=ax+ab$, die zugleich eine unendliche Anzahl von Parabeln einschließt. Genau so verhält es sich mit der Differentialgleichung $y\mathrm{d}x=\mathrm{d}y$ der logarithmischen Kurve, die ebenso der endlichen Gleichung $x=\log ny$ wie auch der Gleichung $x=\log y$ entspricht, die man aber einzig und allein im Auge hat. Daraus folgt, daß man nicht über die Form einer Kurve urteilen kann, wenn man nur ihre Differentialgleichung betrachtet.

5. Einwand

Dieser Einwand bezieht sich auf den dritten Beweisgrund, der zweifellos viel stärker ist. Wenn alle die Kurven, die in der allgemeinen Gleichung $\mathrm{d}x=\frac{\mathrm{d}y}{y^n}$, wobei n eine ungerade Zahl darstellt, enthalten sind, einen Durchmesser haben, so muß die gleiche Eigenschaft vorliegen, wenn $n=1$ ist, was bei der logarithmischen Kurve der Fall ist. Da nun aber diese Eigenschaft nur offensichtlich ist, insofern man die algebraischen Integrale der Gleichung $\mathrm{d}x=\frac{\mathrm{d}y}{y^n}$ betrachtet, was immer außer im Fall $n=1$ geschieht, so wird man in der gleichen Weise, wie man diesen Fall ausnehmen muß, wenn es um die Frage der Integrierbarkeit der Gleichung $\mathrm{d}x=\frac{\mathrm{d}y}{y^n}$ geht, das Recht haben, die gleiche Ausnahme zu machen, wenn es sich um das Urteil über einen Durchmesser handelt [7]. Wenn man also nicht durch irgendeine andere Erklärung beweisen kann, daß die logarithmische Kurve einen Durchmesser besitzt, ist dieses aus der allgemeinen Gleichung $\mathrm{d}x=\frac{\mathrm{d}y}{y^n}$ hergeleitete Argument also nicht überzeugend. Um seine Unzulänglichkeit deutlicher aufzuzeigen, werde ich sogar bei den algebraischen Kurven Fälle darstellen, bei denen eine allgemeine Gleichung Kurven einschließt, die alle einen Durchmesser haben, und bei denen man trotzdem einen speziellen Fall ausnehmen muß.

Man betrachte die Gleichung

$$y=\sqrt{ax}+\sqrt[4]{a^3\,(b+x)}\,,$$

und man wird ohne Zweifel schließen, daß die durch diese Gleichung ausgedrückten Kurven einen Durchmesser besitzen, da man, wenn man die Gleichung $y=\sqrt{ax}+\sqrt[4]{a^3\,(b+x)}$ rational macht, eine Gleichung achten Grades erhält, in der alle Exponenten von y gerade Zahlen sind. So untrüglich indessen eine solche Schlußfolgerung auch scheinen möge, so muß man doch den Fall $b=0$ davon ausnehmen, denn in diesem Fall wird die Gleichung $y=\sqrt{ax}+\sqrt[4]{a^3x}$ nach der Beseitigung der Wurzelzeichen zu der Gleichung von nur viertem Grad

$$y^4-2axyy-4aaxy+aaxx-a^3x=0\,,$$

die auf Grund des Gliedes $4aaxy$ keinen Durchmesser besitzt. Aus dem allem folgt also, daß dieses Argument des Herrn Bernoulli nicht stark genug ist, um seine Auffassung zu beweisen.

6. Einwand

Ich gehe zum vierten Beweisgrund des Herrn Bernoulli über, der zweifellos der stärkste ist, denn man wird keinen Abschnitt, der dafür eine Grundlage bildet, bezweifeln können, ohne die festgegründetsten Grundsätze der Analysis und der Lehre von den Logarithmen umzustoßen. Man wird nicht verneinen können, daß $(-a)^2=(+a)^2$ ist, also gibt es auch nicht den geringsten Zweifel daran, daß ihre Logarithmen gleich seien, d. h. $\log(-a)^2=\log(+a)^2$. Ferner ist es gleichermaßen sicher, daß allgemein $\log p^2=2\log p$ ist, also gilt $\log(-a)^2=2\log -a$ sowie $\log(+a)^2=2\log +a$; folglich wird ohne Widerspruch $2\log -a=2\log +a$ sein. Die Hälften dieser zwei Größen werden also auch unbestreitbar untereinander gleich sein, und folglich wird $\log -a=\log a$ sein, genauso wie Herr Bernoulli es behauptet.

Wenn dieser Gedankengang aber gerechtfertigt wäre, würde man daraus noch andere Konsequenzen ziehen, mit denen niemand, und schon gar nicht Herr Bernoulli, einverstanden wäre, denn man würde in der gleichen Art beweisen, daß die Logarithmen imaginärer Größen genauso reell wären wie die der negativen Zahlen. Denn es ist sicher, daß $(a\sqrt{-1})^4 = a^4$ ist, also wird auch $\log (a\sqrt{-1})^4 = \log a^4$ sein, und um so mehr $4 \log (a\sqrt{-1}) = 4 \log a$, folglich also $\log (a\sqrt{-1}) = \log a$. Außerdem wird, da $\left(\frac{-1+\sqrt{-3}}{2}a\right)^3 = a^3$ ist, $\log \left(\frac{-1+\sqrt{-3}}{2}a\right)^3 = \log a^3$ sein, und folglich ist $3 \log \frac{-1+\sqrt{-3}}{2}a = 3 \log a$, also ist $\log \frac{-1+\sqrt{-3}}{2}a = \log a$, was man nicht einräumen können wird, ohne die gesamte Lehre von den Logarithmen umzustoßen.

Es wäre also nach dem System des Herrn Bernoulli nicht nur $\log -1 = \log 1 = 0$, sondern auch $\log \sqrt{-1} = 0$, $\log -\sqrt{-1} = 0$ und $\log \frac{-1+\sqrt{-3}}{2} = 0$. Nachdem nun Herr Bernoulli so glücklich die Quadratur des Kreises auf die Logarithmen imaginärer Zahlen zurückgeführt hat, würde, wenn der Logarithmus von $\sqrt{-1}$ gleich 0 wäre, diese ganze schöne Entdeckung, mit der er aufgezeigt hat, daß der Radius sich zum vierten Teil des Umfangs so verhält wie $\sqrt{-1}$ zu $\log \sqrt{-1}$, falsch sein. Wenn man nun das Verhältnis des Durchmessers zum Umfang $= 1 : \pi$ setzt, wird $\frac{1}{2}\pi = \frac{\log \sqrt{-1}}{\sqrt{-1}}$ sein, und folglich ist $\log \sqrt{-1} = \frac{1}{2}\pi\sqrt{-1}$, was absurd wäre, wenn $\log \sqrt{-1} = 0$ sein würde [8]. Es ist also nicht richtig, daß $\log \sqrt{-1} = 0$ ist, woraus man schließen muß, daß die vierte Beweisführung, so fest gegründet sie auch erscheinen möge, mit Vorsicht betrachtet werden muß, da aus ihr sowohl $\log \sqrt{-1} = 0$ als auch $\log -1 = 0$ folgt. Folglich kann man nicht sagen, daß die Auffassung des Herrn Bernoulli ausreichend bewiesen ist.

Es ist hierbei sehr erstaunlich, daß man, ob man sich der Auffassung des Herrn Bernoulli anschließt oder ob man sie abweist, gleichermaßen in unüberwindliche Verwirrung und sogar in Widersprüche gerät. Denn wenn man behauptet, daß $\log -a = \log +a$ oder $\log -1 = \log +1 = 0$ ist, so ist man gezwungen zuzugeben, daß auch $\log \sqrt{-1} = 0$ ist, weil $\log \sqrt{-1} = \frac{1}{2} \log -1$ ist. Es wäre nun nicht nur absurd zu behaupten, daß die Logarithmen imaginärer Größen nicht imaginär seien, sondern es wäre auch falsch, daß $\log \sqrt{-1} = \frac{1}{2} \pi \sqrt{-1}$ sei, was gleichwohl streng bewiesen ist. So gerät man, wenn man sich für die Auffassung des Herrn Bernoulli erklärt, in Widerspruch mit sehr fest gegründeten Erkenntnissen. [9]

Nehmen wir an, daß die Auffassung des Herrn Bernoulli falsch sei und daß durchaus nicht $\log -1 = 0$ sei, denn das ist es, worauf sich die Auffassung des Herrn Bernoulli reduziert. Man wird dann gezwungen sein, eine der Operationen, auf die sich der Gedankengang der vierten Beweisführung gründet, für falsch zu erklären, was man aber nicht tun kann, ohne in Widerspruch zu anderen schon bewiesenen Wahrheiten zu geraten. Um dies etwas deutlicher zu machen, sei $\log -1 = \omega$. Wenn nicht $\omega = 0$ ist, so wird das Doppelte 2ω gleichfalls nicht $= 0$ sein. Nun ist aber 2ω der Logarithmus des Quadrats von -1, das $= +1$ ist. Da der Logarithmus von $+1$ nicht mehr $= 0$ wäre, ist dies ein neuer Widerspruch. Ferner ist $-x$ ebenso $= -1 \cdot x$ wie auch $= \frac{x}{-1}$, also ist $\log -x = \log x + \log -1 = \log x - \log -1$. Es wäre also $\log -1 = -\log -1$, ohne daß $\log -1 = 0$ wäre. Es ist nun aber ein Widerspruch zu sagen, daß $+a = -a$ sei, ohne daß $a = 0$ wäre.

Mag es nun sein, daß man die eine oder die andere von den beiden Meinungen teilt oder glaubt, daß die Auffassung des Herrn Bernoulli richtig oder falsch sei, man gerät gleichermaßen in die größte Verwirrung und hat mit offenen Widersprüchen zu kämpfen. Dennoch ist es absolut notwendig, daß diese Auffassung entweder richtig oder falsch ist, einen anderen Ausweg scheint es nicht zu geben. Auf welche Weise soll man sich also aus der

Affäre ziehen und die Wahrheit gegen so große Widersprüche retten? Ich gehe jetzt zur Untersuchung der Auffassung des Herrn Leibniz über.

Auffassung des Herrn Leibniz

Herr Leibniz hat behauptet, daß die Logarithmen aller negativen Zahlen und mit noch größerer Berechtigung die der imaginären Zahlen imaginär seien; oder weil $\log -a = \log a + \log -1$ *sei, behauptete er, daß* $\log -1$ *eine imaginäre Größe sei.*

Ich habe bereits bemerkt, daß Herr Leibniz behauptet hat, daß das Verhältnis von $+1$ zu -1 oder von -1 zu $+1$ imaginär sei, weil der Logarithmus dieses Verhältnisses, anders ausgedrückt $\log -1$, imaginär sei. Man sieht leicht, daß alle Einwände, die gegen das System des Herrn Bernoulli vorgebracht wurden, dazu beitragen, diese Auffassung zu stärken, und daß die Beweisgründe für die Auffassung des Herrn Bernoulli entgegengesetzt zu denen des Herrn Leibniz sein müssen. Man kann indessen besondere Beweisgründe, die der Gegenstand meiner folgenden Untersuchung sein werden, heranziehen, um die Auffassung des Herrn Leibniz zu bekräftigen.

1. Beweisgrund

Nachdem gezeigt worden ist, daß der Logarithmus der Zahl $1+x$ gleich der Summe der Reihe

$$\log(1+x) = x - \frac{1}{2}x^2 + \frac{1}{3}x^3 - \frac{1}{4}x^4 + \frac{1}{5}x^5 - \frac{1}{6}x^6 + \dots$$

ist, aus der man sofort sieht, daß $\log 1 = 0$ sein muß, wenn $x = 0$ ist, muß man jetzt, um den Logarithmus von -1 zu erhalten, $x = -2$ setzen, wonach man

$$\log -1 = -2 - \frac{1}{2}\cdot 4 - \frac{1}{3}\cdot 8 - \frac{1}{4}\cdot 16 - \frac{1}{5}\cdot 32 - \frac{1}{6}\cdot 64 - \dots$$

erhält. Es gibt nun keinen Zweifel daran, daß die Summe dieser divergenten Reihe nicht $=0$ sein wird, also ist es sicher, daß log -1 nicht $=0$ ist. Der Logarithmus von -1 wird also imaginär sein, weil es außerdem klar ist, daß er nicht reell, d. h. positiv oder negativ sein wird.

2. Beweisgrund

Es sei $y=\log x$. Wenn man e für die Zahl setzt, deren Logarithmus $=1$ ist und deren Näherungswert, wie man weiß, e$=2{,}718\,281\,828\,459$ ist, wird man, weil $y \log e=1 \log x$ sein wird, $x=e^y$ erhalten. Da der Logarithmus der Zahl x der Exponent einer Potenz von e ist, die gleich der Zahl x ist, so ist es klar, daß kein reeller Exponent einer Potenz von e eine negative Zahl hervorbringen wird, und folglich wird weder $y=0$ noch irgendeine andere für y eingesetzte reelle Zahl die Bedingung erfüllen, daß e^y gleich -1 wird. Wenn man nun allgemein für x eine negative Zahl $-a$ einsetzt, von der man annimmt, daß ihr Logarithmus $=y$ sei, so wird die Gleichung $e^y=-a$ immer unmöglich oder der Wert von y imaginär sein.

3. Beweisgrund

Da der Wert von e^y allgemein durch die unendliche Reihe

$$e^y=1+\frac{y}{1}+\frac{y^2}{1\cdot 2}+\frac{y^3}{1\cdot 2\cdot 3}+\frac{y^4}{1\cdot 2\cdot 3\cdot 4}+\frac{y^5}{1\cdot 2\cdot 3\cdot 4\cdot 5}+\ldots$$

ausgedrückt wird, die, ganz gleich wie groß die Zahl für y gesetzt wird, immer konvergent ist, so daß die Einwände, die sich aus der Natur der divergenten Reihen wie bei der ersten Beweisführung ergeben, hier nicht gelten, wird man, wenn der Logarithmus der Zahl x gleich y gesetzt ist,

$$x=1+\frac{y}{1}+\frac{y^2}{1\cdot 2}+\frac{y^3}{1\cdot 2\cdot 3}+\frac{y^4}{1\cdot 2\cdot 3\cdot 4}+\ldots$$

erhalten. Folglich wird man, wenn y den Logarithmus von -1 bezeichnet oder $x=-1$ ist, die Gleichheit

$$-1=1+\frac{y}{1}+\frac{y^2}{1\cdot 2}+\frac{y^3}{1\cdot 2\cdot 3}+\frac{y^4}{1\cdot 2\cdot 3\cdot 4}+\ldots$$

erhalten, der, wie sofort klar ist, der Wert $y=0$ nicht genügen wird, weil sich dann $-1=+1$ ergeben würde. Folglich ist es sicher, daß der Logarithmus von -1 nicht $=0$ ist.
Ich begnüge mich damit, diese drei Beweisgründe angeführt zu haben, da die anderen Argumente, mit denen man die Auffassung des Herrn Leibniz bekräftigen kann, bereits in den Einwänden enthalten sind, die gegen das System des Herrn Bernoulli erhoben worden sind. Die drei Beweisgründe, die ich dargelegt habe, sind jedoch Gegenstand der folgenden Einwände.

1. Einwand

Gegen den ersten Beweisgrund wird man sofort einwenden, daß das stetige Anwachsen der Glieder der Reihe

$$-2-\frac{1}{2}\cdot 4-\frac{1}{3}\cdot 8-\frac{1}{4}\cdot 16-\frac{1}{5}\cdot 32-\frac{1}{6}\cdot 64-\ldots,$$

die alle negativ sind, kein sicheres Zeichen ist, daß die Summe dieser Reihe nicht $=0$ sein wird.
Denn man wird sich fragen, warum es nicht möglich wäre, wenn die folgende geometrische Reihe

$$\frac{1}{1+x}=1-x+x^2-x^3+x^4-x^5+x^6-x^7+x^8-\ldots$$

für den Fall $x=-2$ die Reihe

$$-1=1+2+4+8+16+32+64+\ldots$$

und für den Fall $x=-3$ die Reihe

$$-\frac{1}{2}=1+3+9+27+81+243+\ldots$$

ergibt, daß die Summe einer Reihe, deren Glieder anwachsen und die alle das gleiche Vorzeichen haben, nicht $=0$ wird. Um dazu ein Beispiel zu geben, braucht man nur zur letzten Reihe gliedweise die folgende Reihe

$$\frac{1}{2}=1-1+1-1+1-1+1-1+\ldots$$

addieren, und man wird tatsächlich

$$0=2+2+10+26+82+242+730+\ldots$$

erhalten. Was für eine Absurdität wäre es also, da die Summe dieser Reihe $=0$ ist, zu behaupten, daß ebenfalls

$$0=2-\frac{1}{2}\cdot 4-\frac{1}{3}\cdot 8-\frac{1}{4}\cdot 16-\frac{1}{5}\cdot 32-\frac{1}{6}\cdot 64-\ldots$$

sei. Folglich ist der erste Beweisgrund nicht überzeugend. [10]

2. Einwand

Der zweite Beweisgrund ist so beschaffen, daß man sich seiner auch bedienen könnte, um die entgegengesetzte Auffassung zu beweisen. Da $x=e^y$ ist, wobei y den Logarithmus der Zahl x bezeichnet, muß man immer, wenn y ein Bruch ist, der eine gerade Zahl im Nenner hat, einräumen, daß der Wert von e^y und folglich auch der von x sowohl negativ als auch positiv ist. Wenn nun $\frac{m}{2n}$ ein Logarithmus ist, wird die ihm entsprechende Zahl x, die $e^{m:2n}=\sqrt{e^{m:n}}$ ist, sowohl positiv als auch negativ sein, so daß in diesem Fall sowohl x als auch $-x$ den gleichen Logarithmus $\frac{m}{2n}$ haben wird. Da nun die Logarithmen keine rationalen Zahlen sind und folglich Brüchen äquivalent sind, deren Zähler und Nenner unendlich groß sind, wird man die Nenner immer als gerade Zahlen betrachten können [11]. Daraus folgt, daß der gleiche Logarithmus, der der positiven Zahl $+x$ entspricht, auch der negativen Zahl $-x$ entsprechen wird.

3. Einwand

Der dritte Beweisgrund ist zweifellos der stärkste, da er die negativen Zahlen von den Zahlen absolut auszuschließen scheint, denen die reellen Logarithmen entsprechen. Denn es ist klar, daß, welche reelle Zahl man auch für y einsetzt, der Wert der Reihe

$$x=1+\frac{y}{1}+\frac{y^2}{1\cdot 2}+\frac{y^3}{1\cdot 2\cdot 3}+\frac{y^4}{1\cdot 2\cdot 3\cdot 4}+\ldots$$

niemals negativ werden wird, womit kein reeller Logarithmus einer negativen Zahl entsprechen würde. Da diese Reihe jedoch nur gültig ist, wenn sie sich aus dem endlichen Ausdruck e^y ableitet, gelten die vorhergehenden Einwände hier ebenso. Macht es nun, wenn e^y eine negative Zahl ergeben kann, nichts aus, ob die Reihe, die e^y entspricht, ebenfalls eine negative Zahl ergibt oder nicht? Um dies herauszufinden, braucht man nur einen Wurzelausdruck wie $\frac{1}{\sqrt{1-x}}$ zu betrachten, der sowohl $\frac{+1}{\sqrt{1-x}}$ als auch $\frac{-1}{\sqrt{1-x}}$ ist, obwohl die ihm gleiche Reihe

$$(1-x)^{-1/2} = 1 + \frac{1}{2}x + \frac{1}{2}\cdot\frac{3}{4}x^2 + \frac{1}{2}\cdot\frac{3}{4}\cdot\frac{5}{6}x^3 + \dots$$

nur einen positiven Wert ergibt, ganz gleich, welche Zahl man für x auch setzt.

Herr Leibniz würde es sich nicht entgehen lassen, auf diese Einwände zu antworten, und er würde, da der erste Einwand nicht das Gegenteil seiner Auffassung beweist und nur den ersten Beweisgrund zweifelhaft werden läßt, nichts verlieren, wenn er diesen ersten Beweisgrund aufgäbe und sich im wesentlichen auf die anderen stützte. Denn im Grunde genommen zerstört der zweite Einwand durchaus nicht seine Auffassung, die sich allein darauf reduziert, zu beweisen, daß $\log -1$ nicht $=0$ ist. Der zweite Einwand berücksichtigt dies nun überhaupt nicht. Wenn e^y gleich -1 gelten soll, wird der Exponent y kein Bruch der Form $\frac{m}{2n}$ sein, um beim Wurzelzeichen zu einem negativen Wert führen zu können. Denn man wird leicht darin übereinstimmen, daß, ob man für y eine positive Zahl größer als 0 oder eine beliebige negative Zahl setzt, der Wert der Potenz e^y niemals $= -1$ sein kann. Wenn y nun nicht imaginär ist, ist es in dem Fall $y=0$ notwendig, daß $e^y = -1$ ist. In diesem Fall aber verschwindet jegliche Doppeldeutigkeit der Vorzeichen, die auf Grund der Wurzelzeichen vorliegen könnte, und es ist unzweifelhaft $e^0 = +1$. Wenn man sodann sagen würde, daß man 0 als $\frac{0}{2}$ und e^0

als $\sqrt{e^0}=\sqrt{1}$, wovon der Wert auch $=-1$ sei, betrachten könnte, so wäre dies eine wenig glaubwürdige Ausnahme, da man mit dem gleichen Gedankengang beweisen könnte, daß $-a=+a$ sei, denn, indem man $a=a^{\frac{2}{2}}=\sqrt{a^2}$ setzte, würde man daraus sowohl $a=-a$ als auch $a=+a$ ableiten können. Um falschen Schlußfolgerungen dieser Art zuvorzukommen, braucht man nur zu bemerken, daß ein derartiger Ausdruck $a^{\frac{m}{2n}}$ nur zwei Werte, einen positiven und einen negativen, hat, wenn der Bruch $\frac{m}{2n}$ bis zur Teilerfremdheit gekürzt ist und der Nenner dabei eine gerade Zahl bleibt. Wie der Wert der Potenzen a^1, a^2, a^3, a^4, ... nicht zweideutig ist, so wird auch der von a^0 nicht zweideutig sein. Es ist also immer $a^0=+1$, was ausreicht, um den zweiten Einwand zunichte zu machen. Der dritte Einwand ist aber nur berechtigt, solange der zweite bestehen bleibt.

Es zeigt sich also, daß die Auffassung des Herrn Leibniz besser gegründet ist, weil sie nicht im Widerspruch zu der Entdeckung des Herrn Bernoulli

$$\log\sqrt{-1}=\frac{1}{2}\pi\sqrt{-1}$$

steht, da Herr Leibniz behauptet, daß der Logarithmus von -1, und mit noch größerer Berechtigung der von $\sqrt{-1}$, imaginär ist. Wenn man aber die Auffassung des Herrn Leibniz übernimmt, bringt man sich in die oben erwähnten Schwierigkeiten und Widersprüche. Denn wäre $\log -1$ imaginär, so wäre es sein Doppeltes auch, d. h. der Logarithmus von $(-1)^2=+1$, was nicht mit dem ersten Grundsatz der Lehre von den Logarithmen in Einklang stände, nach dem man $\log +1=0$ annimmt.

Auf welche Seite man sich auch stellt, ob man die Auffassung des Herrn Bernoulli oder die des Herrn Leibniz übernimmt, immer stehen der Erhaltung des eigenen Standpunktes derartig große Hindernisse im Wege, daß man sich nicht gegen Widersprüche schützen können wird. Es scheint indessen: Wenn die eine der zwei Auffassungen falsch ist, muß die andere notwendigerweise richtig sein, und es gibt keinen Mittelweg zu wählen. Hier liegt also eine äußerst wichtige Frage vor, deren Entscheidung die Lehre von den Logarithmen so festigen muß, daß diese nicht wieder den geringsten Widersprüchen unterworfen werden kann.

Nachdem man aber die Widersprüche, die man auf beiden Seiten antrifft, eingehend geprüft hat, wird man geneigt sein zu glauben, daß eine Aussöhnung völlig unmöglich sein wird, und die Gegner der Mathematik werden es nicht versäumen, daraus sehr unangenehme Schlußfolgerungen gegen die Gewißheit dieser Wissenschaft zu ziehen.

Man wird leicht darin übereinstimmen, daß, als die Pyrrhoniker [12] alle Wissenschaften angegriffen haben, die Einwände, die sie gegen irgendeine Wissenschaft vorgebracht haben, allein in bezug auf ihre Gewichtigkeit bei weitem nicht den Einwänden nahe kommen, die ich gegen die Lehre von den Logarithmen dargestellt habe.

Ich werde jedoch so klar, so daß nicht der geringste Zweifel bleiben wird, zeigen, daß diese Lehre fest gegründet ist und daß alle oben erwähnten Schwierigkeiten ihren Ursprung nur in einer wenig gerechtfertigten Vorstellung haben. Sobald diese Vorstellung berichtigt ist, werden alle diese Schwierigkeiten und Widersprüche, so stark sie auch erscheinen mögen, sofort verschwinden, und die Lehre von den Logarithmen wird sich dann so gut behaupten, daß man in der Lage sein wird, alle die Einwände, die vorher als unauflösbar erschienen, leicht aufzulösen. Ohne diese Entwicklung, die dennoch bis jetzt den Mathematikern unbekannt gewesen ist, wüßte ich nicht, auf welche Weise man die Lehre von den Logarithmen beurteilen müßte: einerseits müßte man zugeben, daß sie richtig und ebenso fest gegründet ist wie jeder andere Teil der Analysis; andererseits aber wird man nicht in Abrede stellen können, daß die gleiche Lehre Widersprüchen unterworfen sein könnte, auf die man nichts erwidern könnte. Man wäre folglich gezwungen zuzugeben, daß die Mathematik, und selbst die Analysis, Mysterien einschließt, die unserem Geist unverständlich sind. Wenn aber diese Mysterien derart sind, daß sie nur auf Grund einer einzigen Vorstellung, die nicht völlig exakt war, entstanden sind, wird man daraus die sehr wichtige Schlußfolgerung ziehen, daß es äußerst gefährlich ist, über Dinge zu urteilen, von denen man sich nur unvollständige Vorstellungen bilden kann. Es ist nun aber ziemlich sicher, daß die Zahl der deutlichen und vollkommenen Vorstellungen außerhalb der Mathematik sehr klein ist.

Auflösung der vorangegangenen Schwierigkeiten

Zu Beginn muß zugegeben werden: Wenn die Vorstellung, die die Herren Leibniz und Bernoulli mit dem Begriff des Logarithmus verbunden haben und die alle Mathematiker bisher gehabt haben, völlig berechtigt gewesen wäre, so wäre es völlig unmöglich, die Lehre von den Logarithmen von Widersprüchen zu befreien, wie ich es vorgeschlagen habe. Wie könnte es möglich sein, daß die Vorstellung von den Logarithmen, von ihrem Ursprung her betrachtet, von dem wir eine ausgezeichnete Kenntnis besitzen, fehlerhaft ist? Wenn man sagt, daß der Logarithmus einer gegebenen Zahl der Exponent einer gewissen, beliebig gewählten Zahl ist, wobei diese Potenz gleich der gegebenen Zahl ist, so scheint es, daß es keinen Zweifel an der Berechtigung dieser Vorstellung gibt [13]. Dies ist auch durchaus richtig, jedoch verbindet man gewöhnlich diese Vorstellung mit einem Zusatz, der ihr nicht zukommt: man nimmt gewöhnlich an, fast ohne es zu bemerken, daß jeder Zahl nur ein einziger Logarithmus entspricht. Wenn man aber nur im geringsten darüber nachdenkt, wird man entdecken, daß alle die Schwierigkeiten und Widersprüche, in die die Lehre von den Logarithmen verwickelt zu sein scheint, nur insofern bestehen, als man annimmt, daß jeder Zahl nur ein einziger Logarithmus entspricht. Um alle diese Schwierigkeiten und Widersprüche zu beseitigen, behaupte ich nun, daß selbst auf Grund der gegebenen Definition jeder Zahl eine unendliche Anzahl von Logarithmen entspricht, was ich im folgenden Satz beweisen werde.

Satz

Es gibt immer eine unendliche Anzahl von Logarithmen, die in gleicher Weise jeder gegebenen Zahl entsprechen, oder anders ausgedrückt, wenn der Logarithmus der Zahl x mit y bezeichnet wird, dann behaupte ich, daß y eine unendliche Anzahl von verschiedenen Werten einschließt.

Beweis

Ich werde mich hier auf die hyperbolischen Logarithmen beschränken, da man weiß, daß alle anderen Arten von Logarithmen zu diesen in einem konstanten Verhältnis stehen. Wenn der hyperbolische Logarithmus einer Zahl x mit y bezeichnet wird, dann wird der tabulierte [14] Logarithmus dieser gleichen Zahl $= 0{,}434\,294\,481\,9 \cdots y$ sein.
Die Grundlage der natürlichen Logarithmen besteht darin, daß für jede unendlich kleine Zahl ω der Logarithmus der Zahl $1+\omega$ gleich ω sein wird, oder daß $\log(1+\omega)=\omega$ ist [15]. Daraus folgt, daß $\log(1+\omega)^2=2\omega$, $\log(1+\omega)^3=3\omega$ und allgemein

$$\log(1+\omega)^n = n\omega$$

ist. Da aber ω eine unendlich kleine Zahl ist, ist es offensichtlich, daß die Zahl $(1+\omega)^n$ nicht irgendeiner gegebenen Zahl x gleich werden kann, sofern nicht der Exponent eine unendliche Zahl ist. Es sei nun n eine unendlich große Zahl, und man setze

$$x=(1+\omega)^n\,,$$

so daß für den Logarithmus von x, der mit y bezeichnet wurde, $y=n\omega$ gilt. Um y durch x auszudrücken, führt der Wert aus der ersten Gleichung $1+\omega=x^{\frac{1}{n}}$ bzw. $\omega=x^{\frac{1}{n}}-1$, wenn er durch ω aus der anderen Gleichung ersetzt ist, auf

$$y=nx^{\frac{1}{n}}-n=\log x\,.$$

Daraus wird klar, daß sich der Wert des Ausdrucks $nx^{\frac{1}{n}}-n$ um so mehr dem Logarithmus von x annähern wird, je größer die Zahl n genommen wird [16]. Wenn man dann für n eine unendliche Zahl einsetzt, wird dieser Ausdruck den wahren Wert des Logarithmus von x ergeben. Weil es nun sicher ist, daß $x^{\frac{1}{2}}$ zwei verschiedene Werte hat, $x^{\frac{1}{3}}$ drei, $x^{\frac{1}{4}}$ vier und so weiter, wird es ebenso sicher sein, daß $x^{\frac{1}{n}}$ eine unendliche Anzahl verschiedener Werte haben muß, weil n eine unendliche Zahl ist. Folglich wird diese unendliche Anzahl verschiedener Werte von $x^{\frac{1}{n}}$ auch zu einer unendlichen Anzahl verschiedener Werte für $\log x$ führen, so daß die Zahl x eine unendliche Anzahl von Logarithmen haben muß, w. z. b. w.

Daraus folgt, daß der Logarithmus von $+1$ nicht nur $=0$ ist, sondern daß es noch eine unendliche Anzahl anderer Größen gibt, die alle dem Logarithmus von $+1$ gleich sind. Man sieht jedoch leicht, daß alle diese Logarithmen außer dem ersten, der gleich 0 ist, imaginäre Größen sein werden. Folglich ist man bei Rechnungen berechtigt, nur 0 als den Logarithmus von $+1$ zu betrachten, ebenso wie man nur 1 verwendet, wenn ės sich um die Kubikwurzel von 1 handelt, obwohl die imaginären Größen $\frac{-1+\sqrt{-3}}{2}$ und $\frac{-1-\sqrt{-3}}{3}$ gleichermaßen Kubikwurzeln von 1 sind. Wenn man aber den Logarithmus von 1 mit den Logarithmen von -1 oder von $\sqrt{-1}$, die alle, worauf ich im weiteren hinweisen werde, imaginär sind, vergleichen will, so muß man den Logarithmus von 1 in seinem ganzen Umfang betrachten. Alle die weiter oben angeführten Schwierigkeiten und Widersprüche werden dann von selbst verschwinden. Wenn α, β, γ, δ, ε, ζ, ... die imaginären Logarithmen von 1 sind, die ebenso wie 0 der 1 entsprechen, so wird man leicht verstehen, daß $2\log -1 = \log +1$ sein kann, obwohl alle Logarithmen von -1 imaginär sind. Denn um die Gleichung $2\log -1 = \log +1$ zu erfüllen, genügt es, wenn sich jeweils das Doppelte aller Logarithmen von -1 unter den imaginären Logarithmen von $+1$ befindet. Ebenso muß man, da $4\log\sqrt{-1} = \log +1$ ist, jeden mit 4 multiplizierten Logarithmus von $\sqrt{-1}$ in der Reihe α, β, γ, δ, ε, ζ, ... vorfinden. So könnten die Gleichheiten $2\log -1=\log +1$ und $4\log\sqrt{-1}=$ $=\log +1$ bestehen bleiben, ohne daß man genötigt wäre zu behaupten, daß $\log -1=0$ oder $\log\sqrt{-1}=0$ seien, wie es Herr Bernoulli angenommen hat. Dies alles wird aber ganz klar sein, wenn ich jetzt alle Logarithmen einer beliebig gegebenen Zahl bestimmen werde, was Gegenstand der folgenden Probleme sein wird.

Problem 1

Es sind alle Logarithmen zu bestimmen, die einer beliebig gegebenen positiven Zahl $+a$ entsprechen.

Lösung

Da a eine positive Zahl ist, wird sie mit Gewißheit einen reellen Logarithmus besitzen, den man nach den hinreichend bekannten Regeln finden wird. Es sei also A dieser reelle Logarithmus der Zahl a, und da $a=1\cdot a$ ist, wird $\log a=\log 1+A$ sein, anders ausgedrückt, jeder Logarithmus von 1 wird, zu A addiert, einen Logarithmus der gegebenen Zahl a ergeben, und um alle diese Logarithmen zu finden, braucht man nur alle Logarithmen von $+1$ zu suchen. Wenn man nun mit y einen beliebigen Logarithmus von $+1$ bezeichnet, dann müßte man die Werte von y aus der Gleichung des Satzes erhalten, indem man $x=1$ setzt. Man wird die Gleichung

$$y=n\cdot 1^{\frac{1}{n}}-n$$

bekommen, die sich in

$$1+\frac{y}{n}=1^{\frac{1}{n}}$$

verwandelt, woraus man nach Beseitigung des gebrochenen Exponenten

$$\left(1+\frac{y}{n}\right)^n=1$$

erhalten wird, wobei n eine unendliche Zahl bezeichnet. Diese Gleichung ist jetzt sozusagen rational und jede ihrer Lösungen wird einen y entsprechenden Wert ergeben, das heißt, einen Logarithmus von $+1$. Man weiß nun, daß man alle Lösungen dieser Gleichung aus Faktoren des Ausdrucks $\left(1+\frac{y}{n}\right)^n-1$ herleitet, indem man jeden Faktor $=0$ setzt. Allgemein ist aber bewiesen, daß jeder Faktor des Ausdrucks p^n-q^n die Form

$$p^2-2pq\cdot\cos\frac{2\lambda\pi}{n}+q^2$$

hat, wobei λ eine beliebige ganze Zahl bezeichnet und π ein Winkel von 180° oder die Hälfte des Umfangs eines Kreises ist, dessen Radius $=1$ ist [17], so daß man, wenn man λ nacheinander alle möglichen Werte, also $0, \pm 1, \pm 2, \pm 3, \pm 4, \pm 5, \ldots$ durchlaufen ließe, schließlich alle Faktoren des Ausdrucks p^n-q^n erhielte. Folglich werden alle Lösungen der Gleichung $p^n-q^n=0$ in dem allgemeinen Ausdruck

$$p=q\left(\cos\frac{2\lambda\pi}{n}\pm\sqrt{-1}\cdot\sin\frac{2\lambda\pi}{n}\right)$$

enthalten sein, den man findet, indem man

$$p^2-2pq\cos\frac{2\lambda\pi}{n}+q^2=0$$

setzt.

Alle Lösungen unserer gefundenen Gleichung $\left(1+\frac{y}{n}\right)^n-1=0$ werden nun in dem allgemeinen Ausdruck

$$1+\frac{y}{n}=\cos\frac{2\lambda\pi}{n}\pm\sqrt{-1}\cdot\sin\frac{2\lambda\pi}{n}$$

enthalten sein, wenn man $p=1+\frac{y}{n}$ und $q=1$ setzt. Da nun n eine unendliche Zahl bezeichnet, wird der Bogen $\frac{2\lambda\pi}{n}$ unendlich klein sein; es wird also

$$\cos\frac{2\lambda\pi}{n}=1$$

und

$$\sin\frac{2\lambda\pi}{n}=\frac{2\lambda\pi}{n}$$

sein, woraus sich

$$1+\frac{y}{n}=1\pm\frac{2\lambda\pi}{n}\sqrt{-1}$$

ergibt, und folglich

$$y=\pm 2\lambda\pi\sqrt{-1}\,.$$

Man braucht jetzt nur λ nacheinander durch alle Werte zu ersetzen, und zwar 0, 1, 2, 3, 4, 5, 6, 7, ... bis ins Unendliche. Alle Logarithmen von 1 oder alle möglichen Werte von log 1 werden dann

$$0,\ \pm 2\pi\sqrt{-1},\ \pm 4\pi\sqrt{-1},\ \pm 6\pi\sqrt{-1},\ \pm 8\pi\sqrt{-1},\ \ldots$$

sein. Alle Logarithmen der gegebenen Zahl a, von der man bereits den reellen Logarithmus A kennt, werden also

$$A,\ A\pm 2\pi\sqrt{-1},\ A\pm 4\pi\sqrt{-1},\ A\pm 6\pi\sqrt{-1},\ A\pm 8\pi\sqrt{-1},\ \ldots$$

sein, was zu finden war.

Hieraus ist es klar, daß jede positive Zahl nur einen einzigen reellen Logarithmus besitzt und daß alle ihre anderen unendlich vielen Logarithmen imaginär sind. Alle diese imaginären Logarithmen haben indessen die gleiche Berechtigung wie der reelle, und man könnte sie bei einer Rechnung ebenso verwenden, wenn man die gleichen Regeln beachtete. Es seien nun A, B, C, D, ... die reellen Logarithmen der positiven Zahlen a, b, c, d, ..., so daß allgemein

$$\log a=A\pm 2\lambda\pi\sqrt{-1},\ \log b=B\pm 2\mu\pi\sqrt{-1},\ \log c=C\pm 2\nu\pi\sqrt{-1},\ \ldots$$

sei. Es sei jetzt $c=ab$. Man weiß dann, daß $C=A+B$ sein wird Wenn man die Logarithmen in allgemeiner Form nimmt, wird man auch feststellen, daß die Summe der Logarithmen der Faktoren a und b immer gleich dem Logarithmus des Produkts $ab=c$ ist, denn man erhält

$$\log a+\log b=A+B\pm 2\zeta\pi\sqrt{-1}\,,$$

wobei man für ζ irgendeine ganze Zahl einsetzt, die sich ergeben kann, wenn man die Glieder $\pm 2\lambda\pi\sqrt{-1}$ und $\pm 2\mu\pi\sqrt{-1}$ zusammenfaßt. Es ist nun klar, daß der Ausdruck $\log a+\log b$, wenn man

$A+B=C$ setzt, völlig dem Ausdruck $\log c = C \pm 2v\pi\sqrt{-1}$ entspricht. Die gleiche Übereinstimmung wird man auch bei der Division, der Potenzierung und beim Wurzelziehen antreffen, wo Logarithmen Verwendung finden. In bezug auf das Wurzelziehen hat, da die Anzahl der Wurzeln immer gleich dem Grad der Wurzel ist, diese Art, die Logarithmen allgemein auszudrücken, gegenüber der herkömmlichen Art den Vorteil, daß sie uns alle Wurzeln aufdeckt. Mit Hilfe der gewöhnlichen Methode findet man doch in jedem Fall nur eine Wurzel, und zwar die reelle, die außerdem noch positiv ist. Dies wird man noch deutlicher erkennen, wenn ich alle Logarithmen sowohl der negativen als auch der imaginären Zahlen bestimmt haben werde.

Problem 2

Es sind alle Logarithmen zu bestimmen, die einer beliebigen negativen Zahl $-a$ entsprechen.

Lösung

Da $-a = -1 \cdot a$ ist, wird $\log -a = \log a + \log -1$ sein, und man wird, wenn man für $\log a$ den reellen Logarithmus von a nimmt, alle Logarithmen der negativen Zahl $-a$ erhalten, wenn man alle Logarithmen von -1 aufsucht. Es wurde aber gezeigt, daß allgemein $y = nx^{\frac{1}{n}} - n$ gilt, wenn y den Logarithmus von x bezeichnet. Hieraus leitet sich $1+\frac{y}{n} = x^{\frac{1}{n}}$ und folglich $\left(1+\frac{y}{n}\right)^n - x = 0$ ab. Also werden durch y alle Logarithmen von -1 ausgedrückt werden, wenn man $x = -1$ setzt, so daß alle Logarithmen von -1 die Wurzeln der Gleichung

$$\left(1+\frac{y}{n}\right)^n + 1 = 0$$

sein werden, wobei die Zahl n unendlich groß gewählt wird.

Nun weiß man aber, daß man alle Wurzeln der allgemeinen Gleichung $p^n + q^n = 0$ durch die Auflösung der Gleichung

$$p^2 + 2pq\cos\frac{(2\lambda-1)\pi}{n} + q^2 = 0$$

findet, wobei man für λ nacheinander alle ganzen, sowohl positiven als auch negativen Zahlen nimmt [18]. Man wird folglich

$$p=q\left(\cos\frac{(2\lambda-1)\pi}{n}\pm\sqrt{-1}\cdot\sin\frac{(2\lambda-1)\pi}{n}\right)$$

erhalten. Alle Lösungen der gegebenen Gleichung $\left(1+\frac{y}{n}\right)^n+1=0$ werden also in dem allgemeinen Ausdruck

$$1+\frac{y}{n}=\cos\frac{(2\lambda-1)\pi}{n}\pm\sqrt{-1}\cdot\sin\frac{(2\lambda-1)\pi}{n}$$

enthalten sein, der sich auf Grund von $n=\infty$ in

$$y=\pm(2\lambda-1)\pi\sqrt{-1}$$

umwandelt. Folglich werden, wenn man für λ nacheinander die entsprechenden Werte einsetzt, alle Logarithmen von -1

$$\pm\pi\sqrt{-1},\ \pm 3\pi\sqrt{-1},\ \pm 5\pi\sqrt{-1},\ \pm 7\pi\sqrt{-1},\ \pm 9\pi\sqrt{-1},\ldots$$

sein.

Wenn wir nun $\log +a=A$ nehmen, d. h. mit A den reellen Logarithmus der positiven Zahl $+a$ bezeichnen, so werden alle Logarithmen der negativen Zahl $-a$, deren Anzahl unendlich ist,

$$A\pm\pi\sqrt{-1},\ A\pm 3\pi\sqrt{-1},\ A\pm 5\pi\sqrt{-1},\ A\pm 7\pi\sqrt{-1},\ldots$$

sein, was zu finden war.

Hieraus ist es klar, daß alle Logarithmen einer beliebigen negativen Zahl imaginär sind und daß es keine negative Zahl gibt, von deren Logarithmen einer reell wäre. Herr Leibniz hat also recht gehabt zu behaupten, daß die Logarithmen negativer Zahlen imaginär seien. Da jedoch die positiven Zahlen ebenfalls eine unendliche Anzahl imaginärer Logarithmen haben, verlieren alle Einwände des Herrn Bernoulli gegen diese Auffassung ihre Kraft. Denn obwohl $\log -1=\pm(2\lambda-1)\pi\sqrt{-1}$ ist, wird der Logarithmus des Quadrats von -1 der Ausdruck sein $\log(-1)^2=\pm 2(2\lambda-1)\pi\sqrt{-1}$, der sich unter den Logarithmen von $+1$ befindet, so daß $2\log -1=\log +1$ richtig bleibt, obwohl sich keiner der Logarithmen von -1 unter den Logarithmen von $+1$ befindet. Es sei A der reelle Logarithmus der positiven Zahl $+a$, und p bezeichne allgemein jede gerade ganze Zahl sowie q jede ungerade ganze Zahl. Man hat dann allgemein

$$\log +1 = \pm p\pi\sqrt{-1}$$

und

$$\log -1 = \pm q\pi\sqrt{-1}$$

sowie

$$\log +a = A \pm p\pi\sqrt{-1}$$

und

$$\log -a = A \pm q\pi\sqrt{-1}\,,$$

woraus zu ersehen ist, daß

$$\log(-a)^2 = 2\log -a = 2A \pm 2q\pi\sqrt{-1}$$

ist. Da nun $2q$ gleich p und $2A$ der reelle Logarithmus von a^2 ist, läßt sich erkennen, daß $2A \pm p\pi\sqrt{-1}$ der allgemeine Ausdruck der Logarithmen von a^2 ist. So ist $\log(-a)^2 = \log a^2$ oder $2\log -a = 2\log +a$, ohne daß $\log -a = \log +a$ wäre. Dies wäre zweifellos widersprüchlich, wenn die Zahlen $+a$ und $-a$ nur einen einzigen Logarithmus hätten, denn man hätte dann Grund zu schließen, daß $\log -a = \log +a$ sein würde, wenn $2\log -a = 2\log +a$ wäre. Sobald man aber darüber in Übereinstimmung ist, daß sowohl $-a$ als auch $+a$ eine unendliche Anzahl von Logarithmen haben, ist diese Schlußfolgerung, so notwendig sie auch vorher gewesen wäre, nicht mehr gerechtfertigt, da es für $2\log -a = 2\log +a$ ausreicht, daß sich die doppelten Werte aller Logarithmen von $-a$ unter den Logarithmen von $+a^2$ befinden. Dies kann, wie wir sehen, der Fall sein, ohne daß irgendeiner der Logarithmen von $-a$ gleich einem der Logarithmen von $+a$ ist.
Man muß jedoch einräumen, daß alle Werte von $2\log -a$ gegenüber den Werten von $2\log +a$ unterschiedlich sind, da

$$2\log +a = 2A \pm 2p\pi\sqrt{-1}$$

und

$$2\log -a = 2A \pm 2q\pi\sqrt{-1}$$

ist, wobei $2p$ eine beliebige doppelte gerade Zahl und $2q$ eine beliebige doppelte ungerade Zahl bezeichnet. Man muß aber bemerken, daß die Logarithmen von $+a^2$ als einer positiven Zahl, deren reeller Logarithmus $=2A$ ist, in dem allgemeinen Ausdruck $\log a^2 = 2A \pm p\pi\sqrt{-1}$ enthalten sind, wobei p eine beliebige gerade Zahl einschließlich Null bezeichnet. Nachdem dies bemerkt wurde, ist es klar, daß alle Werte von $2\log -a$ ebenso wie die von $2\log +a$ in denen von $\log a^2$ enthalten sind. Obwohl man sagen könnte, daß $2\log -a = \log a^2$ und $2\log +a = \log a^2$ ist, wobei man das Zeichen $=$ nimmt, um zu kennzeichnen, daß sich die Werte von $2\log -a$ oder von $2\log +a$ unter den Werten von $\log a^2$ befinden, wird man wirklich nicht sagen, daß $2\log -a = 2\log +a$ sei. Da in den Ausdrücken $\log +a = A \pm p\pi\sqrt{-1}$ und $\log -a = A \pm q\pi\sqrt{-1}$ die Zahlen p und q unbestimmt sind, ist es nicht nötig, beim Verdoppeln dieser Logarithmen für p und q durchaus die gleichen Zahlen zu nehmen. Um diese Multiplikationen in ihrem ganzen Umfang auszuführen, mögen p, p', p'', p''' usw. beliebige, untereinander gleiche oder ungleiche gerade Zahlen und q, q', q'', q''' usw. untereinander gleiche oder ungleiche ungerade Zahlen bezeichnen. Die Verdopplungen werden dann auf folgende Weise durchgeführt:

$$\begin{array}{ll} \log +a = A \pm p\pi\sqrt{-1} & \log -a = A \pm q\pi\sqrt{-1} \\ \log +a = A \pm p'\pi\sqrt{-1} & \log -a = A \pm q'\pi\sqrt{-1} \\ \hline 2\log +a = 2A \pm (p+p')\,\pi\sqrt{-1}\,, & 2\log -a = 2A \pm (q+q')\,\pi\sqrt{-1}\,. \end{array}$$

Da jetzt $p+p'$ die Summe zweier beliebiger gerader Zahlen und $q+q'$ die Summe zweier beliebiger ungerader Zahlen bezeichnet, wird sowohl $p+p'$ als auch $q+q'$ eine beliebige gerade Zahl bezeichnen. Folglich wird $p+p' = q+q'$ sein, also ist $2\log -a = 2\log +a$. Man wird folglich in diesem Sinne behaupten können, daß $2\log -a = 2\log +a$ ist, ohne daß $\log -a = \log +a$ sei. In der gleichen Weise wird

$$3\log +a = 3A \pm (p+p'+p'')\,\pi\sqrt{-1} = 3A \pm p\pi\sqrt{-1} = \log +a^3$$

und

$$3\log -a = 3A \pm (q+q'+q'')\,\pi\sqrt{-1} = 3A \pm q\pi\sqrt{-1} = \log -a^3$$

sein, denn $p+p'+p''$ ergibt alle geraden Zahlen und stimmt folglich mit p überein. In gleicher Weise ergibt $q+q'+q''$ alle ungeraden Zahlen und stimmt mit q überein. Da nun $q+q'+q''+q'''$ alle geraden Zahlen ergibt, wird dieser Ausdruck p äquivalent sein. Die Vierfachen werden also

$$4 \log +a = 4A \pm (p+p'+p''+p''') \pi \sqrt{-1} = 4A \pm p\pi \sqrt{-1} = \log +a^4$$

und

$$4 \log -a = 4A \pm (q+q'+q''+q''') \pi \sqrt{-1} = 4A \pm p\pi \sqrt{-1} = \log -a^4$$

sein. Diese Verfahrensweise, die Logarithmen der Potenzen sowohl von $+a$ als auch von $-a$ zu ermitteln, stimmt also ausgezeichnet mit den bekannten Grundregeln sowohl für die Potenzen als auch die Logarithmen überein. Alle die weiter oben angeführten Einwände können so die bewiesenen Sätze nicht mehr in Zweifel setzen. Die gleiche Übereinstimmung wird man auch bei den Logarithmen imaginärer Größen finden, die ich im folgenden Problem darstellen werde.

Problem 3

Es sind alle Logarithmen einer beliebigen imaginären Größe zu bestimmen.

Lösung

Es ist bewiesen worden, daß sich jede imaginäre Größe, so kompliziert sie auch sei, immer auf einen Ausdruck der Form $a+b\sqrt{-1}$ reduziert, in dem a und b reelle Größen sind [19]. Ich setze jetzt

$$\sqrt{a^2+b^2} = c ,$$

$\frac{a}{\sqrt{a^2+b^2}}$ und $\frac{b}{\sqrt{a^2+b^2}}$ werden dann der Kosinus und der Sinus eines bestimmten Winkels sein, den man leicht in den Tabellen finden wird. Dieser Winkel sei nun $=\varphi$, wodurch gleichzeitig die Größe des Kreisbogens, der sein Maß ist, gekennzeichnet ist, wobei der ganze Sinus $=1$ gesetzt ist [20]. Man wird nun

$$a=c\cos\varphi$$

und

$$b=c\sin\varphi$$

erhalten, und der imaginäre Ausdruck, von dem man alle Logarithmen bestimmen muß, wird

$$a+b\sqrt{-1}=c\,(\cos\varphi+\sqrt{-1}\cdot\sin\varphi)$$

sein. Da c eine positive Zahl ist, sei C ihr reeller Logarithmus, so daß man

$$\log\,(a+b\sqrt{-1})=C+\log\,(\cos\varphi+\sqrt{-1}\sin\varphi)$$

erhalten wird. Es handelt sich also darum, alle Logarithmen der imaginären Größe $\cos\varphi+\sqrt{-1}\cdot\sin\varphi$ zu bestimmen. Nachdem diese Größe für x eingesetzt ist, werden ihre Logarithmen die aus der Gleichung

$$\left(1+\frac{y}{n}\right)^n-x=0$$

bestimmten Werte von y sein, wobei n eine unendliche Zahl bezeichnet. Um aber diese Gleichung mit der allgemeinen Gleichung $p^n-q^n=0$ vergleichen zu können, bemerke ich, daß

$$x=\cos\varphi+\sqrt{-1}\cdot\sin\varphi=\left(1+\frac{\varphi\sqrt{-1}}{n}\right)^n$$

ist, wobei die Richtigkeit dieses Ausdrucks an anderer Stelle hinreichend bewiesen wurde. Man weiß, daß

$$\cos\varphi=1-\frac{\varphi^2}{1\cdot 2}+\frac{\varphi^4}{1\cdot 2\cdot 3\cdot 4}-\frac{\varphi^6}{1\cdot 2\cdot 3\cdot 4\cdot 5\cdot 6}+\ldots$$

und

$$\sin\varphi=\varphi-\frac{\varphi^3}{1\cdot 2\cdot 3}+\frac{\varphi^5}{1\cdot 2\cdot 3\cdot 4\cdot 5}-\ldots$$

ist. Da nun n eine unendliche Zahl ist, wird

$$\left(1+\frac{\varphi\sqrt{-1}}{n}\right)^n=1+\frac{\varphi\sqrt{-1}}{1}-\frac{\varphi^2}{1\cdot 2}-\frac{\varphi^3\sqrt{-1}}{1\cdot 2\cdot 3}+\frac{\varphi^4}{1\cdot 2\cdot 3\cdot 4}$$
$$+\frac{\varphi^5\sqrt{-1}}{1\cdot 2\cdot 3\cdot 4\cdot 5}-\ldots$$

sein, woraus klar ist, daß

$$\left(1+\frac{\varphi\sqrt{-1}}{n}\right)^n=\cos\varphi+\sqrt{-1}\cdot\sin\varphi$$

ist. Wir haben also für die aufzulösende Gleichung $p^n-q^n=0$

$$p=1+\frac{y}{n}$$

und

$$q=\frac{1+\varphi\sqrt{-1}}{n}.$$

Da wir aber bereits gesehen haben, daß alle Wurzeln dieser Gleichung in dem allgemeinen Ausdruck

$$p=q\left(\cos\frac{2\lambda\pi}{n}\pm\sqrt{-1}\cdot\sin\frac{2\lambda\pi}{n}\right)$$

enthalten sind, wobei man für λ alle sowohl positiven als auch negativen ganzen Zahlen nimmt, wird für unseren Fall

$$1+\frac{y}{n}=\left(1+\frac{\varphi\sqrt{-1}}{n}\right)\left(\cos\frac{2\lambda\pi}{n}\pm\sqrt{-1}\cdot\sin\frac{2\lambda\pi}{n}\right)$$

sein. Weil auf Grund der unendlichen Zahl n

$$\cos\frac{2\lambda\pi}{n}=1$$

und

$$\sin\frac{2\lambda\pi}{n}=\frac{2\lambda\pi}{n}$$

ist, wird

$$1+\frac{y}{n}=\left(1+\frac{\varphi\sqrt{-1}}{n}\right)\left(1\pm\frac{2\lambda\pi}{n}\sqrt{-1}\right)$$

sein, was

$$y=\varphi\sqrt{-1}\pm 2\lambda\pi\sqrt{-1}$$

ergibt. Somit werden alle Logarithmen des Ausdrucks $\cos\varphi+$ $+\sqrt{-1}\cdot\sin\varphi$

$$\varphi\sqrt{-1},\ (\varphi\pm 2\pi)\sqrt{-1},\ (\varphi\pm 4\pi)\sqrt{-1},\ (\varphi\pm 6\pi)\sqrt{-1},\ \ldots$$

sein, und die Logarithmen des imaginären Ausdrucks $a+b\sqrt{-1}$ werden, wenn man

$$c=\sqrt{a^2+b^2} \quad \text{und} \quad \tan\varphi=\frac{b}{a}$$

oder

$$\cos\varphi=\frac{a}{c} \quad \text{und} \quad \sin\varphi=\frac{b}{c}$$

und außerdem

$$\log c=C$$

setzt,

$$C+\varphi\sqrt{-1}, \quad C+(\varphi\pm 2\pi)\sqrt{-1}, \quad C+(\varphi\pm 4\pi)\sqrt{-1},$$
$$C+(\varphi\pm 6\pi)\sqrt{-1}, \ldots$$

sein, was zu finden war.

Hieraus ist es klar, daß alle Logarithmen einer imaginären Größe ebenfalls imaginär sind, denn in den Fällen, in denen einer dieser Logarithmen reell werden würde, wäre entweder $\varphi=0$ oder $\varphi=\pm 2\lambda\pi$, was nur eintreten kann, wenn $\tan\varphi=\frac{b}{a}=0$ ist. Dann wäre aber $b=0$, und die Größe $a+b\sqrt{-1}$ würde nicht mehr imaginär sein. Wenn man nun p nimmt, um jede positive oder negative gerade Zahl zu bezeichnen, werden alle Logarithmen der imaginären Größe $a+b\sqrt{-1}$ in dem allgemeinen Ausdruck

$$C+(\varphi+p\pi)\sqrt{-1}$$

enthalten sein, in dem C der reelle Logarithmus der positiven Größe $\sqrt{a^2+b^2}=c$ ist und der Winkel φ so gewählt ist, daß $\sin\varphi=\frac{b}{c}$ und $\cos\varphi=\frac{a}{c}$ ist. Da es nun eine unendliche Anzahl von Winkeln gibt, die diesem Sinus $\frac{b}{c}$ und diesem Kosinus $\frac{a}{c}$ entsprechen und die alle in dem Ausdruck $\varphi+p\pi$ enthalten sind, könnte man das Glied $p\pi$ weglassen und sagen, daß der Logarithmus von $a+b\sqrt{-1}$ allgemein $=C+\varphi\sqrt{-1}$ ist, da dieser Winkel φ bereits alle diese Winkel einschließt. Wenn man aber nun für φ den kleinsten positiven Winkel nimmt, der dem Sinus $\frac{b}{c}$

und dem Kosinus $\frac{a}{c}$ entspricht, wird der allgemeine Ausdruck für die Logarithmen von $a+b\sqrt{-1}$ gleich $C+(\varphi+p\pi)\sqrt{-1}$ sein. Wenn der Winkel φ in einem kommensurablen Verhältnis zu π oder dem Kreisumfang steht, wird dies immer ein Zeichen dafür sein, daß eine bestimmte Potenz der imaginären Größe $a+b\sqrt{-1}$ reell wird. Denn es sei $\varphi=\frac{\mu}{\nu}\pi$, und weil $\log(a+b\sqrt{-1})=C+$ $+\left(\frac{\mu}{\nu}+p\pi\right)\sqrt{-1}$ ist, wird

$$\log(a+b\sqrt{-1})^{\nu}=\nu C+(\mu+\nu p)\,\pi\sqrt{-1}$$

sein. Hieraus sieht man, wenn $\mu+\nu p$ eine gerade Zahl ist oder nur μ gerade ist, daß dann die Potenz $(a+b\sqrt{-1})^{\nu}$ eine positive reelle Zahl und selbst $=c^{\nu}=(\sqrt{a^2+b^2})^{\nu}$ sein wird. Wenn nun $\mu+\nu p$ oder nur μ eine ungerade Zahl ist, wird die Potenz $(a+b\sqrt{-1})^{\nu}$ eine negative Zahl $=-c^{\nu}$ sein.

Bisher hätte man glauben können, daß es gleichgültig wäre, welchen Wert man π zuordnete, da weder bei den Logarithmen der positiven Zahlen $\log +a=A\pm p\pi\sqrt{-1}$ noch bei den Logarithmen der negativen Zahlen $\log -a=A\pm q\pi\sqrt{-1}$ etwas auftrat, woraus wir hätten verstehen können, warum das Zeichen π eher den halben Umfang eines Kreises mit dem Radius $=1$ als jede andere Zahl bezeichnen müßte. Doch jetzt, bei der Betrachtung der Logarithmen imaginärer Zahlen, wird der Grund dafür offensichtlich. Man braucht nur den Winkel φ mit π zu vergleichen, um zu sehen, wenn man π einen anderen Wert als den zweier rechter Winkel gäbe, daß dann die Ausdrücke falsch werden würden und nicht mehr in Übereinstimmung mit denen wären, die wir für die positiven und negativen Zahlen gefunden haben.

Um dies deutlicher zu zeigen, nehmen wir $c=1$ und $C=0$ an, um den Ausdruck $\cos\varphi+\sqrt{-1}\cdot\sin\varphi$ zu erhalten, dessen sämtliche Logarithmen in dem allgemeinen Ausdruck

$$\log(\cos\varphi+\sqrt{-1}\cdot\sin\varphi)=(\varphi+p\pi)\sqrt{-1}$$

enthalten sein werden, wobei p eine beliebige gerade ganze Zahl bezeichnet, sei diese nun negativ, positiv oder selbst 0.

Hieraus leiten wir als erstes sofort die vorhergehenden Ausdrücke für die Logarithmen der positiven oder negativen reellen Zahlen ab. Es sei $\varphi=0$, und auf Grund von $\cos\varphi=1$ und $\sin\varphi=0$ wird

$$\log +1=p\pi\sqrt{-1}$$

sein, oder im einzelnen

$$\log +1=0,\quad \pm 2\pi\sqrt{-1},\quad \pm 4\pi\sqrt{-1},\quad \pm 6\pi\sqrt{-1},\quad \pm 8\pi\sqrt{-1},\ldots$$

Setzt man $\varphi=\pi=180^\circ$, wird, da $\cos\varphi=-1$ und $\sin\varphi=0$ ist,

$$\log -1=(1+p)\,\pi\sqrt{-1}=q\pi\sqrt{-1}$$

sein, wobei man q zur Bezeichnung einer beliebigen ungeraden Zahl nimmt. Man wird also

$$\log -1=\pm\pi\sqrt{-1},\quad \pm 3\pi\sqrt{-1},\quad \pm 5\pi\sqrt{-1},\quad \pm 7\pi\sqrt{-1},\ldots$$

erhalten.

Wir wollen jetzt auch die einfachsten Fälle imaginärer Zahlen entwickeln. Es sei

1. $\varphi=90^\circ=\frac{1}{2}\pi$, und auf Grund von $\cos\varphi=0$ und $\sin\varphi=+1$ wird

$$\log +\sqrt{-1}=\left(\frac{1}{2}+p\right)\pi\sqrt{-1}$$

sein. Alle Logarithmen von $+\sqrt{-1}$ werden also

$$+\frac{1}{2}\pi\sqrt{-1},\ +\frac{5}{2}\pi\sqrt{-1},\ +\frac{9}{2}\pi\sqrt{-1},\ +\frac{13}{2}\pi\sqrt{-1},\ +\frac{17}{2}\pi\sqrt{-1},\ldots$$

und

$$-\frac{3}{2}\pi\sqrt{-1},\ -\frac{7}{2}\pi\sqrt{-1},\ -\frac{11}{2}\pi\sqrt{-1},\ -\frac{15}{2}\pi\sqrt{-1},\ -\frac{19}{2}\pi\sqrt{-1},\ldots$$

sein. Wenn man hierbei zwei beliebige Werte addiert, um den Logarithmus von $\log(+\sqrt{-1})^2$, d. h. von $\log -1$, zu erhalten, wird man entweder $\pm\pi\sqrt{-1}$ oder $\pm 3\pi\sqrt{-1}$ oder $\pm 5\pi\sqrt{-1}$ usw. erhalten, wobei diese Ausdrücke alle Logarithmen von -1 sind.

2. Es sei $\varphi = 270° = \frac{3}{2}\pi$, und auf Grund von $\cos\varphi = 0$ und $\sin\varphi = -1$ wird

$$\log -\sqrt{-1} = \left(-\frac{1}{2} + p\right)\pi\sqrt{-1}$$

sein. Alle Logarithmen von $-\sqrt{-1}$ werden nun in den Ausdrücken

$$+\frac{3}{2}\pi\sqrt{-1}, \quad +\frac{7}{2}\pi\sqrt{-1}, \quad +\frac{11}{2}\pi\sqrt{-1}, \quad +\frac{15}{2}\pi\sqrt{-1},$$
$$+\frac{19}{2}\pi\sqrt{-1}, \ldots$$

und

$$-\frac{1}{2}\pi\sqrt{-1}, \quad -\frac{5}{2}\pi\sqrt{-1}, \quad -\frac{9}{2}\pi\sqrt{-1}, \quad -\frac{13}{2}\pi\sqrt{-1},$$
$$-\frac{17}{2}\pi\sqrt{-1}, \ldots$$

enthalten sein. Hieraus ist, wie bereits vorher, klar, daß zwei beliebige Werte addiert $q\pi\sqrt{-1}$ ergeben, wobei q für eine beliebige ungerade Zahl gesetzt wird. Dieser Ausdruck ist der Logarithmus von -1 oder von $(-\sqrt{-1})^2$. Überdies wird man, wenn man einen beliebigen Logarithmus von $-\sqrt{-1}$ mit einem beliebigen Logarithmus von $+\sqrt{-1}$ addiert, um einen Logarithmus des Produktes $(+\sqrt{-1}) \cdot (-\sqrt{-1})$, das $= +1$ ist, zu erhalten, in der Tat nur Logarithmen von $+1$ finden. Ebenso ist es klar, daß $\log(+\sqrt{-1}) - \log(-\sqrt{-1}) = \log -1$ oder $\log(-\sqrt{-1}) - \log(+\sqrt{-1}) = \log -1$ ist, ganz wie es die Art dieser Ausdrücke erfordert.

3. Es sei $\varphi = 60° = \frac{1}{3}\pi$ oder $\cos\varphi = \frac{1}{2}$ und $\sin\varphi = \frac{\sqrt{3}}{2}$. Man wird dann

$$\log\frac{1+\sqrt{-3}}{2} = \left(\frac{1}{3} + p\right)\pi\sqrt{-1}$$

finden, so daß

$$+\frac{1}{3}\pi\sqrt{-1},\quad +\frac{7}{3}\pi\sqrt{-1},\quad +\frac{13}{3}\pi\sqrt{-1},\quad +\frac{19}{3}\pi\sqrt{-1},$$
$$+\frac{25}{3}\pi\sqrt{-1},\ldots$$

und

$$-\frac{5}{3}\pi\sqrt{-1},\quad -\frac{11}{3}\pi\sqrt{-1},\quad -\frac{17}{3}\pi\sqrt{-1},\quad -\frac{23}{3}\pi\sqrt{-1},$$
$$-\frac{29}{3}\pi\sqrt{-1},\ldots$$

alle Logarithmen des imaginären Ausdrucks $\frac{+1+\sqrt{-3}}{2}$ sein werden. Hieraus ist klar, daß drei beliebige dieser Logarithmen addiert $q\pi\sqrt{-1}$ bzw. einen der Logarithmen von -1 ergeben, da

$$\left(\frac{1+\sqrt{-3}}{2}\right)^3=-1$$

ist.

4. Es sei $\varphi=120°=\frac{2}{3}\pi$ oder $\cos\varphi=-\frac{1}{2}$ und $\sin\varphi=\frac{\sqrt{3}}{2}$. Man wird dann

$$\log\frac{-1+\sqrt{-3}}{2}=\left(\frac{2}{3}+p\right)\pi\sqrt{-1}$$

finden. Dann werden

$$+\frac{2}{3}\pi\sqrt{-1},\quad +\frac{8}{3}\pi\sqrt{-1},\quad \frac{14}{3}\pi\sqrt{-1},\quad \frac{20}{3}\pi\sqrt{-1},\quad \frac{26}{3}\pi\sqrt{-1},\ldots$$

und

$$-\frac{4}{3}\pi\sqrt{-1},\quad -\frac{10}{3}\pi\sqrt{-1},\quad -\frac{16}{3}\pi\sqrt{-1},\quad -\frac{22}{3}\pi\sqrt{-1},$$
$$-\frac{28}{3}\pi\sqrt{-1},\ldots$$

alle Logarithmen des imaginären Ausdrucks $\frac{-1+\sqrt{-3}}{2}$ sein, und da

$$\left(\frac{-1+\sqrt{-3}}{2}\right)^3 = +1$$

ist, wird man sehen, daß man tatsächlich die Logarithmen von $+1$ durch Addition von drei beliebigen dieser Logarithmen erhält.

5. Es sei $\varphi = 240^\circ = \frac{4}{3}\pi$ oder $\cos\varphi = \frac{-1}{2}$ und $\sin\varphi = \frac{-\sqrt{3}}{2}$. Man wird dann

$$\log\frac{-1-\sqrt{-3}}{2} = \left(\frac{4}{3}+p\right)\pi\sqrt{-1}$$

erhalten, so daß

$$+\frac{4}{3}\pi\sqrt{-1}, \quad +\frac{10}{3}\pi\sqrt{-1}, \quad +\frac{16}{3}\pi\sqrt{-1}, \quad +\frac{22}{3}\pi\sqrt{-1},$$
$$+\frac{28}{3}\pi\sqrt{-1}, \ldots$$

und

$$-\frac{2}{3}\pi\sqrt{-1}, \quad -\frac{8}{3}\pi\sqrt{-1}, \quad -\frac{14}{3}\pi\sqrt{-1}, \quad -\frac{20}{3}\pi\sqrt{-1},$$
$$-\frac{26}{3}\pi\sqrt{-1}, \ldots$$

alle Logarithmen des Ausdrucks $\frac{-1-\sqrt{-3}}{2}$ sein werden, woraus man durch Addition von drei beliebigen dieser Logarithmen wie vorher einen der Logarithmen von $+1$ erhalten kann, da

$$\left(\frac{-1-\sqrt{-3}}{2}\right)^3 = +1$$

ist. Ebenso ergibt die Addition von zwei beliebigen dieser Logarithmen einen Logarithmus von $\frac{-1+\sqrt{-3}}{2}$, denn es ist

$$\left(\frac{-1-\sqrt{-3}}{2}\right)^2 = \frac{-1+\sqrt{-3}}{2}.$$

Weil umgekehrt

$$\left(\frac{-1+\sqrt{-3}}{2}\right)^2=\frac{-1-\sqrt{-3}}{2}$$

ist, wird man auch sehen, daß die Summe zweier beliebiger Logarithmen von $\frac{-1+\sqrt{-3}}{2}$ einen Logarithmus von $\frac{-1-\sqrt{-3}}{2}$ ergeben wird.

6. Es sei $\varphi=300°=\frac{5}{3}\pi$ oder $\cos\varphi=\frac{1}{2}$ und $\sin\varphi=\frac{-\sqrt{3}}{2}$. Man wird dann

$$\log\frac{1-\sqrt{-3}}{2}=\left(\frac{5}{3}+p\right)\pi\sqrt{-1}$$

erhalten. Folglich werden

$$+\frac{5}{3}\pi\sqrt{-1},\quad +\frac{11}{3}\pi\sqrt{-1},\quad +\frac{17}{3}\pi\sqrt{-1},\quad +\frac{23}{3}\pi\sqrt{-1},$$
$$+\frac{29}{3}\pi\sqrt{-1},\ \ldots$$

und

$$-\frac{1}{3}\pi\sqrt{-1},\quad -\frac{7}{3}\pi\sqrt{-1},\quad -\frac{13}{3}\pi\sqrt{-1},\quad -\frac{19}{3}\pi\sqrt{-1},$$
$$-\frac{25}{3}\pi\sqrt{-1},\ \ldots$$

die Logarithmen des Ausdrucks $\frac{+1-\sqrt{-3}}{2}$ sein, wobei es offensichtlich ist, daß die Addition von drei beliebigen dieser Logarithmen in Übereinstimmung damit, daß

$$\left(\frac{1-\sqrt{-3}}{2}\right)^3=-1$$

ist, einen Logarithmus von -1 ergeben.

Im allgemeinen wird man immer sehen, daß die Operationen, die man mit diesen Logarithmen durchführt, in völliger Übereinstimmung mit den entsprechenden Operationen stehen, die mit den ihnen zugeordneten Zahlen durchgeführt werden, so daß man in bezug auf die Operationen mit Logarithmen und den ihnen entsprechenden mit Zahlen nicht mehr die geringste Schwierigkeit haben wird.

7. Es sei $\varphi = 45^\circ = \frac{1}{4}\pi$ oder $\cos\varphi = \frac{1}{\sqrt{2}}$ und $\sin\varphi = \frac{1}{\sqrt{2}}$. Man wird dann

$$\log \frac{+1+\sqrt{-1}}{\sqrt{2}} = \left(\frac{1}{4}+p\right)\pi\sqrt{-1}$$

erhalten. Es werden also

$$+\frac{1}{4}\pi\sqrt{-1},\quad +\frac{9}{4}\pi\sqrt{-1},\quad +\frac{17}{4}\pi\sqrt{-1},\quad +\frac{25}{4}\pi\sqrt{-1},$$
$$+\frac{33}{4}\pi\sqrt{-1},\ldots$$

und

$$-\frac{7}{4}\pi\sqrt{-1},\quad -\frac{15}{4}\pi\sqrt{-1},\quad -\frac{23}{4}\pi\sqrt{-1},\quad -\frac{31}{4}\pi\sqrt{-1},$$
$$-\frac{39}{4}\pi\sqrt{-1},\ldots$$

alle Logarithmen des imaginären Ausdrucks $\frac{+1+\sqrt{-1}}{\sqrt{2}}$ sein.

8. Es sei $\varphi = 135^\circ = \frac{3}{4}\pi$ oder $\cos\varphi = \frac{-1}{\sqrt{2}}$ und $\sin\varphi = \frac{+1}{\sqrt{2}}$. Man wird dann

$$\log \frac{-1+\sqrt{-1}}{\sqrt{2}} = \left(\frac{3}{4}+p\right)\pi\sqrt{-1}$$

erhalten. Folglich werden

$$+\frac{3}{4}\pi\sqrt{-1},\quad +\frac{11}{4}\pi\sqrt{-1},\quad +\frac{19}{4}\pi\sqrt{-1},\quad +\frac{27}{4}\pi\sqrt{-1},$$
$$+\frac{35}{4}\pi\sqrt{-1},\ldots$$

und

$$-\frac{5}{4}\pi\sqrt{-1},\quad -\frac{13}{4}\pi\sqrt{-1},\quad -\frac{21}{4}\pi\sqrt{-1},\quad -\frac{29}{4}\pi\sqrt{-1},$$

$$-\frac{37}{4}\pi\sqrt{-1},\ldots$$

alle Logarithmen des Ausdrucks $\frac{-1+\sqrt{-1}}{\sqrt{2}}$ sein. Jeder dieser Logarithmen wird, addiert zu einem der vorhergehenden Logarithmen von $\frac{+1+\sqrt{-1}}{\sqrt{2}}$, einen Logarithmus der Form $q\pi\sqrt{-1}$ beziehungsweise einen Logarithmus von -1 ergeben, wie dies auf Grund von

$$\frac{+1+\sqrt{-1}}{\sqrt{2}}\cdot\frac{-1+\sqrt{-1}}{\sqrt{2}}=-1$$

sein muß.

9. Es sei $\varphi=225°=\frac{5}{4}\pi$ oder $\cos\varphi=\frac{-1}{\sqrt{2}}$ und $\sin\varphi=\frac{-1}{\sqrt{2}}$. Man wird dann

$$\log\frac{-1-\sqrt{-1}}{\sqrt{2}}=\left(\frac{5}{4}+p\right)\pi\sqrt{-1}$$

erhalten. Es werden also

$$+\frac{5}{4}\pi\sqrt{-1},\quad +\frac{13}{4}\pi\sqrt{-1},\quad +\frac{21}{4}\pi\sqrt{-1},\quad +\frac{29}{4}\pi\sqrt{-1},\ldots$$

und

$$-\frac{3}{4}\pi\sqrt{-1},\quad -\frac{11}{4}\pi\sqrt{-1},\quad -\frac{19}{4}\pi\sqrt{-1},\quad -\frac{27}{4}\pi\sqrt{-1},\ldots$$

alle Logarithmen des Ausdrucks $\frac{-1-\sqrt{-1}}{\sqrt{2}}$ sein. Diese sind die negativen Werte der vorhergehenden. Auch dies ist völlig in Übereinstimmung mit den analytischen Operationen, da

$$\frac{-1-\sqrt{-1}}{\sqrt{2}}=1:\frac{-1+\sqrt{-1}}{\sqrt{2}}$$

ist, und folglich auch

$$\log \frac{-1-\sqrt{-1}}{\sqrt{2}} = -\log \frac{-1+\sqrt{-1}}{\sqrt{2}}$$

ist.

10. Es sei $\varphi = 315° = \frac{7}{4}\pi$ oder $\cos\varphi = \frac{+1}{\sqrt{2}}$ und $\sin\varphi = \frac{-1}{\sqrt{2}}$, woraus man

$$\log \frac{+1-\sqrt{-1}}{\sqrt{2}} = \left(\frac{7}{4}+p\right)\pi\sqrt{-1}$$

erhalten wird. Folglich werden

$$+\frac{7}{4}\pi\sqrt{-1}, \quad +\frac{15}{4}\pi\sqrt{-1}, \quad +\frac{23}{4}\pi\sqrt{-1}, \quad +\frac{31}{4}\pi\sqrt{-1}, \ldots$$

und

$$-\frac{1}{4}\pi\sqrt{-1}, \quad -\frac{9}{4}\pi\sqrt{-1}, \quad -\frac{17}{4}\pi\sqrt{-1}, \quad -\frac{25}{4}\pi\sqrt{-1}, \ldots$$

alle Logarithmen des Ausdrucks $\frac{+1-\sqrt{-1}}{\sqrt{2}}$ sein.

Alle diese Logarithmen der vier letzten Abschnitte haben die Eigenschaft, daß jeder, multipliziert mit 4, einem Logarithmus von -1 entspricht, was richtig ist, da die Quadrate der Quadrate der vier Ausdrücke

$$\frac{+1+\sqrt{-1}}{\sqrt{2}}, \quad \frac{-1+\sqrt{-1}}{\sqrt{2}}, \quad \frac{-1-\sqrt{-1}}{\sqrt{2}}, \quad \text{und} \quad \frac{+1-\sqrt{-1}}{\sqrt{2}}$$

die Zahl -1 ergeben.

Diese Beispiele reichen aus, um zu zeigen, daß die Vorstellung der Logarithmen, die ich gegeben habe, richtig ist, und daß sie in völliger Übereinstimmung mit allen Operationen steht, die die Theorie der Logarithmen einschließt, so daß man keine Schwierigkeiten mehr vorfindet und daß alle Widersprüche, denen diese Lehre unterworfen zu sein schien, vollständig verschwinden. Folglich ist die große Kontroverse, die vormals die Herren Leibniz und Bernoulli trennte, jetzt völlig entschieden, so daß weder der eine noch der andere den geringsten Anlaß mehr fände, seine Zustimmung zu verweigern.

Die schöne Entdeckung des Herrn Bernoulli, die Quadratur des Kreises auf die imaginären Logarithmen zurückzuführen, befindet sich nicht nur in völliger Übereinstimmung mit dieser Theorie, sondern ist auch eine notwendige Folge davon. Sie wird dadurch auf einen unendlich größeren Bereich erweitert, denn wir sehen, daß die Logarithmen aller Zahlen, insofern sie imaginär sind, von der Quadratur des Kreises abhängen. Insofern $\pm p\pi\sqrt{-1}$ die Logarithmen von $+1$ sind, wird $\frac{\log +1}{\sqrt{-1}}$ immer eine reelle Größe sein, die aber auf Grund der unendlichen Anzahl der Logarithmen von $+1$ eine unendliche Anzahl von Werten einschließt. Als Folge dessen werden, wenn man das Verhältnis des Durchmessers zum Umfang $= 1 : \pi$ setzt, die Werte des Ausdrucks $\frac{\log +1}{\sqrt{-1}}$ die folgenden sein:

$$0, \pm 2\pi, \pm 4\pi, \pm 6\pi, \pm 8\pi, \pm 10\pi, \ldots$$

Ebenso werden die Logarithmen von -1, wenn sie durch $\sqrt{-1}$ geteilt sind, die folgenden reellen Größen ergeben, die gleichfalls die Quadratur des Kreises einschließen. Denn die Werte von $\frac{\log -1}{\sqrt{-1}}$ sind dann

$$\pm\pi, \pm 3\pi, \pm 5\pi, \pm 7\pi, \pm 9\pi, \ldots$$

Auf die gleiche Weise wird man sehen, daß die Werte der folgenden Ausdrücke folgendermaßen lauten:

Die Werte von	sind bis ins Unendliche die folgenden:
$\frac{\log(+\sqrt{-1})}{\sqrt{-1}}$	$+\frac{1}{2}\pi, +\frac{5}{2}\pi, +\frac{9}{2}\pi, +\frac{13}{2}\pi, +\frac{17}{2}\pi, \ldots$
	$-\frac{3}{2}\pi, -\frac{7}{2}\pi, -\frac{11}{2}\pi, -\frac{15}{2}\pi, -\frac{19}{2}\pi, \ldots$
$\frac{\log(-\sqrt{-1})}{\sqrt{-1}}$	$+\frac{3}{2}\pi, +\frac{7}{2}\pi, +\frac{11}{2}\pi, +\frac{15}{2}\pi, +\frac{19}{2}\pi, \ldots$
	$-\frac{1}{2}\pi, -\frac{5}{2}\pi, -\frac{9}{2}\pi, -\frac{13}{2}\pi, -\frac{17}{2}\pi, \ldots$

Man wird in gleicher Weise andere weiter oben entwickelte Beispiele von ähnlichen reellen Ausdrücken ableiten können, die alle die Quadratur des Kreises einschließen.

Ich habe bereits die schöne Übereinstimmung zwischen diesen Logarithmen und dem Wurzelzeichen zum Ausdruck gebracht, indem ich gezeigt habe, daß sich die doppelten Werte sowohl der Logarithmen von -1 als auch die von $+1$ unter den Logarithmen von $+1$ befinden, da

$$1=(+1)^2=(-1)^2$$

ist. Da

$$1=(+1)^3=\left(\frac{-1+\sqrt{-3}}{2}\right)^3=\left(\frac{-1-\sqrt{-3}}{2}\right)^3$$

ist, wird man ebenso sehen, daß sich die dreifachen Werte der Logarithmen von $+1$, von $\frac{-1+\sqrt{-3}}{2}$ und von $\frac{-1-\sqrt{-3}}{2}$ unter den Logarithmen von $+1$ befinden. Ich bemerke hier noch zusätzlich, daß man, da 1 nur die zwei Quadratwurzeln $+1$ und -1 besitzt, wenn man die doppelten Werte aller Logarithmen sowohl von $+1$ als auch von -1 in einer Reihe anordnet, die vollständige Reihe aller Logarithmen von $+1$ erhalten wird. Auf diese Weise ist

$$2\log +1 \text{ gleich } 0,\ \pm 4\pi\sqrt{-1},\ \pm 8\pi\sqrt{-1},\ \pm 12\pi\sqrt{-1},\ \ldots$$
$$2\log -1 \text{ gleich } \pm 2\pi\sqrt{-1},\ \pm 6\pi\sqrt{-1},\ \pm 10\pi\sqrt{-1},\ \ldots$$

Auf die gleiche Weise wird sich, da die drei Kubikwurzeln von $+1$

$$+1,\quad \frac{-1+\sqrt{-3}}{2} \quad \text{und} \quad \frac{-1-\sqrt{-3}}{2}$$

sind, wenn man die dreifachen Werte aller Logarithmen dieser drei Wurzeln in einer Folge anordnet, die vollständige Reihe der Logarithmen von $+1$ ergeben, denn

$$3\log +1 \quad \text{ergibt } 0,\ \pm 6\pi\sqrt{-1},\ \pm 12\pi\sqrt{-1},\ \pm 18\pi\sqrt{-1},\ \ldots;$$

$$3\log\frac{-1+\sqrt{-3}}{2} \quad \text{ergibt} \quad \begin{cases} +2\pi\sqrt{-1},\ +8\pi\sqrt{-1},\ +14\pi\sqrt{-1},\ \ldots \\ -4\pi\sqrt{-1},\ -10\pi\sqrt{-1},\ -16\pi\sqrt{-1},\ \ldots; \end{cases}$$

$$3\log\frac{-1-\sqrt{-3}}{2} \quad \text{ergibt} \quad \begin{cases} +4\pi\sqrt{-1},\ +10\pi\sqrt{-1},\ +16\pi\sqrt{-1},\ \ldots \\ -2\pi\sqrt{-1},\ -8\pi\sqrt{-1},\ -14\pi\sqrt{-1},\ \ldots \end{cases}$$

In diesen drei Reihen sind alle Logarithmen von $+1$ enthalten, wobei jeder Logarithmus nur ein einziges Mal vorkommt. Dies ist ein Kennzeichen dafür, daß die 1 nur diese drei Kubikwurzeln besitzt und daß die drei zusammen erforderlich sind, um die Natur der 1 erschöpfend zu begründen.
Bei den anderen Wurzeln von 1 verhält es sich ebenso, und da

$$+1,\ -1,\ +\sqrt{-1} \quad \text{und} \quad -\sqrt{-1}$$

die vierten Wurzeln von $+1$ sind, wird man sehen, daß die vierfachen Werte der Logarithmen jeder dieser Wurzeln nur den vierten Teil der Logarithmen von $+1$ ergeben. Alle diese Vierfachen aller vier Wurzeln zusammen ergeben nun die ganze Reihe der Logarithmen von $+1$. Es ist außerdem bemerkenswert, daß sich alle Logarithmen einer beliebigen Wurzel von den Logarithmen jeder anderen Wurzel der gleichen Zahl unterscheiden. Obwohl also die zwei Logarithmen $\log +1$ und $\log -1$ voneinander verschieden sind, ist trotzdem $2 \log +1 = \log +1$ und $2 \log -1 = \log +1$, ohne daß $2 \log +1 = 2 \log -1$ ist. In der gleichen Weise sind die drei Logarithmen

$$\log +1, \quad \log \frac{-1+\sqrt{-3}}{2} \quad \text{und} \quad \log \frac{-1-\sqrt{-3}}{2}$$

voneinander verschieden. Ungeachtet dieser Ungleichheit ist jedoch

$$3 \log +1 = \log +1, \quad 3 \log \frac{-1+\sqrt{-3}}{2} = \log +1 \quad \text{und}$$

$$3 \log \frac{-1-\sqrt{-3}}{2} = \log +1\,.$$

Wir sehen also, daß es für die Natur der Logarithmen von grundsätzlicher Bedeutung ist, daß jede Zahl eine unendliche Anzahl von Logarithmen besitzt und daß alle diese Logarithmen nicht nur untereinander verschieden sind, sondern sich auch von allen Logarithmen jeder anderen Zahl unterscheiden. Ebenso wie bei den Logarithmen verhält es sich bei den Winkeln beziehungsweise den Kreisbogen, denn wie jedem Sinus und jedem Kosinus eine unendliche Anzahl verschiedener Bogen entspricht, so entspricht jeder Zahl eine unendliche Anzahl von verschiedenen Logarithmen. Man muß aber hier auf einen großen Unterschied hinweisen, der darin besteht, daß alle Bogen, die dem gleichen Sinus oder Kosinus entsprechen, reell sind, während alle Logarithmen der gleichen Zahl bis auf einen für den Fall, daß die gegebene Zahl positiv ist, imaginär sind, denn alle Logarithmen sowohl der negativen als auch der imaginären Zahlen sind ohne Ausnahme imaginär. Wie nun einem gegebenen Bogen nur ein einziger Sinus oder Kosinus entspricht, so entspricht einem gegebenen Logarithmus nur eine einzige Zahl, so daß dies ein Problem ist, das nur eine einzige Lösung zuläßt, wenn man nach der Zahl fragt, die einem gegebenen Logarithmus entspricht.

Problem 4

Für einen beliebigen gegebenen Logarithmus ist die Zahl zu bestimmen, die ihm entspricht.

Lösung

Wir nehmen als erstes an, daß der gegebene Logarithmus eine reelle Größe $=f$ sei. Man weiß dann, wenn man die Zahl, deren reeller Logarithmus $=1$ ist, $=e$ setzt, so wird die Zahl, die dem Logarithmus f entspricht, $=e^f$ sein.

Zweitens sei der gegebene Logarithmus $=g\sqrt{-1}$ oder einfach imaginär, und x sei die Zahl, die ihm entspricht. Da g eine reelle Zahl ist, die man mit π vergleichen kann, gelte $g=m\pi$. Es ist dann klar, daß die Zahl x, wenn m entweder eine gerade oder eine ungerade ganze Zahl ist, entweder $+1$ oder -1 sein wird. In jedem beliebigen anderen Fall aber wird die Zahl x imaginär sein. Um sie zu bestimmen, braucht man nur einen Kreisbogen $=g$, dessen Radius $=1$ ist, zu nehmen, und nachdem man dessen Sinus und Kosinus bestimmt hat, wird die gesuchte Zahl

$$x=\cos g+\sqrt{-1}\cdot\sin g$$

sein.

Drittens sei der gegebene Logarithmus eine beliebige imaginäre Größe $=f+g\sqrt{-1}$, denn man weiß, daß jede imaginäre Größe auf den Ausdruck $f+g\sqrt{-1}$ reduziert werden kann, wobei f und g

reelle Zahlen sind. Nach diesen Festlegungen ist es klar, daß die gesuchte Zahl x das Produkt zweier Zahlen ist, von denen die eine f und die andere $g\sqrt{-1}$ als Logarithmus haben wird. Folglich wird die Zahl, die dem Logarithmus $f+g\sqrt{-1}$ entspricht,

$$=e^f(\cos g+\sqrt{-1}\cdot\sin g)$$

sein, was zu finden war.

Man sieht also, daß die Zahl, die dem gegebenen Logarithmus $f+g\sqrt{-1}$ entspricht, reell sein wird, wenn $\sin g=0$ ist, das heißt, wenn $g=m\pi$ ist, wobei der Koeffizient m eine beliebige ganze, entweder positive oder negative Zahl ist. In diesem Fall ist überdies zu erkennen, daß, wenn m eine gerade Zahl ist, die gesuchte Zahl auf Grund von $\cos g=+1$ positiv sein wird. Wenn aber m eine ungerade Zahl ist, wird die gesuchte Zahl auf Grund von $\cos g=-1$ negativ und $=-e^f$ sein. In allen anderen Fällen, in denen m, das heißt $\frac{g}{\pi}$, eine gebrochene oder sogar eine irrationale Zahl ist, wird die Zahl, die dem Logarithmus $f+g\sqrt{-1}$ entspricht, notwendig imaginär sein.

Mit Hilfe dieser Regel wird man sich auch bei der Rechnung mit imaginären Zahlen der Logarithmen bedienen können. Um ein Beispiel dafür zu geben, suche man den Wert des Ausdrucks

$$\left(\frac{-1+\sqrt{-3}}{2}\right)^4\left(\frac{+1+\sqrt{-1}}{\sqrt{2}}\right)^3\left(\frac{-1-\sqrt{-3}}{2}\right)^2\sqrt{-1}=A\,.$$

Dazu braucht man nur einen beliebigen Logarithmus jedes Faktors nehmen und die Operationen gemäß den allgemein anerkannten Regeln auf folgende Weise auszuführen:

$$\log\frac{-1+\sqrt{-3}}{2}=\frac{2}{3}\pi\sqrt{-1},\quad\text{also ist}\quad 4\log\frac{-1+\sqrt{-3}}{2}=\frac{8}{3}\pi\sqrt{-1};$$

$$\log\frac{+1+\sqrt{-1}}{\sqrt{2}}=\frac{1}{4}\pi\sqrt{-1},\quad\text{also ist}\quad 3\log\frac{+1+\sqrt{-1}}{\sqrt{2}}=\frac{3}{4}\pi\sqrt{-1};$$

$$\log\frac{-1-\sqrt{-3}}{2}=\frac{4}{3}\pi\sqrt{-1},\quad\text{also ist}\quad 2\log\frac{-1-\sqrt{-3}}{2}=\frac{8}{3}\pi\sqrt{-1};$$

schließlich ist

$$\log \sqrt{-1} = \frac{1}{2}\pi\sqrt{-1}\,.$$

Also ist die Summe oder $\log A = \dfrac{79}{12}\pi\sqrt{-1}$.

Das gesuchte Produkt wird folglich

$$A = \cos\frac{79}{12}\pi + \sqrt{-1}\cdot\sin\frac{79}{12}\pi\,,$$

beziehungsweise

$$A = \cos\frac{7}{12}\pi + \sqrt{-1}\cdot\sin\frac{7}{12}\pi$$

sein.

Ich bemerke noch, daß man, da der gegebene Logarithmus $= f + g\sqrt{-1}$ ist, die entsprechende Zahl gemäß der gemeinsamen Regel $= e^{f+g\sqrt{-1}}$ finden wird. Dieser Ausdruck ist nun dem, den wir gefunden haben, völlig äquivalent, denn man weiß weiter, daß $e^{g\sqrt{-1}} = \cos g + \sqrt{-1}\sin g$ ist. Folglich ist

$$e^{f+g\sqrt{-1}} = e^f \cdot e^{g\sqrt{-1}} = e^f(\cos g + \sqrt{-1}\cdot\sin g)\,.$$

Dieser letzte Ausdruck ist aber geeigneter als der erste, bei dem die imaginären Zahlen im Exponenten vorkommen. [21]

III.

Betrachtungen über orthogonale Trajektorien

Zusammenfassung

Ebenso wie die Beschaffenheit von gekrümmten Linien ausgedrückt wird durch eine Gleichung, die die rechtwinkligen Koordinaten und konstante Größen enthält, ist es offensichtlich, daß, wenn einige dieser Koeffizienten als veränderlich angenommen werden, dann unendlich viele einem gemeinsamen Gesetz unterworfene gekrümmte Linien entstehen, wobei die Kurven, die jene gegebenen Kurven rechtwinklig schneiden, als deren orthogonale Trajektorien bezeichnet werden.

Deshalb läuft die Lösung des Problems dieser Trajektorien darauf hinaus, aus der Gleichung, durch welche die Beziehung der Differentiale des Parameters und der Koordinaten für die zu schneidenden Kurven ausgedrückt wird, eine weitere Differentialgleichung herzuleiten, die die Beziehung zwischen den Koordinaten für die schneidenden Kurven ausdrückt – eine Gleichung, welche bis zur Integrierbarkeit umzuformen ist. Da dies im allgemeinen auf keine Weise zu bewerkstelligen ist, ist es durchaus von Nutzen, diejenigen Fälle zu untersuchen, in denen dies zu tun möglich ist und die vor allem auf die folgenden zurückgehen. Erstens: Wenn der Parameter p eine Funktion der Koordinaten x und y ist, dann enthält die Differentialgleichung für die Trajektorien nur die beiden Veränderlichen x und y, und deren Integration kann überhaupt gemäß den zulässigen Mitteln durchgeführt werden. Zweitens: Wenn y eine Funktion von x und p ist, dann läuft die Lösung des Problems hinaus auf die Integration einer Differentialgleichung, in die nur p und x eingehen, woraus schließlich durch eine Konstruktion x aus p und überdies aus y gewonnen werden kann. Drittens: Wenn x eine Funktion von p und y ist, dann besteht die ganze Schwierigkeit in der Integration einer Differentialgleichung, die nur y und p enthält. Dies aber kann nur dann entschieden werden, falls diese Ausdrücke für p, x und y explizit vorliegen, wenn aber gar die Integrale Formeln enthalten, dann kann die Integration der Differentialgleichung, zu der man gelangt, nicht mehr ohne weiteres als ausführbar betrachtet werden. Indessen wurde jedoch durch einen besonderen Kunstgriff die Auflösung des Falles gefunden, in dem y durch die Summenformel $\int V\,dx$ ausgedrückt wird, wobei V eine beliebige Funktion von p und x darstellt.

Dagegen hat der hochberühmte Verfasser in der vorliegenden Abhandlung hauptsächlich eine hervorstechende Eigenschaft derjenigen Kurven, die sich gegeneinander hin- und herbewegen, der Betrachtung wert gehalten. Da sich nämlich die Natur jedes der beiden Systeme durch eine bestimmte Beziehung zwischen den Koordinaten x und y und den Parametern ausdrückt, so ergibt sich hieraus, daß – wenn für das letztere System der Parameter q genannt wird – nicht nur p und q durch x und y allein. sondern auch wiederum x und y durch p und q allein bestimmt werden können. Die auffallende Eigenschaft aber, durch die die Beziehung zwischen diesen vier Größen festgelegt wird, drückt sich mittels folgender Gleichung aus:

$$\frac{\partial x}{\partial p}\frac{\partial x}{\partial q}+\frac{\partial y}{\partial p}\frac{\partial y}{\partial q}=0\,. \quad [1]$$

Diese Gleichung als Hilfsmittel gestattet es, x und y als Funktionen von p und q auszudrücken, und die daraus entspringenden Ausdrücke für x und y sind wie folgt beschaffen: Falls zwei Systeme von sich gegenseitig senkrecht schneidenden Linien einmal gefunden sind, so können davon unendlich viele weitere Paare von solchen Systemen abgeleitet werden. Dieser ausgezeichnete Kunstgriff bahnt aber auch den Weg zur Lösung des Problems, auf welche Weise man sich jene Systeme von algebraischen Kurven verschafft, deren Trajektorien ebenfalls algebraische Kurven sein sollen. Dies heißt, nachdem einige der einfacheren Fälle von Systemen dieser Art bekannt sind, können daraus auf sehr leichte Weise unendlich viele weitere abgeleitet werden. Auf ähnliche Weise können daher auch Lösungen von anderen nicht minder feinsinnigen Aufgabenstellungen gewonnen werden, von denen vor allem diejenigen Aufmerksamkeit verdienen, bei denen erstens zwei Systeme von orthogonalen Kurven gesucht sind dergestalt, daß diese zugleich in einer Gleichung inbegriffen sind, wobei sich die Systeme nur darin unterscheiden, daß für das erste System der Parameterwert als positiv und für das zweite System der Parameterwert als negativ angenommen wird, und weiter diejenigen Aufgaben, bei denen zu schneidende Kurven zu bestimmen sind dergestalt, daß die schneidenden Kurven nur insofern von ihnen abweichen, als die Koordinaten x und y miteinander vertauscht sind.

---

1. Das Problem der orthogonalen Trajektorien, das seit langem den Scharfsinn der Geometer häufig und in reichem Maße auf die Probe gestellt hat, stellt sich so dar, daß (Abb. 1) *bei unendlich*

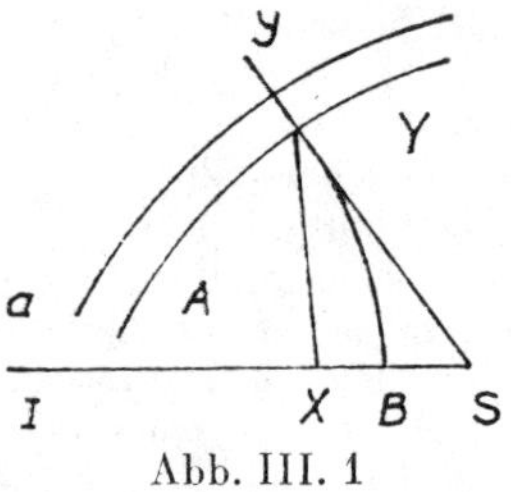

Abb. III. 1

vielen vorgegebenen Kurven AY, ay, die in ein und demselben gemeinsamen Gesetz inbegriffen sind, weitere Kurven BYy, die jene rechtwinklig durchkreuzen, gesucht sind, wobei zur Lösung dieser Aufgabe die folgenden Momente genau erwogen werden müssen.

1° Da die zu schneidenden Kurven durch ein und dieselbe gemeinsame Gleichung beschrieben werden, enthält diese Gleichung außer den beiden Koordinaten $IX=x$ und $XY=y$ als Parameter ein gewisses p, das für eine feste Kurve AY einen festen Wert hat, wogegen es aber für die übrigen Kurven davon verschiedene Werte annimmt.

2° Daher nimmt diese Gleichung nach Differentiation, wobei auch der Parameter p als veränderlich anzusehen ist, eben diese Gestalt an:

$$L\,\mathrm{d}y = M\,\mathrm{d}x + N\,\mathrm{d}p\ ;$$

daraus ergibt sich für die Kurve AY wegen $\mathrm{d}p=0$:

$$\frac{\mathrm{d}y}{\mathrm{d}x} = \frac{M}{L};$$

deshalb erhält man mittels der auf dieser Kurve errichteten Senkrechten YS die Subnormale

$$XS = \frac{My}{L}\ .$$

3° Für die schneidende Kurve BY muß ebendiese Subnormale XS jedoch eine Subtangente sein, weshalb für diese Kurve bei Gebrauch derselben Koordinaten $IX=x$ und $XY=y$ notgedrungen deren Subtangente gleich

$$\frac{y\,\mathrm{d}x}{\mathrm{d}y} = -\frac{My}{L}$$

ist, daher ist $L\,\mathrm{d}x + M\,\mathrm{d}y = 0$.

4° Also ergibt sich für die zu schneidenden Kurven nach Annahme einer Gleichung zwischen den Koordinaten x, y und dem veränderlichen Parameter p durch Differentiation eine Beziehung

$$L\,\mathrm{d}y = M\,\mathrm{d}x + N\,\mathrm{d}p\ ,$$

für die schneidenden Kurven hat man die Differentialgleichung

$$L\,\mathrm{d}x + M\,\mathrm{d}y = 0\ .$$

2. So wird die gesamte Aufgabe darauf zurückgeführt, daß mittels

der auf diese Weise gegebenen Differentialgleichung $L\,\mathrm{d}y = M\,\mathrm{d}x + N\,\mathrm{d}p$ eine Methode ersonnen wird, um die Gleichung $L\,\mathrm{d}x + M\,\mathrm{d}y = 0$ zu integrieren, worin gewiß keinerlei Schwierigkeit besteht, falls die Größen L und M nur die beiden Koordinaten x und y enthalten bei Ausschluß des Parameters p, weil dann in jener Differentialgleichung nur die beiden Veränderlichen x und y vorkommen, und auf diese Weise ist die Integration der Gleichungen hier zu Recht als durchführbar anzusehen. Wenn jedoch die Größen L und M obendrein den Parameter p enthalten, so daß die Gleichung $L\,\mathrm{d}x + M\,\mathrm{d}y = 0$ die drei veränderlichen Größen x, y und p enthält, so ist deren Integration auszuführen auch nicht möglich, falls sie nicht zugleich mit der anderen gegebenen Gleichung $L\,\mathrm{d}y = M\,\mathrm{d}x + N\,\mathrm{d}p$ verknüpft wird und infolgedessen eine der drei Veränderlichen überhaupt beseitigt wird, damit sich eine Differentialgleichung nur zwischen zwei Veränderlichen ergibt. Wenn dies nicht erreicht werden kann, so kann kaum irgend etwas über die Beschaffenheit der orthogonalen Trajektorien ausgesagt werden, weshalb, so oft diese Schwierigkeit auftritt, jenes Problem zu Recht zu den schwierigsten zu zählen ist; und es fehlt nur zu bemerken, daß jenes Problem, obwohl es seit langem mit höchstem Eifer behandelt wird, letzten Endes so beschaffen ist, daß es vielmehr weiterhin als der höchsten Aufmerksamkeit würdig zu beurteilen ist.

3. Da also die gesamte Angelegenheit darauf hinausläuft, für die Trajektorien dieser Art eine Differentialgleichung zu gewinnen, die nur zwei Veränderliche enthält, gehen wir die wichtigsten Fälle durch, in denen dieses Ziel erreicht werden kann.

1° Erstens ist es sicher der Fall, daß, wenn die Gleichung für die zu schneidenden Kurven so dargestellt werden kann, daß der Parameter p durch die Koordinaten x und y vollständig bestimmt ist oder gleich einer Funktion von x und y ist, dann die Gleichung dieser Beschaffenheit nach Differentiation die Gestalt

$$\mathrm{d}p = P\,\mathrm{d}x + Q\,\mathrm{d}y$$

annimmt, worin P und Q Funktionen nur von x und y sind und welche nach Vergleich mit der Formel

$$L\,\mathrm{d}y = M\,\mathrm{d}x + N\,\mathrm{d}p$$

die Gleichungen $L=Q$, $M=-P$ und $N=-1$ liefert. Deshalb gilt für die Trajektorien die Gleichung

$$Q\,\mathrm{d}x - P\,\mathrm{d}y = 0\,,$$

die nur die beiden Veränderlichen x und y enthält und deren Integration als überhaupt ausführbar gelten darf.
2° Wenn die Gleichung für die zu schneidenden Kurven so dargestellt werden kann, daß das verwendete y gleich einer Funktion von x und p ist und wenn aus ihrer Differentiation eine Beziehung $\mathrm{d}y = P\,\mathrm{d}x + R\,\mathrm{d}p$ hervorgeht, so daß P und R Funktionen nur von x und p sind, dann ergibt sich wegen $L=1$, $M=P$ und $N=R$ für die Trajektorien die Gleichung $\mathrm{d}x + P\,\mathrm{d}y = 0$, welche wegen $\mathrm{d}y = P\,\mathrm{d}x + R\,\mathrm{d}p$ in die Gestalt

$$(1+PP)\,\mathrm{d}x + PR\,\mathrm{d}p = 0$$

übergeht, die nur die beiden Veränderlichen p und x enthält.
3° Wenn die Gleichung für die zu schneidenden Kurven so dargestellt wird, daß die Abszisse x gleich einer Funktion von y und p ist, aus deren Differentiation eine Beziehung

$$\mathrm{d}x = Q\,\mathrm{d}y + R\,\mathrm{d}p$$

hervorgeht, wobei Q und R Funktionen nur von y und p sind, dann wird wegen $L=Q$, $M=1$ und $N=-R$ die Beschaffenheit der Trajektorien durch die Gleichung

$$Q\,\mathrm{d}x + \mathrm{d}y = 0$$

beschrieben, welche sich auf Grund von $\mathrm{d}x = Q\,\mathrm{d}y + R\,\mathrm{d}p$ in eine Gleichung

$$(1+QQ)\,\mathrm{d}y + QR\,\mathrm{d}p = 0$$

zwischen y und p allein transformiert.
4. So oft also der Parameter p durch die beiden Koordinaten x und y oder eine der beiden Koordinaten durch die andere und den Parameter p festgelegt ist, läuft die Bestimmung der Trajektorien auf eine derart beschaffene Differentialgleichung zurück, daß in dieser nur zwei veränderliche Größen vorkommen und deren Lösung deshalb als durchführbar betrachtet werden kann, obwohl auch jetzt noch kein Weg zu sehen ist, diese Angelegenheit zu erledigen. Dies ist jedoch zu überschauen, falls jene Aus-

drücke explizit vorliegen oder algebraisch oder transzendent sind; wenn sie aber nur mittels Integralformeln gegeben sind, in denen die eine der beiden Veränderlichen als Konstante behandelt wird, dann stellen die gefundenen Gleichungen keinerlei Wert dar, falls sie nicht durch einen sehr speziellen Kunstgriff von der Integralformel befreit werden können. Wenn zum Beispiel für die zu schneidenden Kurven eine Gleichung

$$y = \int V \, \mathrm{d}x$$

vorliegt, in der V eine Funktion von x und p ist, so wird in diesem Integral der Parameter p als Konstante angesehen: dann hat man tatsächlich für den Wert von $\mathrm{d}y = P\,\mathrm{d}x + R\,\mathrm{d}p$ nun $P = V$, die Größe wird jedoch durch die neue Integralform festgelegt, währenddessen

$$R = \int \mathrm{d}x \frac{\partial V}{\partial p}$$

ist, wobei in diesem Integral wiederum nur das x als variabel vorausgesetzt wird. Da die künftige Gleichung für die Trajektorien so lautet:

$$(1 + VV)\,\mathrm{d}x + V\,\mathrm{d}p \int \mathrm{d}x \frac{\partial V}{\partial p} = 0\,,$$

erscheint es wegen dieser Integralformel äußerst unklar, wie man ihre Auflösung vorzunehmen hat.

5. Damit diese Schwierigkeit klarer hervortritt, will ich einen Einzelfall auseinandersetzen, in dem die Gleichung für die Trajektorien aufgestellt werden kann und der schon seit langem durch eine überaus scharfsinnige Methode erledigt ist. Dies heißt: Es wird gefragt, wie die Größe V als Funktion von x und p beschaffen sein muß, damit unter der Voraussetzung $y = \int V\,\mathrm{d}x$ für die zu schneidenden Kurven die Gleichung für die Trajektorien

$$(1 + VV)\,\mathrm{d}x + V\,\mathrm{d}p \int \mathrm{d}x \frac{\partial V}{\partial p} = 0$$

nach Multiplikation mit einer gewissen Größe integrierbar wird. Es sei dieser Multiplikator gleich $\frac{\Pi}{V}$, wobei Π als Funktion nur von p abhängend vorausgesetzt wird, so daß gilt:

$$\frac{\Pi \mathrm{d}x\,(1+VV)}{V}+\mathrm{d}p\int \Pi \mathrm{d}x\,\frac{\partial V}{\partial p}=0;$$

da ja nun Π die Größe x nicht enthält, ist jedenfalls

$$\Pi \mathrm{d}p\int \mathrm{d}x\,\frac{\partial V}{\partial p}=\mathrm{d}p\int \Pi \mathrm{d}x\,\frac{\partial V}{\partial p}.$$

Nun bildet man das Integral der Form:

$$\int\frac{\Pi \mathrm{d}x\,(1+VV)}{V},$$

so daß für die Trajektorien die Gleichung

$$\int\frac{\Pi \mathrm{d}x\,(1+VV)}{V}=C$$

gilt, und weil deren Differential, hervorgegangen aus dem Variablencharakter sowohl von x als auch von p, gleich

$$\frac{\Pi \mathrm{d}x\,(1+VV)}{V}+\mathrm{d}p\int \mathrm{d}x\,\frac{1}{\partial p}\,\partial\,\frac{\Pi\,(1+VV)}{V}=0$$

wird, darf daher festgestellt werden:

$$\int \Pi \mathrm{d}x\,\frac{\partial V}{\partial p}=\int \mathrm{d}x\,\frac{1}{\partial p}\,\partial\,\frac{\Pi\,(1+VV)}{V}$$

oder

$$\Pi\,\frac{\partial V}{\partial p}=\frac{1}{\partial p}\,\partial\,\frac{\Pi\,(1+VV)}{V}.$$

Weil nun in diesen Differentialen einzig und allein p als veränderlich, x jedoch als konstant angesehen wird, ergibt sich durch die ausgeführte Entwicklung:

$$\Pi \mathrm{d}V=\frac{\Pi \mathrm{d}V\,(VV-1)}{VV}+\frac{\mathrm{d}\Pi\,(1+VV)}{V}$$

oder

$$\frac{\Pi \mathrm{d}V}{VV}=\frac{\mathrm{d}\Pi\,(1+VV)}{V},$$

deshalb ist

$$\frac{\mathrm{d}\Pi}{\Pi}=\frac{\mathrm{d}V}{V\,(1+VV)}=\frac{\mathrm{d}V}{V}-\frac{V\mathrm{d}V}{1+VV},$$

woraus man durch Integration $\Pi = \frac{V \cdot X}{\sqrt{(1+VV)}}$ gewinnt, nachdem anstelle einer Konstanten X als Funktion nur von x eingeführt worden ist. Es wird daher

$$V = \frac{\Pi}{\sqrt{(XX - \Pi\Pi)}} .$$

6. Es gibt also einen recht eleganten und zugleich in nicht wenig versteckter Weise sich darbietenden Fall, in dem die orthogonalen Trajektorien ermittelt werden können, obwohl die Gleichung für die zu schneidenden Kurven das Aussehen

$$y = \int \frac{\Pi \mathrm{d}x}{\sqrt{(XX - \Pi\Pi)}}$$

besitzt, wobei X eine beliebige Funktion der Abszisse x und Π eine beliebige Funktion des Parameters p bezeichnet, so daß diese Integralformel erst recht auf keine Weise eine Entwicklung gestattet. Für die Trajektorien hat man jedoch wegen

$$1 + VV = \frac{XX}{XX - \Pi\Pi}$$

die Gleichung

$$\int \frac{XX \mathrm{d}x}{\sqrt{(XX - \Pi\Pi)}} = C ,$$

welche für die verschiedenen Werte der Konstanten C unendlich viele Kurven liefert, welche sämtlich die gegebenen Kurven rechtwinklig schneiden. Für sie gewinnt man sicher eine Gleichung zwischen den Koordinaten x und y, wenn mit Hilfe der Gleichung

$$y = \int \frac{\Pi \mathrm{d}x}{\sqrt{(XX - \Pi\Pi)}}$$

der Parameter p oder auch seine Funktion Π beseitigt werden kann; tatsächlich ist die gefundene Gleichung schon in höchstem Maße an die Konstruktion angepaßt. Denn für jeden beliebigen Parameter oder für jeden Wert von Π wird oberhalb der Achse eine Kurve beschrieben, deren Ordinate gleich

$$\frac{XX}{\sqrt{(XX - \Pi\Pi)}}$$

ist und von der eine Fläche begrenzt wird, deren Inhalt gleich dem gegebenen Flächeninhalt ist; wenn die Abszisse dieser letzteren Fläche $=x$ gesetzt wird, so ist

$$y=\int\frac{\Pi\mathrm{d}x}{\sqrt{(XX-\Pi\Pi)}}$$

die Ordinate der Trajektorie, oder anders: es genügt, daß die beiden Gleichungen

$$y=\int\frac{\Pi\mathrm{d}x}{\sqrt{(XX-\Pi\Pi)}}\quad\text{und}\quad C=\int\frac{XX\mathrm{d}x}{\sqrt{(XX-\Pi\Pi)}}$$

bekannt sind, wozu anzumerken ist, daß C den Parameter der Trajektorien bezeichnet.

7. [2] Ich halte es allerdings hier nicht für nötig, bei diesem Gegenstand, der schon seit langem aufs ausgiebigste abgehandelt worden ist, länger zu verweilen, vielmehr möchte ich den Lesern weitere Gedankengänge vorlegen, auf die mich diese Frage geführt hat. Zu diesem Zweck stelle ich zunächst fest – was aus sich heraus klar ist –, daß die zu schneidenden Linien und die Trajektorien untereinander ihre Rollen tauschen und dabei die Frage nach den zwei betreffenden Systemen von Linien, die nach Bezugnahme auf die gleiche Achse sich überall gegenseitig unter rechten Winkeln schneiden, entsprechend gewendet wird. Dagegen wird die Beschaffenheit jedes der beiden Systeme ausgedrückt durch eine Gleichung zwischen den beiden Koordinaten x und y und einem Parameter, dessen Veränderlichkeit zu unendlich vielen Linien führt. Für das eine der beiden Systeme sei also der Parameter $=p$, für das andere $=q$; weshalb man sich vorstellen darf, daß die beiden Gleichungen einerseits zwischen x, y und p und andererseits zwischen x, y und q bestehen; ich werde mich hier eingehender damit befassen, welche Relation zwischen den Gleichungen bestehen muß, damit der angenommenen Bedingung Genüge getan wird. Darüberhinaus haben wir jedoch gesehen: Wenn für das eine System eine Differentialgleichung der Gestalt

$$L\,\mathrm{d}p+M\,\mathrm{d}x+N\,\mathrm{d}y=0$$

zutrifft, so wird die Natur des anderen Systems durch die Gleichung

$$N\,\mathrm{d}x - M\,\mathrm{d}y = 0$$

beschrieben, und hierbei wird der Parameter q als eine Konstante angesehen.

8. Da nun die Gleichung $N\,\mathrm{d}x - M\,\mathrm{d}y = 0$ ersichtlich nur die veränderlichen Größen x und y enthält und der Parameter q des Systems erst durch anschließende Integration in der Konstanten auftaucht, sieht die Differentialgleichung für das andere System, die den Parameter q allerdings als Veränderliche besitzt, folgendermaßen aus:

$$K\,\mathrm{d}q + N\,\mathrm{d}x - M\,\mathrm{d}y = 0\,.$$

Wir haben also erkannt, daß die Differentialgleichungen für die beiden Liniensysteme miteinander zusammenhängen, so daß sie lauten:

$$L\,\mathrm{d}p + M\,\mathrm{d}x + N\,\mathrm{d}y = 0 \quad \text{und} \quad K\,\mathrm{d}q + N\,\mathrm{d}x - M\,\mathrm{d}y = 0\,.$$

Wenn in jener Gleichung die Größe p, in dieser Gleichung jedoch q durch x und y gegeben ist und jede der beiden Gleichungen auf eine integrable Gestalt gebracht wird, so erhält man Formen von folgender Art:

$$\mathrm{d}p = M\,(P\,\mathrm{d}x + Q\,\mathrm{d}y) \quad \text{und} \quad \mathrm{d}q = N\,(Q\,\mathrm{d}x - P\,\mathrm{d}y)\,,$$

worin P und Q beliebige Funktionen von x und y bezeichnen, M und N jedoch Multiplikatoren sind, die die Differentialformen

$$P\,\mathrm{d}x + Q\,\mathrm{d}y \quad \text{und} \quad Q\,\mathrm{d}x - P\,\mathrm{d}y$$

integrierbar machen. Da dies immer erreicht werden kann, können aus diesem Grunde leicht unendlich viele Paare von solchen Systemen gefunden werden. Es sei zum Beispiel $P = X$ eine Funktion von x und $Q = Y$ eine Funktion von y; dann lauten unsere integrierten Gleichungen:

$$p = \int X\mathrm{d}x + \int Y\mathrm{d}y \quad \text{und} \quad q = \int \frac{\mathrm{d}x}{X} - \int \frac{\mathrm{d}y}{Y}\,.$$

9. Wir denken uns jetzt die beiden Koordinaten durch die Parameter p und q festgelegt, und dann lauten unsere Gleichungen so:

$$\mathrm{d}x + \frac{LM\mathrm{d}p + KN\mathrm{d}q}{MM + NN} = 0 \quad \text{und} \quad \mathrm{d}y + \frac{LN\mathrm{d}p - KM\mathrm{d}q}{MM + NN} = 0\,,$$

welche auf die hübschere Gestalt

$$\mathrm{d}x = PR\,\mathrm{d}p + QS\,\mathrm{d}q \quad \text{und} \quad \mathrm{d}y = PS\,\mathrm{d}p - QR\,\mathrm{d}q$$

gebracht werden; allerdings bezeichnen P, Q, R und S hier schon Funktionen von p und q derart, daß beide Formen integrierbar werden. Da nun x und y Funktionen von p und q sind, hat man

$$PR = \frac{\partial x}{\partial p}, \quad QS = \frac{\partial x}{\partial q}, \quad PS = \frac{\partial y}{\partial p}, \quad QR = -\frac{\partial y}{\partial q};$$

hieraus folgert man die erwähnte bemerkenswerte Eigenschaft, daß

$$\frac{\partial x}{\partial p}\frac{\partial x}{\partial q} + \frac{\partial y}{\partial p}\frac{\partial y}{\partial q} = 0\,,$$

und stößt ferner auf eine Frage von größter Bedeutung: nämlich daß bei Angabe einer Funktion einerseits von den Koordinaten x und y diese andererseits als Funktion von p und q sich selbst gleich sein muß, folglich eine Funktion von p und q einer anderen solchen von x und y gleich sein muß: eine Frage, welche zu dem Teil der Integralrechnung gehört, der erst sorgfältig ausgearbeitet werden muß.

10. Da die Lösung der untersuchten Gleichung ziemlich schwierig aussieht, lohnt es sich, die eben gefundenen Gleichungen

$$\mathrm{d}x = PR\,\mathrm{d}p + QS\,\mathrm{d}q \quad \text{und} \quad \mathrm{d}y = PS\,\mathrm{d}p - QR\,\mathrm{d}q$$

nach einer weiteren Methode zu lösen [3]. Dies bedeutet: Wenn wir nicht vor dem Imaginären zurückscheuen, so ziehen wir demnach den Schluß, daß

$$\mathrm{d}x + \mathrm{d}y\sqrt{-1} = (R + S\sqrt{-1})\,(P\mathrm{d}p - Q\mathrm{d}q\sqrt{-1})$$

ist; aus einem ähnlichen Grund muß die Gleichung

$$\mathrm{d}x - \mathrm{d}y\sqrt{-1} = (R - S\sqrt{-1})\,(P\mathrm{d}p + Q\mathrm{d}q\sqrt{-1})$$

bestehen. Wie auch immer die Funktionen P und Q von p und q gewählt sein mögen, ein Multiplikator kann immer so gefunden werden, daß er die zweiwertige Form $P\,\mathrm{d}p \pm Q\mathrm{d}q\sqrt{-1}$ integrierbar macht: Es sei nämlich M ein solcher Multiplikator, und es werde

$$M\,(P\,\mathrm{d}p \pm Q\,\mathrm{d}q\sqrt{-1}) = T \pm V\sqrt{-1}$$

gesetzt; indessen darf man von $R \pm S\sqrt{-1}$ voraussetzen, daß eine beliebige Funktion von $T \pm V\sqrt{-1}$ als M betrachtet wird, woraus sich nach Integration ergibt:

$$x+y\sqrt{-1}=\text{funct.}\,(T+V\sqrt{-1})$$

und

$$x-y\sqrt{-1}=\text{funct.}\,(T-V\sqrt{-1})\,,$$

und daher erhalten wir die Integralformen:

$$x=\frac{1}{2}\Gamma\,(T+V\sqrt{-1})+\frac{1}{2}\Gamma\,(T-V\sqrt{-1})+$$

$$+\frac{1}{2\sqrt{-1}}\,\Delta\,(T+V\sqrt{-1})-\frac{1}{2\sqrt{-1}}\,\Delta\,(T-V\sqrt{-1}),$$

$$y=\frac{1}{2\sqrt{-1}}\,\Gamma\,(T+V\sqrt{-1})-\frac{1}{2\sqrt{-1}}\,\Gamma\,(T-V\sqrt{-1})$$

$$-\frac{1}{2}\Delta\,(T+V\sqrt{-1})-\frac{1}{2}\Delta\,(T-V\sqrt{-1})\,,$$

welche immer auf etwas Reelles führen, gleichgültig welche Funktionen durch die Symbole Γ und Δ bezeichnet werden.

11. Hier bezeichnen die Buchstaben T und V stets Funktionen der beiden Parameter p und q, die aber keineswegs willkürlich sind; sie sind nämlich abgeleitet aus der Differentialformel $P\,\mathrm{d}p \mp Q\mathrm{d}q\sqrt{-1}$, worin P und Q notwendigerweise reelle Größen sind. Der Charakter jener Größen T und V kann gleichwohl ohne diese Bedingung erkannt werden, indem man in Betracht zieht, daß ja

$$\frac{\partial x}{\partial p}\,\frac{\partial x}{\partial q}+\frac{\partial y}{\partial p}\,\frac{\partial y}{\partial q}=0$$

sein muß. Da wir in der Tat finden:

$$x+y\sqrt{-1}=\Sigma\,(T+V\sqrt{-1}) \quad \text{und} \quad x-y\sqrt{-1}=\Theta\,(T-V\sqrt{-1})\,,$$

erhalten wir durch Differenzieren:

$$\text{I.}\quad \frac{\partial x}{\partial p}+\frac{\partial y}{\partial p}\sqrt{-1}=\left(\frac{\partial T}{\partial p}+\frac{\partial V}{\partial p}\sqrt{-1}\right)\,\Sigma'\,(T+V\sqrt{-1})\,,$$

$$\text{II.}\quad \frac{\partial x}{\partial q}+\frac{\partial y}{\partial q}\sqrt{-1}=\left(\frac{\partial T}{\partial q}+\frac{\partial V}{\partial q}\sqrt{-1}\right)\Sigma'\,(T+V\sqrt{-1}),$$

$$\text{III.}\quad \frac{\partial x}{\partial p}-\frac{\partial y}{\partial p}\sqrt{-1}=\left(\frac{\partial T}{\partial p}-\frac{\partial V}{\partial p}\sqrt{-1}\right)\Theta'\,(T-V\sqrt{-1}),$$

$$\text{IV.}\quad \frac{\partial x}{\partial q}-\frac{\partial y}{\partial q}\sqrt{-1}=\left(\frac{\partial T}{\partial q}-\frac{\partial V}{\partial q}\sqrt{-1}\right)\Theta'\,(T-V\sqrt{-1});$$

daraus werden die Produkte I×IV und III×II zu einer Summe vereinigt, und man findet:

$$2\,\frac{\partial x}{\partial p}\,\frac{\partial x}{\partial q}+2\,\frac{\partial y}{\partial p}\,\frac{\partial y}{\partial q}$$

$$=2\left(\frac{\partial T}{\partial p}\,\frac{\partial T}{\partial q}+\frac{\partial V}{\partial p}\,\frac{\partial V}{\partial q}\right)\Sigma'\,(T+V\sqrt{-1})\,\Theta'\,(T-V\sqrt{-1}),$$

deshalb sind die Funktionen T und V so beschaffen, daß die Gleichung

$$\frac{\partial T}{\partial p}\,\frac{\partial T}{\partial q}+\frac{\partial V}{\partial p}\,\frac{\partial V}{\partial q}=0$$

besteht.

12. Von daher sehen wir also, daß als T und V solche Funktionen von p und q genommen werden müssen, die schon selbst passende Werte für die Koordinaten x und y darstellen. Es seien schon zwei Werte $x=t$ und $y=u$ derart gefunden, daß es zwei Systeme von sich gegenseitig rechtwinklig schneidenden Linien gibt, wobei die aufgewiesenen Werte t und u Funktionen der beiden Parameter p und q mit der Bedingung

$$\frac{\partial t}{\partial p}\,\frac{\partial t}{\partial q}+\frac{\partial u}{\partial p}\,\frac{\partial u}{\partial q}=0$$

sind; dann leiten sich daraus unendlich viele weitere Paare solcher Systeme her, die in den folgenden beiden Gleichungen inbegriffen sind:

$$x=\frac{1}{2}\,\Gamma\,(t+u\sqrt{-1})+\frac{1}{2}\,\Gamma\,(t-u\sqrt{-1})$$

$$-\frac{1}{2\sqrt{-1}}\,\Delta\,(t+u\sqrt{-1})+\frac{1}{2\sqrt{-1}}\,\Delta\,(t-u\sqrt{-1}),$$

$$y = \frac{1}{2\sqrt{-1}}\,\Gamma\,(t+u\sqrt{-1}) - \frac{1}{2\sqrt{-1}}\,\Gamma\,(t-u\sqrt{-1})$$

$$+\frac{1}{2}\,\Delta\,(t+u\sqrt{-1}) + \frac{1}{2}\,\Delta\,(t-u\sqrt{-1})\,,$$

wobei ich diese Gestalt mit der Absicht etwas komplizierter gewählt habe, daß sich die Imaginärteile durch die einzelnen zu berücksichtigenden Funktionen von selbst wegheben.

13. Diese Formeln sind dadurch mehr an die Praxis angepaßt, daß man durch ein und dieselbe Operation unendlich viele Lösungen erhalten kann. Denn nach Wahl von verschiedenen Funktionen für Γ gehen aus der Form

$$\frac{1}{2}\,\Gamma\,(t+u\sqrt{-1}) + \frac{1}{2}\,\Gamma\,(t-u\sqrt{-1})$$

gewisse Werte T, T', T'' usw. hervor, während aus der Form

$$\frac{1}{2\sqrt{-1}}\,\Gamma\,(t+u\sqrt{-1}) - \frac{1}{2\sqrt{-1}}\,\Gamma\,(t-u\sqrt{-1})$$

Werte V, V', V'' usw. entstehen, und außerdem genügen die folgenden Werte den gestellten Forderungen:

$$x = \alpha T + \beta T' + \gamma T'' + \delta T''' + \text{usw.} - \varepsilon V - \zeta V' - \eta V'' - \vartheta V''' - \text{usw.}$$

$$y = \alpha V + \beta V' + \gamma V'' + \delta V''' + \text{usw.} + \varepsilon T + \zeta T' + \eta T'' + \vartheta T''' + \text{usw.}$$

wobei die Buchstaben α, β, γ, δ, ε, ζ, η, ϑ beliebige Koeffizienten bezeichnen. Dagegen ist besonders hervorzuheben, daß homologe Werte T, V wie auch T', V' usw. aus ein und denselben Funktionen Γ und zugleich sämtlich mit Hilfe ein und derselben Buchstaben t und u zu bilden sind. Daher darf im allgemeinen daraus nicht geschlossen werden, daß, falls die Werte $x = T$, $y = V$ und noch beliebige weitere Werte $x = R$, $y = S$ die gestellten Bedingungen erfüllen, hernach damit auch die Werte

$$x = \alpha T + \beta R \quad \text{und} \quad y = \alpha V + \beta S$$

ebendiesen Bedingungen genügen würden; dies aber gilt nicht, außer wenn die Funktionen R und S aus denselben Größen t und u hervorgegangen sind wie die Funktionen T und V. Deshalb hat man sich unbedingt davor zu hüten, den oben angeführten allgemeinen Formeln mehr Aussage beizumessen, als erlaubt ist.

14. [4] Recht übersichtliche Werte für die Größen T und V, die aus schon gefundenen geeigneten Größen t und u zu bilden sind, entstehen, wenn man für die Funktion Γ Potenzen [von $t+u\sqrt{-1}$. der Übers.] einsetzt, und zwar sehen sie so aus:

$$\begin{array}{l|l|l|l|l} T=t & T=tt-uu & T=t^3-3tuu & T=t^4-6ttuu+u^4 & \\ V=u & V=2tu & V=3ttu-u^3 & V=4t^3u-4tu^3 & \end{array} \quad \text{usw.,}$$

während aus den negativen Potenzen hervorgehen:

$$\begin{array}{l|l|l|l|l} T=\frac{t}{tt+uu} & T=\frac{tt-uu}{(tt+uu)^2} & T=\frac{t^3-3tuu}{(tt+uu)^3} & T=\frac{t^4-6ttuu+u^4}{(tt+uu)^4} & \\ V=\frac{u}{tt+uu} & V=\frac{2tu}{(tt+uu)^2} & V=\frac{3ttu-u^3}{(tt+uu)^3} & V=\frac{4t^3u-4tu^3}{(tt+uu)^4} & \end{array} \quad \text{usw.,}$$

wobei zu beobachten ist, daß alle diese Werte, falls man

$$t=\varrho\cos\varphi \quad \text{und} \quad u=\varrho\sin\varphi$$

setzt, in den folgenden einfachen Formeln enthalten sind:

$$T=\varrho^n\cos n\varphi \quad \text{und} \quad V=\varrho^n\sin n\varphi\,.$$

Die ganze Rechnung läuft also darauf hinaus, für t und u geeignete Funktionen von p und q zu erhalten, so daß gilt:

$$\frac{\partial t}{\partial p}\,\frac{\partial t}{\partial q}+\frac{\partial u}{\partial p}\,\frac{\partial u}{\partial q}=0\,.$$

15. Oder was auf das Gleiche hinauskommt: Nachdem P und Q als beliebige Funktionen von p und q gewählt sind, wird die Differentialformel

$$P\,\mathrm{d}p+Q\,\mathrm{d}q\sqrt{-1}$$

betrachtet und ein Multiplikator gesucht, der diese Formel integrierbar macht; dann wird das aus dem Real- und dem Imaginärteil bestehende Integral mit der Formel $t+u\sqrt{-1}$ verglichen und im Anschluß daran für jedes der Symbole t und u ein geeigneter Wert gewonnen. Dabei bemerke ich zunächst: Wenn P eine Funktion von p allein und Q eine Funktion von q allein ist, so ergibt sich

$$t=\int P\,\mathrm{d}p \quad \text{und} \quad u=\int Q\,\mathrm{d}q\,.$$

Nun können aber die Formen $\int P\,\mathrm{d}p$ und $\int Q\,\mathrm{d}q$ in gleicher Weise für die Parameter der beiden Liniensysteme auftreten, und sogar die Größen p und q selbst, das heißt, wenn wir deshalb nun $t=p$ und $u=q$ setzen, so liegt auch der Ansatz

$$t=\alpha p+\beta \quad \text{und} \quad u=\gamma q+\delta$$

recht nahe. Gleichwohl gilt indessen: Wenn wir $P=1$ und $Q=1$ setzen, so liefert die Formel

$$\mathrm{d}p+\mathrm{d}q\sqrt{-1}$$

nicht nur $t=p$ und $u=q$, sondern man erhält, weil diese Formel, mit $m+n\sqrt{-1}$ multipliziert, integrierbar bleibt und ihr Integral gleich

$$mp-nq+np\sqrt{-1}+mq\sqrt{-1}$$

ist, auch noch die Werte:

$$t=mp-nq \quad \text{und} \quad u=np+mq\,,$$

die durchaus weniger naheliegend aussehen, aber dennoch entstehen daraus keine weiteren Liniensysteme im Vergleich zu den einfachen Werten $t=p$ und $u=q$, weil es erlaubt ist, die aus den zusätzlichen Formeln für t und u entstandenen Werte T, T', T'' usw. und V, V', V'' usw. zu kombinieren.

16. Wir setzen also $t=p$ und $u=q$ und zählen die recht übersichtlichen Systeme von sich gegenseitig rechtwinklig schneidenden Linien auf; dabei erscheinen zunächst gewiß die Formen

$$x=\alpha p-\varepsilon q \quad \text{und} \quad y=\alpha p+\varepsilon q\,,$$

und durch Elimination zuerst von q, dann von p sind die beiden Liniensysteme in den Gleichungen

$$\alpha x+\varepsilon y=(\alpha\alpha+\varepsilon\varepsilon)\,p \quad \text{und} \quad \alpha y-\varepsilon x=(\alpha\alpha+\varepsilon\varepsilon)\,q$$

inbegriffen, von denen jede unendlich viele zueinander parallele Linien enthält, wobei eine beliebige dieser Linien die Linien des anderen Systems rechtwinklig schneidet, und dieser Fall ist ohne Zweifel der einfachste.

17. Wir setzen als nächstes $T=tt-uu$ und $V=2tu$, und da durch die beiden zu verknüpfenden Ausdrücke die Linien nur auf eine

andere Achse bezogen werden, setzen wir einfach $x=pp-qq$ und $y=2pq$, woraus wir wegen

$$\sqrt{(xx+yy)}=pp+qq$$

durch Beseitigen von p bzw. q für die beiden Liniensysteme die Gleichungen

$$\sqrt{(xx+yy)}+x=2pp \quad \text{und} \quad \sqrt{(xx+yy)}-x=2qq$$

gewinnen. Wenn wir nun anstelle von $2pp$ und $2qq$ einfach p und q schreiben, so sind diese Gleichungen demnach:

$$yy=pp-2px \quad \text{und} \quad yy=qq+2qx\,.$$

Jede der beiden Gleichungen enthält unendlich viele Parabeln mit einer gemeinsamen Achse und ein und demselben Brennpunkt; während die Parabeln des einen Systems sich nach rechts öffnen, tun dies die Parabeln des anderen Systems nach links; dies ist eine sehr hübsche Eigenschaft der Parabeln, die ohne Zweifel schon längst beobachtet worden ist. Ich bemerke außerdem: Wenn auch mit diesen Werten von T und V die vorhergehenden Werte $T=p$ und $V=q$ kombiniert werden, so kommen dennoch die gleichen Parabeln heraus.

18. Wir setzen nun

$$T=t^3-3tuu \quad \text{und} \quad V=3ttu-u^3$$

und bilden die Gleichungen

$$x=p^3-3pqq \quad \text{und} \quad y=3ppq-q^3\,,$$

von denen die zweite ergibt:

$$p=\sqrt{\frac{y+q^3}{3q}}$$

und dieser in die erste Gleichung eingesetzte Wert führt zu

$$x=\frac{y-8q^3}{3q}\sqrt{\frac{y+q^3}{3q}}$$

und nach dem Quadrieren:

$$27q^3xx=y^3-15q^3yy+48q^6y+64q^9;$$

wir wollen q und p anstelle von q^3 und p^3 schreiben, und die Gleichungen für die beiden Liniensysteme nehmen die Gestalt an:

$$27qxx = y^3 - 15qyy + 48qqy + 64q^3$$
$$27pyy = -x^3 - 15pxx - 48ppx + 64p^3,$$

welche aber im Hinblick auf die uns interessierenden Eigenschaften zweckmäßiger so dargestellt werden:

$$x = \frac{y-8q}{3}\sqrt{\frac{y+q}{3q}} \quad \text{und} \quad y = \frac{x+8p}{3}\sqrt{\frac{p-x}{3p}},$$

diese Gleichungen beschreiben Linien dritter Ordnung, die für jedes der beiden Systeme von gleicher Beschaffenheit sind, sofern nur die Koordinaten vertauscht werden.

19. Wir betrachten nun die aus den negativen Potenzen hervorgegangenen Funktionen; es sei

$$T = \frac{t}{tt+uu} \quad \text{und} \quad V = \frac{u}{tt+uu},$$

und daher haben wir wegen $t = p$ und $u = q$:

$$x = \frac{p}{pp+qq} \quad \text{und} \quad y = \frac{q}{pp+qq}.$$

Es ist demnach

$$xx + yy = \frac{1}{pp+qq},$$

deshalb erhalten wir für die beiden Liniensysteme die Gleichungen

$$x = p\,(xx+yy) \quad \text{und} \quad y = q\,(xx+yy).$$

Die Form jedes der beiden Parameter ändern wir so, daß wir setzen:

$$p = \frac{1}{2p} \quad \text{und} \quad q = \frac{1}{2q},$$

und die beiden Liniensysteme drücken sich mittels der Gleichungen

$$xx + yy = 2\,px \quad \text{und} \quad xx + yy = 2\,qy$$

aus, die zwei Systeme von Kreisen liefern.

20. Wir erörtern nun die sich in der gleichen Art und Weise ergebenden Formeln; es sei

$$x=\frac{pp-qq}{(pp+qq)^2} \quad \text{und} \quad y=\frac{2pq}{(pp+qq)^2}.$$

Daraus gewinnen wir zunächst:

$$xx+yy=\frac{1}{(pp+qq)^2}$$

so daß gilt:

$$\frac{x}{xx+yy}=pp-qq \quad \text{und} \quad \frac{y}{xx+yy}=2pq.$$

Da ferner

$$pp+qq=\frac{1}{\sqrt{(xx+yy)}}$$

ist, berechnen wir

$$2pp=\frac{x+\sqrt{(xx+yy)}}{xx+yy} \quad \text{und} \quad 2qq=\frac{\sqrt{(xx+yy)}-x}{xx+yy};$$

wir schreiben von jetzt an $\frac{1}{p}$ und $\frac{1}{q}$ anstelle von $2pp$ und $2qq$, und die beiden Liniensysteme werden durch die Gleichungen

$$xx+yy=px+p\sqrt{(xx+yy)} \quad \text{und} \quad xx+yy=q\sqrt{(xx+yy)}-qx$$

gegeben, die sich auf die folgenden reduzieren:

$$(xx+yy)^2-2px\,(xx+yy)=ppyy \quad \text{oder} \quad yy=\frac{1}{2}pp+px-xx+ \\ +p\sqrt{\left(\frac{1}{4}pp+px\right)}$$

$$(xx+yy)^2+2qx\,(xx+yy)=qqyy \quad \text{oder} \quad yy=\frac{1}{2}qq-qx-xx- \\ -q\sqrt{\left(\frac{1}{4}qq+qx\right)}.$$

Darüber hinaus sind diese beiden Liniensysteme in ein und derselben gemeinsamen Gleichung vierter Ordnung inbegriffen, sofern man nur in der anderen Gleichung den Parameter negativ nimmt.

21. Diese Lösung scheint dadurch die ganze Aufmerksamkeit zu verdienen, daß sie im allgemeinen durch Integration gewonnen wird und darüber hinaus in höchstem Maße der Bewältigung des folgenden Problems angepaßt ist:

Zu finden ist ein System von algebraischen Linien, dessen Trajektorien ebenfalls algebraische Linien sind.

Solange man jedenfalls für jene Linien die Gleichung zwischen den Koordinaten x und y betrachtet, wird die Erörterung dieser Frage vergeblich unternommen, und nur ein zu diesem Zweck angewandter Kunstgriff, mit dem wir nämlich jede der beiden Koordinaten auf die beiden veränderlichen Parameter jedes der beiden Systeme zurückgeführt haben, steht zur Verfügung. Die Lösung dieses Problems sieht also so aus, daß jedem gefundenen Fall äußerst leicht unendlich viele weitere zugeordnet werden können. Es seien t und u solche Funktionen der Parameter p und q, die sich schon auf die Koordinaten der beiden Systeme beziehen, so daß gilt:

$$\frac{\partial t}{\partial p}\frac{\partial t}{\partial q}+\frac{\partial u}{\partial p}\frac{\partial u}{\partial q}=0\,.$$

Dann erhält man alle weiteren Koordinaten x und y, indem man

$$x+y\sqrt{-1}=f\,(t+u\sqrt{-1})$$

voraussetzt, wodurch alle algebraischen Funktionen von $t+u\sqrt{-1}$ gleichermaßen für x wie für y algebraische Funktionen liefern, falls t und u schon algebraische Funktionen sind.

22. Die ganzen Überlegungen laufen also darauf hinaus, daß man zunächst die einfacheren Fälle für t und u erkundet; und dabei sind sicherlich die einfachsten sich sofort anbietenden Fälle die mit $t=p$ und $u=q$, oder vielmehr

$$t=\alpha p+\beta q \quad \text{und} \quad u=\gamma p+\delta q\,,$$

die schon einen überaus reichlichen Vorrat an jeweils zwei algebraischen Systemen darbieten.

In der Tat verdient der Spezialfall

$$t=\sqrt{p\,(a+q)} \quad \text{und} \quad u=\sqrt{q\,(b-p)}$$

vermerkt zu werden. Daß er unseren Forderungen genügt, sieht man nach Bildung der Differentiale ein:

$$\frac{\partial t}{\partial p}=\frac{\sqrt{(a+q)}}{2\sqrt{p}}, \quad \frac{\partial t}{\partial q}=\frac{\sqrt{p}}{2\sqrt{(a+q)}}, \quad \text{folglich} \quad \frac{\partial t}{\partial p}\frac{\partial t}{\partial q}=\frac{1}{4},$$

$$\frac{\partial u}{\partial p}=-\frac{\sqrt{q}}{2\sqrt{(b-p)}}, \quad \frac{\partial u}{\partial q}=\frac{\sqrt{(b-p)}}{2\sqrt{q}}, \quad \text{folglich} \quad \frac{\partial u}{\partial p}\frac{\partial u}{\partial q}=-\frac{1}{4},$$

deswegen darf man daraus unendlich viele weitere Lösungen ableiten. Dieser Fall aber liefert uns zwei sehr schöne Systeme von Linien zweiter Ordnung: Nachdem

$$xx=ap+pq \quad \text{und} \quad yy=bq-pq$$

gesetzt worden ist, entstehen für jedes System wegen $xx+yy=$ $=ap+bq$ die Gleichungen:

$$1^\circ.\ p\,(xx+yy)-bxx+ap\,(b-p)=0\,,$$

$$2^\circ.\ q\,(xx+yy)+ayy-bq\,(a+q)=0\,,$$

von denen die letztere unendlich viele Ellipsen beschreibt, die erstere aber wegen $b>p$ unendlich viele Hyperbeln mit gemeinsamer Achse und ein und demselben Brennpunkt beschreibt.

23. Vorher habe ich schon gezeigt (§ 14), daß man aus bekannten geeigneten Werten für t und u unendlich viele Werte T, V, T', V', T'', V'' usw. ableiten darf, aus denen nacheinander andererseits unendlich viele weitere Paare von Systemen gebildet werden können, indem man setzt:

$$x=\alpha T-\varepsilon V+\beta T'-\zeta V'+\gamma T''-\eta V''+\text{ usw.}$$

$$y=\alpha V+\varepsilon T+\beta V'+\zeta T'+\gamma V''+\eta T''+\text{usw.}$$

Die Werte von T und V habe ich dann allein aus den Potenzen von $t+u\sqrt{-1}$ berechnet, indem ich

$$T+V\sqrt{-1}=(t+u\sqrt{-1})^n$$

gesetzt habe, aber ebenso hat man das Recht, beliebige andere Funktionen zu benutzen. Wenn wir zum Beispiel annehmen:

$$T+V\sqrt{-1}=\frac{f+g\,(t+u\sqrt{-1})}{h+k\,(t+u\sqrt{-1})}=\frac{f+gt+gu\sqrt{-1}}{h+kt+ku\sqrt{-1}}$$

so machen wir zunächst den Nenner reell und rechnen dann aus:

$$T=\frac{(f+gt)\,(h+kt)+gkuu}{(h+kt)^2+kkuu} \quad \text{und} \quad V=\frac{(gh-fk)\,u}{(h+kt)^2+kkuu},$$

wobei es von Nutzen sein wird, die Beziehung

$$TT+VV=\frac{(f+gt)^2+gguu}{(h+kt)^2+kkuu}$$

zur Verfügung zu haben, die aus

$$T-V\sqrt{-1}=\frac{f+gt-gu\sqrt{-1}}{h+kt-ku\sqrt{-1}}$$

folgt; dann schließt man nämlich:

$$TT+VV=\frac{(fk+gh+2gkt)\;T-g\,(f+gt)}{k\,(h+kt)}$$

und daraus

$$T\,(h+kt)-kuV=f+gt$$

und

$$TT+VV=\frac{(gh-fk)\;V+2gkuT-ggu}{kku}$$

sowie

$$kT+\frac{(h+kt)\;V}{u}-g=0\,.$$

24. Wir wollen diese Rechnung auf verhältnismäßig einfache Fälle anwenden und setzen zunächst $t=p$ und $u=q$, und durch Einsetzen der Koordinaten x und y für T und V ergeben die beiden letzten Gleichungen

$$xx+yy=\frac{(fk+gh+2gkp)\;x-g\,(f+gp)}{k\,(h+kp)}=\frac{(f+gp)\;x+gqy}{h+kp},$$

$$(h+kp)\;x-kqy=f+gp\,,$$

wobei die erste Gleichung, da sie nur den Parameter p enthält, schon das System der anderen Linien hervortreten läßt; diese Linien sind sämtlich Kreise. Wegen

$$p=\frac{f-hx+kqy}{kx-g}$$

ergibt sich dann in der Tat nach einem Reduktionsschritt für das andere System die Gleichung

$$xx+yy=\frac{(gh-fk)\,y+2gkqx-ggq}{kkq} \quad [5]\,,$$

die unendlich viele Kreise beschreibt.

Für den anderen Fall setzen wir $a=0$, $b=cc$, und anstelle von p und q schreiben wir pp und qq, so daß wir haben:

$$t=pq \quad \text{und} \quad u=q\sqrt{(cc-pp)}\,;$$

daraus folgt nun:

$$xx+yy=\frac{(fk+gh+2gkpq)\,x-g\,(f+gpq)}{k\,(h+kpq)}$$

$$(h+kpq)\,x-kqy\sqrt{(cc-pp)}=f+gpq\,,$$

und dann:

$$xx+yy=\frac{(gh-fk)\,y+2gkqx\sqrt{(cc-pp)}-ggq\sqrt{(cc-pp)}}{kkq\sqrt{(cc-pp)}}$$

und

$$kx+\frac{(h+kpq)\,y}{q\sqrt{(cc-pp)}}-g=0\,.$$

Auf Grund von

$$q=\frac{hy}{(g-kx)\sqrt{(cc-pp)}-kpy}$$

berechnet man für das andere System die Gleichung

$$xx+yy=\frac{(gh+fk)\,x}{hk}-\frac{(gh-fk)\,py}{hk\sqrt{(cc-pp)}}-\frac{fg}{hk}\,.$$

Da diese Gleichung in der Form

$$xx+yy=py-aa \quad \text{für Kreise}$$

dargestellt werden kann, ergibt sich als Gleichung des anderen Systems $xx+yy=qx+aa$ ebenfalls für Kreise.
Durch solche Kreise pflegen auf den Landkarten die Längen- und Breitenkreise wiedergegeben zu werden.

25. Damit die Rechnung nicht so beschwerlich wird, wenn wir die Absicht haben, allgemein

$$t=\sqrt{p\,(a+q)} \quad \text{und} \quad u=\sqrt{q\,(b-p)}$$

zu setzen, drücken wir zu diesem Zweck zunächst sowohl p als auch q durch t und u aus, wonach die folgenden Gleichungen entstehen:

$$0=btt-p\,(tt+uu)-ap\,(b-p) \quad \text{und}$$

$$0=auu+q\,(tt+uu)-bq\,(a+q)\,.$$

Indem wir anstelle von T und V die Koordinaten x und y nehmen, lesen wir aus den oben hergeleiteten Formeln [6] ab:

$$t=\frac{(fk+gh)\,x-fg-hk\,(xx+yy)}{kk\,(xx+yy)-2gkx+gg}=\frac{(kx-g)\,(f-hx)-hkyy}{(kx-g)^2+kkyy}\,,$$

$$u=\frac{(gh-fk)\,y}{(kx-g)^2+kkyy}\,.$$

Zwecks Abkürzung der Rechnung setzen wir

$$f-hx=hr \quad \text{und} \quad kx-g=ks\,,$$

so daß

$$fk-gh=hk\,(r+s)$$

und

$$t=\frac{h}{k}\cdot\frac{rs-yy}{ss+yy}\,, \quad u=-\frac{h}{k}\cdot\frac{(r+s)\,y}{ss+yy}$$

gilt, weshalb man erhält

$$tt+uu=\frac{hh}{kk}\cdot\frac{rrss+(rr+ss)\,yy+y^4}{(ss+yy)^2}=\frac{hh}{kk}\,\frac{rr+yy}{ss+yy}\,.$$

Weil in r und s die Abszisse x eingeht, lauten nun die Gleichungen für die beiden Liniensysteme so:

$$\text{I.}\quad 0=b\,(rs-yy)^2-p\,(rr+yy)\,(ss+yy)-\frac{akkp\,(b-p)}{hh}\,(ss+yy)^2\,,$$

$$\text{II.}\quad 0=a\,(r+s)^2yy+q\,(rr+yy)\,(ss+yy)-\frac{bkkq\,(a+q)}{hh}\,(ss+yy)^2;$$

beide Gleichungen stellen Linien vierter Ordnung dar.

Jetzt ergibt im Fall $a=0$, dessen Erledigung vorher sehr schwer war, die letzte Gleichung nach Division durch $ss+yy$ sofort:

$$0=rr+yy-\frac{bkkq}{hh}(ss+yy) \quad \text{oder}$$

$$hh(rr+yy)=bkkq(ss+yy)\,,$$

was wegen

$$r=\frac{f}{h}-x \quad \text{und} \quad s=x-\frac{g}{k}$$

offensichtlich einen Kreis darstellt; die erste Gleichung aber geht wegen

$$(rr+yy)(ss+yy)=(rs-yy)^2+(r+s)^2yy$$

über in

$$0=(b-p)(rs-yy)^2-p(r+s)^2yy$$

oder

$$rs-yy=(r+s)y\sqrt{\frac{p}{b-p}}$$

was gleichermaßen einen Kreis darstellt.

26. Mit Hilfe der oben gegebenen allgemeinen Lösung können wir jetzt die folgende sehr feine Frage erledigen, die sich mit einer anderen Methode kaum behandeln lassen dürfte:

Zu finden sind zwei solche Systeme von sich gegenseitig rechtwinklig schneidenden Linien, die beide durch ein und dieselbe Gleichung beschrieben werden, so daß, je nachdem ob dem Parameter ein positiver oder negativer Wert beigelegt wird, aus dieser Gleichung beide Systeme hervorgehen.

Einen sehr einfachen Fall, der dieser Bedingung genügt, haben wir schon oben in § 17 erfaßt, wo die Gleichung $yy=pp-2px$ zwei Serien von Parabeln beschreibt, je nachdem ob der Parameter p einen positiven oder negativen Wert annimmt; die beiden Parabelserien schneiden sich gegenseitig unter rechten Winkeln.

27. [7] Wir ermitteln eine sicherlich später auftauchende Lösung, wenn wir setzen:

$$x+y\sqrt{-1}=(p+q\sqrt{-1})^{2n}=(pp-qq+2pq\sqrt{-1})^n\,,$$

wobei dieser Ausdruck durch Vertauschung der Parameter p und q übergeht in

$$(qq-pp+2pq\sqrt{-1})^n=(-1)^n\,(pp-qq-2pq\sqrt{-1})^n=$$
$$=(-1)^n\,(x-y\sqrt{-1})\,,$$

weshalb dann $x+y\sqrt{-1}$ sich entweder in $x-y\sqrt{-1}$ oder in $-x+y\sqrt{-1}$ verwandelt, je nachdem ob n eine gerade oder eine ungerade Zahl ist. Im ersten Fall wird nur die Ordinate y, im zweiten Fall nur die Abszisse x negativ genommen, und in jedem der beiden Fälle bleiben die Kurven die gleichen oder sind in derselben Gleichung inbegriffen. Wenn die Buchstaben α, β, γ usw. beliebige ungerade Zahlen bezeichnen, so erschließen wir daraus nun eine doppelte Lösung:

$$\text{I.}\quad x+y\sqrt{-1}=A\,(p+q\sqrt{-1})^{2\alpha}+B\,(p+q\sqrt{-1})^{2\beta}+$$
$$+C\,(p+q\sqrt{-1})^{2\gamma}+\text{ usw.},$$
$$\text{II.}\quad x+y\sqrt{-1}=A\,(p+q\sqrt{-1})^{4\alpha}+B\,(p+q\sqrt{-1})^{4\beta}$$
$$+C\,(p+q\sqrt{-1})^{4\gamma}+\text{ usw.};$$

Dabei sind in der ersten Gleichung alle Exponenten Doppelte von ungeraden Zahlen, in der zweiten Gleichung Doppelte von geraden Zahlen: die Buchstaben α, β, γ können aber auch negative oder gebrochene Zahlen bezeichnen, solange die Zähler und Nenner ungerade sind. Allgemeiner können diese beiden Gleichungen so aufgestellt werden, daß, mit der Abkürzung

$$pp-qq+2pq\sqrt{-1}=R\,,$$

die Größe $x+y\sqrt{-1}$ entweder einer geraden oder einer ungeraden Funktion von R gleich sein muß.

28. Obendrein darf man noch das folgende Problem hinzufügen: *Zu finden sind solche zu schneidenden Kurven, daß die schneidenden Kurven von ihnen nicht anders abweichen, als daß die Koordinaten x und y untereinander vertauscht werden, oder: daß die gleichen, gegen die vorher rechtwinklige Achse verschobenen Linien jene ersteren rechtwinklig schneiden.*

Gelöst wird diese Aufgabe mit Hilfe der Formel

$$x+y\sqrt{-1}=A\,(p+q\sqrt{-1})^{\alpha}+B\,(p+q\sqrt{-1})^{\beta}+C\,(p+q\sqrt{-1})^{\gamma}+\text{usw.}$$

wenn anstelle der Exponenten α, β, γ usw. ungerade Zahlen der Form $4i+1$ oder der Form $4i+3$ gewählt werden. Allerdings dürfen in ein und derselben Form die ungeraden Zahlen dieser zweifachen Art untereinander keineswegs vermischt werden. Daraus ergibt sich: $x+y\sqrt{-1}$ ist gleich einer solchen ungeraden Funktion von $p+q\sqrt{-1}$, in der keine anderen Potenzen vorkommen als diejenigen, bei denen alle Exponenten entweder die Gestalt $4i+1$ oder die Gestalt $4i+3$ haben. [8]

IV.

Über die Abbildung einer Kugelfläche in einer Ebene

§ 1. Im folgenden betrachte ich nicht nur optische Projektionen, mittels deren die verschiedenen Punkte einer Kugelfläche so in einer Ebene abgebildet werden, wie sie einem an einem bestimmten Ort befindlichen Beobachter erscheinen, d. h. Abbildungen, bei denen die einzelnen Punkte, die der Beobachter sieht, nach den Gesetzen der Perspektive auf eine Ebene projiziert werden: vielmehr fasse ich das Wort Abbildung im weitesten Sinne auf, so daß die einzelnen Punkte der Kugelfläche nach einem beliebigen Gesetz in einer Ebene dargestellt werden; dabei entspricht jedem Punkt der Kugel ein bestimmter Punkt der Ebene und umgekehrt, falls nicht etwa der Fall eintritt, daß die Bilder gewisser Kugelpunkte imaginär werden.

§ 2. Es möge die Figur *abc* (Abb. 1) einen Teil einer Kugelfläche darstellen, deren Pol im Punkt *b* liegt, während *alc* der Äquator ist. *ab* sei der Anfangsmeridian, von dem aus, wie es in der Geographie üblich ist, die Längen der einzelnen Punkte der Kugel gerechnet werden. Wir betrachten irgendeinen Punkt *p*, der auf dem Meridian *bpl* liege; letzterer bildet mit dem Anfangsmeridian den Winkel *abl*, der gleich dem Bogen *al* des Äquators ist und mit *t* bezeichnet werden möge. Die Breite jenes Punktes ist der Bogen $lp = u$. Als Einheit der Länge soll der Kugelradius angenommen werden.

In Abb. 2 möge ferner die Ebene der Zeichnung diejenige Ebene sein, in der die Abbildung liegen soll, und *P* sei derjenige Punkt,

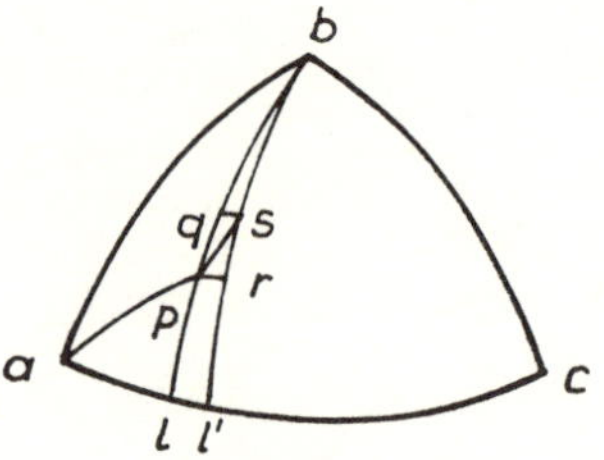

Abb. IV. 1

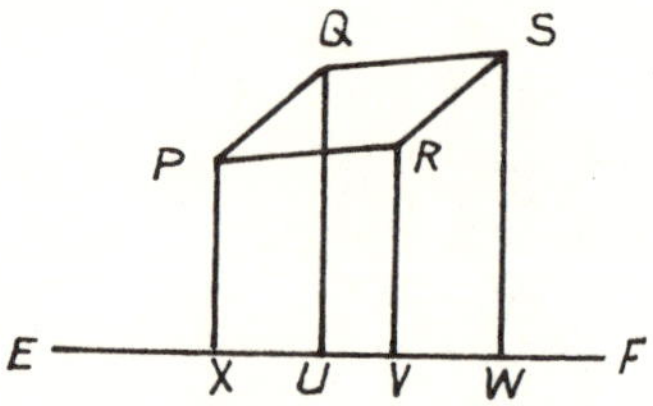

Abb. IV. 2

der dem Punkt p der Kugel entspricht. Von P sei auf die Abszissenachse EF, deren Lage beliebig angenommen werden kann, das Lot PX gefällt, und es werde, auf den Punkt E als Anfangspunkt bezogen, die Abszisse $EX=x$ und die Ordinate $XP=y$ gesetzt. Da unserer Annahme gemäß die Lage des Punktes P sich nach irgendeinem Gesetz aus der des Punktes p der Kugel ergeben soll, die Lage von p aber durch die beiden Variablen t und u bestimmt ist, so muß man die Koordinaten x und y als Funktionen jener beiden Variabeln t und u ansehen. Unsere Untersuchung gehört mithin dem Teil der Analyse an, der sich mit Funktionen von zwei Veränderlichen beschäftigt.

§ 3. Wir wollen nunmehr die Veränderlichkeit der beiden Größen t und u in Rechnung ziehen. Dazu betrachten wir auf der Kugel den Punkt q (Abb. 1), dessen Länge $=t$, während seine Breite $=u+\mathrm{d}u$ ist. Ferner sei r der Punkt, dessen Länge $t+\mathrm{d}t$ und dessen Breite $l'r=u$ ist. Vervollständigen wir die Figur zu dem Parallelogramm $pqsr$, so hat s die Länge $t+\mathrm{d}t$ und die Breite $u+\mathrm{d}u$. Auf der Kugel haben wir dann die Bogenelemente $pq=\mathrm{d}u$ und $ll'=\mathrm{d}t$, daher wird das Bogenelement $pr=\mathrm{d}t\cdot\cos u$.

Ferner ist das Parallelogramm $pqsr$ ein Rechteck, mithin seine Diagonale

$$ps=\sqrt{\mathrm{d}u^2+\mathrm{d}t^2\cdot\cos^2 u}\,.$$

§ 4. Weiter mögen den auf der Kugel liegenden Punkten p, q, r, s in der Ebene die Punkte P, Q, R, S entsprechen; und die von letzteren auf die Abszissenachse gefällten Lote seien PX, QU, RV und SW. Da der Punkt Q dadurch aus P entsteht, daß nur die Variable u um das Element $\mathrm{d}u$ geändert wird [während t ungeändert bleibt], so haben die Koordinaten von Q folgende Werte:

$$EU=x+\mathrm{d}u\,\frac{\partial x}{\partial u}, \quad UQ=y+\mathrm{d}u\,\frac{\partial y}{\partial u}\,.$$

Ebenso ist, da der Punkt R aus P dadurch entsteht, daß t allein geändert wird, die Abszisse dieses Punktes

$$EV=x+\mathrm{d}t\,\frac{\partial x}{\partial t}$$

und seine Ordinate

$$VR = y + \mathrm{dt}\,\frac{\partial y}{\partial t}\,.$$

Endlich ist die Abszisse des Punktes S, der durch die gleichzeitige Änderung von t und u aus P entsteht,

$$EW = x + \mathrm{du}\,\frac{\partial x}{\partial u} + \mathrm{dt}\,\frac{\partial x}{\partial t}$$

und seine Ordinate

$$WS = y + \mathrm{du}\,\frac{\partial y}{\partial u} + \mathrm{dt}\,\frac{\partial y}{\partial t}\,.$$

Daraus erhellt, daß

$$XU = \mathrm{du}\,\frac{\partial x}{\partial u}$$

ist, und daß die Strecke

$$VW = \mathrm{du}\,\frac{\partial x}{\partial u}$$

die gleiche Größe hat. Ebenso wird

$$WS - VR = UQ - XP = \mathrm{du}\,\frac{\partial y}{\partial u}\,.$$

Hieraus aber folgt, daß das Linienelement RS gleich dem Element PQ ist, und ebenso wird PR gleich QS, das Viereck $PQSR$ mithin ein Parallelogramm.

§ 5. Wir wollen zunächst die Seiten des Elementarrechtecks $pqsr$ auf der Kugel mit denen seines Bildes in der Ebene, d. h. mit den Seiten des Parallelogramms $PQSR$ vergleichen. Für die letzteren haben wir [nach § 4] die Werte:

$$PQ = \mathrm{du}\sqrt{\frac{\partial^2 x}{\partial u^2} + \frac{\partial^2 y}{\partial u^2}}, \quad PR = \mathrm{dt}\sqrt{\frac{\partial^2 x}{\partial t^2} + \frac{\partial^2 y}{\partial t^2}}\,,$$

während

$$pq = \mathrm{du}\,, \quad pr = \mathrm{dt}\cdot\cos u$$

war. Nun stellt aber PQ in der Bildebene die Richtung des Meridians [von P] dar, und dabei entspricht das Element PQ einem Meridianbogen von der Länge du. Ferner stellt PR die Richtung des Parallelkreises dar, und zwar entspricht das Element PR einem Parallelkreisbogen von der Länge d$t \cdot \cos u$. Wenn daher die Funktionen x und y so beschaffen wären, daß

$$\mathrm{d}u = \mathrm{d}u \sqrt{\frac{\partial^2 x}{\partial u^2} + \frac{\partial^2 y}{\partial u^2}}$$

und

$$\mathrm{d}t \cdot \cos u = \mathrm{d}t \sqrt{\frac{\partial^2 x}{\partial t^2} + \frac{\partial^2 y}{\partial t^2}}$$

wäre, so würden sowohl die Meridiane als die Parallelkreise in der Bildebene dieselbe Größe haben wie auf der Kugel. Dabei könnte indessen immer noch zwischen der Kugelfläche und ihrem Bild ein Unterschied bestehen, und zwar ein um so größerer, je mehr die Winkel in der Ebene sich von rechten Winkeln unterscheiden.

§ 6. Das führt uns darauf, die Lage des Meridians PQ und des Parallelkreises PR in bezug auf die Koordinatenachsen x, y zu untersuchen. Aus der Figur ergibt sich, daß das Meridianelement PQ mit unserer Achse EF einen Winkel bildet, dessen Tangente $= \frac{\partial y}{\partial u} : \frac{\partial x}{\partial u}$ ist. Ebenso bildet die Richtung des Parallelkreises PR mit EF einen Winkel, dessen Tangente $= \frac{\partial y}{\partial t} : \frac{\partial x}{\partial t}$ ist. Die Differenz dieser Winkel gibt nun den Winkel QPR, unter dem der Parallelkreis gegen den Meridian geneigt ist, und die Tangente des letzteren Winkels ist

$$\frac{\frac{\partial x}{\partial t}\frac{\partial y}{\partial u} - \frac{\partial x}{\partial u}\frac{\partial y}{\partial t}}{\frac{\partial x}{\partial u}\frac{\partial x}{\partial t} + \frac{\partial y}{\partial u}\frac{\partial y}{\partial t}}.$$

Soll dieser Winkel QPR ein rechter sein, wie auf der Kugel, so muß

$$\frac{\partial x}{\partial u}\frac{\partial x}{\partial t} + \frac{\partial y}{\partial u}\frac{\partial y}{\partial t} = 0$$

sein oder

$$\frac{\partial y}{\partial u} : \frac{\partial x}{\partial u} = -\frac{\partial x}{\partial t} : \frac{\partial y}{\partial t} .$$

§ 7. Würde nun verlangt, daß die Figur $PQSR$ in der Ebene der Figur $pqsr$ auf der Kugel kongruent sein soll, so müßten folgende drei Bedingungen erfüllt sein: Es müßte 1) $PQ = pq$, 2) $PR = pr$ sein, und 3) müßte Winkel $QPR = qpr = 90°$ werden. Es müßten demnach folgende drei Gleichungen bestehen:

$$\text{I.}\quad \sqrt{\frac{\partial^2 x}{\partial u^2} + \frac{\partial^2 y}{\partial u^2}} = 1 \quad \text{oder} \quad \frac{\partial^2 x}{\partial u^2} + \frac{\partial^2 y}{\partial u^2} = 1 ,$$

$$\text{II.}\quad \sqrt{\frac{\partial^2 x}{\partial t^2} + \frac{\partial^2 y}{\partial t^2}} = \cos u \quad \text{oder} \quad \frac{\partial^2 x}{\partial t^2} + \frac{\partial^2 y}{\partial t^2} = \cos^2 u ,$$

$$\text{III.}\quad \frac{\partial y}{\partial u} : \frac{\partial x}{\partial u} = -\frac{\partial x}{\partial t} : \frac{\partial y}{\partial t} .$$

Setzt man noch

$$\frac{\partial y}{\partial u} : \frac{\partial x}{\partial u} = \tan \varphi ,$$

so müßte nach Gleichung III

$$\frac{\partial y}{\partial t} : \frac{\partial x}{\partial t} = -\cot \varphi ,$$

also

$$\frac{\partial y}{\partial u} = \frac{\partial x}{\partial u} \tan \varphi \quad \text{und} \quad \frac{\partial y}{\partial t} = -\frac{\partial x}{\partial t} \cot \varphi$$

sein, und die Einsetzung dieser Werte in die beiden ersten Gleichungen würde ergeben:

$$\frac{\partial^2 x}{\partial u^2} = \cos^2 \varphi \quad \text{und} \quad \frac{\partial^2 x}{\partial t^2} = \sin^2 \varphi \cos^2 u .$$

Offenbar aber können die obigen drei Bedingungen unter keinen Umständen gleichzeitig erfüllt werden, da eine Kugelfläche bekanntlich auf keine Weise sich genau in einer Ebene abbilden läßt.[1]

§ 8. Um die Differentialausdrücke aus der Rechnung fortzuschaffen, wollen wir jetzt folgende Substitutionen machen:

$$\frac{\partial x}{\partial u}=p, \quad \frac{\partial x}{\partial t}=q, \quad \frac{\partial y}{\partial u}=r, \quad \frac{\partial y}{\partial t}=s\,,$$

so daß

$$\mathrm{d}x=p\mathrm{d}u+q\mathrm{d}t\,, \quad \mathrm{d}y=r\mathrm{d}u+s\mathrm{d}t$$

wird. Dann ist vor allem erforderlich, daß die letzteren beiden Ausdrücke exakte Differentiale sind [2], und das ist der Fall, wenn p, q, r, s solche Funktionen der Variablen t und u sind, daß

$$\frac{\partial p}{\partial t}=\frac{\partial q}{\partial u} \quad \text{und} \quad \frac{\partial r}{\partial t}=\frac{\partial s}{\partial u}$$

wird. Außerdem nehmen die oben für die Linienelemente gefundenen Ausdrücke folgende Form an:

$$PQ=\mathrm{d}u\sqrt{p^2+r^2}, \qquad PR=\mathrm{d}t\sqrt{q^2+s^2}\,.$$

Ferner ist die Tangente des Neigungswinkels von PQ gegen die Achse $=\frac{r}{p}$ und die Tangente des Winkels, den PR mit der Achse bildet, $=\frac{s}{q}$; endlich ist die Tangente des Winkels QPR

$$=\frac{qr-ps}{pq+rs}\,.$$

§ 9. Nach Einführung dieser Bezeichnungen werden die Bedingungen, die eine vollkommen genaue Abbildung erfüllen müßten, folgende:

$$\text{I. } p^2+r^2=1; \quad \text{II. } q^2+s^2=\cos^2 u; \quad \text{III. } \frac{r}{p}=\frac{q}{s}\,.$$

Setzt man hierin

$$\frac{r}{p}=\tan\varphi\,,$$

so wird

$$\frac{s}{q}=-\cot\varphi\,,$$

d. h.

$$r = p \tan \varphi, \qquad s = -q \cot \varphi\,,$$

und die beiden ersten Bedingungen geben

$$p^2 = \cos^2 \varphi. \qquad q^2 = \sin^2 \varphi \cos^2 u\,,$$

woraus

$$p = \cos \varphi, \qquad q = -\sin \varphi \cos u$$

und weiter

$$r = \sin \varphi, \qquad s = \cos \varphi \cos u$$

folgt. Nach Substitution dieser Werte werden die Ausdrücke, die exakte Differentiale sein müssen, folgende:

$$\mathrm{d}x = \mathrm{d}u \cos \varphi - \mathrm{d}t \sin \varphi \cos u\,,$$

$$\mathrm{d}y = \mathrm{d}u \sin \varphi + \mathrm{d}t \cos \varphi \cos u;$$

und da hierzu erforderlich ist, daß

$$\frac{\partial p}{\partial t} = \frac{\partial q}{\partial u}, \quad \frac{\partial r}{\partial t} = \frac{\partial s}{\partial u}$$

wird, so ergeben sich die folgenden beiden Gleichungen:

$$\text{I.} \quad -\frac{\partial \varphi}{\partial t} \sin \varphi = \sin u \sin \varphi - \frac{\partial \varphi}{\partial u} \cos u \cos \varphi\,,$$

$$\text{II.} \quad \frac{\partial \varphi}{\partial t} \cos \varphi = -\sin u \cos \varphi - \frac{\partial \varphi}{\partial u} \cos u \sin \varphi\,.$$

Addiert man diese Gleichungen, nachdem man I. mit $\cos \varphi$, II. mit $\sin \varphi$ multipliziert hat, so ergibt sich:

$$0 = \frac{\partial \varphi}{\partial u} \cos u, \quad \text{d. h.} \ \frac{\partial \varphi}{\partial u} = 0;$$

φ darf also nur von der Variablen t abhängen. Kombiniert man aber die Gleichungen noch auf eine andere Art, indem man sie addiert, nachdem man I. mit $-\sin \varphi$, II. mit $\cos \varphi$ multipliziert, so erhält man

$$\frac{\partial \varphi}{\partial t} = -\sin u;$$

es müßte demnach $\frac{\partial \varphi}{\partial t}$ von u abhängen, was dem vorigen Resultat widerspricht. Damit ist auch durch Rechnung abgeleitet, daß eine vollkommen genaue Abbildung der Kugel in einer Ebene nicht möglich ist.

§ 10. Da hiernach eine vollkommen genaue Abbildung gänzlich ausgeschlossen ist, sind wir schlechterdings auf Abbildungen angewiesen, die nicht ähnlich sind, und bei denen die Figur in der Ebene von der abzubildenden Figur auf der Kugel irgendwie abweicht. In Betreff der Abweichung des Bildes von der Wirklichkeit können wir verschiedene Annahmen machen; und je nach der Annahme, die wir zugrunde legen, können wir es erreichen, daß die Abbildung für diesen oder jenen Zweck am geeignetsten wird. Dabei können die Bedingungen, denen die Abbildung genügen soll, auf die mannigfachste Art variiert werden. Von den unendlich vielen Möglichkeiten, die sich so ergeben, sollen im folgenden einige besonders wichtige eingehender behandelt werden. Dabei wollen wir vor allem annehmen, daß die Winkel, welche die Meridiane mit den Parallelkreisen bilden, überall rechte sind. Denn wenn wir auch schiefe Winkel zulassen wollten, würde die Abbildung eine ganz unzweckmäßige werden. Somit wollen wir im folgenden stets annehmen, daß der Winkel QPR ein rechter und daher

$$\frac{r}{p} = -\frac{q}{s}$$

sei.

§ 11. Wir wollen noch allgemein untersuchen, welche Folgerungen sich aus der vorstehenden Forderung, daß alle Parallelkreise die Meridiane senkrecht schneiden sollen, ergeben. Dazu führen wir wieder den Winkel φ ein, setzen also $r = p \tan \varphi$ und daher $s = -q \cot \varphi$. Durch Einsetzung dieser Werte von r und s nehmen die Ausdrücke, die exakte Differentiale werden sollen, folgende Gestalt an:

$$\mathrm{d}x = p\mathrm{d}u + q\mathrm{d}t, \qquad \mathrm{d}y = p \tan \varphi \,\mathrm{d}u - p \cot \varphi \,\mathrm{d}t\,.$$

§ 12. Um diese Formeln gleichförmiger zu gestalten, wollen wir anstelle von p und q zwei andere Variable m und n einführen, indem wir setzen:

$$p=m\cos\varphi, \qquad q=n\sin\varphi\,,$$

woraus

$$r=m\sin\varphi, \qquad s=-n\cos\varphi$$

folgt. Dadurch werden die Ausdrücke, die exakte Differentiale werden sollen:

$$dx=m\cos\varphi\,du+n\sin\varphi\,dt\,,$$

$$dy=m\sin\varphi\,du-n\cos\varphi\,dt\,.$$

Hiermit ist die ganze Aufgabe auf die Frage zurückgeführt: wie müssen die Funktionen m und n beschaffen sein, damit die vorstehenden beiden Ausdrücke exakte Differentiale werden? Dabei hat man noch die Bedingungen zu berücksichtigen, deren Erfüllung man nach den obigen Erörterungen in jedem Fall verlangen kann.

Erste Annahme

Alle Meridiane sollen auf der Achse EF senkrecht stehen und alle Parallelkreise dieser Achse parallel sein

§ 13. Da $\tan\varphi=\frac{r}{p}$ war, so mißt der Winkel φ die Neigung des Bogenelements PQ gegen die Achse EF; andererseits ist die Richtung von PQ die des Meridians. Der Winkel φ muß daher bei Zugrundelegung unserer Voraussetzung ein rechter sein, und die obigen Differentialausdrücke werden:

$$dx=n\,dt, \qquad dy=m\,du\,.$$

Daß diese exakte Differentiale werden, kann man auf unendlich viele Arten erreichen; man braucht ja nur für m eine beliebige Funktion von u und für n eine Funktion von t zu setzen. Daraus folgt, daß man der Abbildung noch weitere Bedingungen auferlegen kann.

§ 14. Zunächst kann man alle Längengrade gleich groß machen; denn es ist ja kein Grund dafür vorhanden, zwischen diesen Graden Ungleichheiten anzunehmen. Wenn daher unsere Achse EF den Äquator darstellt und die Abszisse EX dabei dem Bogen

$al=t$ des Äquators entspricht, so kann man $x=t$, d. h. die obige Funktion n der Einheit oder auch einer beliebigen anderen konstanten Größe gleichsetzen, während man für die Ordinate noch eine willkürliche Funktion von u nehmen kann.

§ 15. Bei dieser Annahme wird das Parallelogramm $PQSR$ nicht nur ein Rechteck, wie auf der Kugel, sondern der Punkt Q liegt auch auf der Ordinate XP, so daß $PQ=\mathrm{d}y$, $PR=\mathrm{d}x=\mathrm{d}t$ wird (Abb. 3). Würden wir außerdem $y=u$ setzen, wo u die Breite

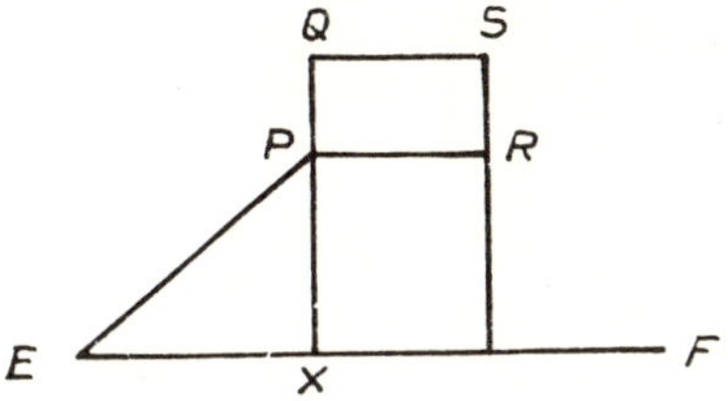

Abb. IV. 3

bezeichnet, so würde, falls etwa $\mathrm{d}x=\mathrm{d}t$ einem Längengrad, $\mathrm{d}y=\mathrm{d}u$ einem Breitengrad entspräche [3], $\mathrm{d}y=\mathrm{d}x$ werden, (d. h., es würden alle Längen- und Breitengrade der Karte einander gleich werden). Eine solche Abbildung aber würde ganz unbrauchbar sein und alle Gebiete der Erde ganz verzerrt wiedergeben.

§ 16. Besser wird man die Ordinate y einer Funktion der Breite u gleichsetzen und über diese Funktion je nach dem Zweck, dem die Karte dienen soll, passend verfügen. Hier bietet sich nun zunächst die Annahme dar, daß das Parallelogramm $PQSR$ der Ebene dem Parallelogramm $pqsr$ auf der Kugel ähnlich werden soll; denn dann werden wenigstens die kleinsten Teile der Kugelfläche ihren Bildern in der Ebene ähnlich. Es ist dies gerade die Annahme, die man stets bei den Mercatorschen Seekarten, so genannt nach ihrem Erfinder [4], zugrunde legt, da eine derartige Abbildung den Seefahrern die größten Vorteile gewährt. Wir wollen diese Art der Abbildung in aller Kürze entwickeln.

I. Über Seekarten in Mercators Projektion

§ 16ª [5]. Da hier das Rechteck *PQSR* dem Rechteck *pqsr* ähnlich werden soll, in welchem

$$pq = \mathrm{d}u,\ pr = \mathrm{d}t \cos u$$

ist, so muß

$$\mathrm{d}y : \mathrm{d}x = \mathrm{d}u : \mathrm{d}t \cos u$$

werden, und mit Rücksicht auf $\mathrm{d}x = \mathrm{d}t$ folgt hieraus

$$\mathrm{d}y = \frac{\mathrm{d}u}{\cos u};$$

durch Integration endlich ergibt sich:

$$y = \log \tan \left(45^\circ + \frac{1}{2} u\right).$$

Der Breite, die auf der Kugel durch den Winkel u gemessen wird, entspricht also bei dieser Abbildung eine Ordinate, die gleich dem natürlichen Logarithmus der Tangente des Winkels $45^\circ + \frac{1}{2} u$ ist. Nach dieser Formel pflegt man eine Tabelle zu berechnen, welche für die einzelnen Breiten u die Werte des zugehörigen y gibt.

§ 17. Da hier alle Parallelkreise der Karte dem Äquator gleich sind, während sie auf der Kugel immer kleiner und kleiner werden, so müssen die Grade eines jeden Meridians, die auf der Kugel gleich sind, auf der Karte in demselben Verhältnis größer werden, in dem die Grade der einzelnen Parallelkreise gegenüber denen auf der Kugel vergrößert werden. Somit nehmen auf den Meridianen die Breitengrade mit wachsender Breite beständig zu, und zwar in demselben Verhältnis, in dem der Cosinus der Breite abnimmt. Wenn daher $\mathrm{d}u$ einem Meridiangrad auf der Kugel entspricht [3], so hat auf den in Rede stehenden Karten derselbe Grad die Länge $\frac{\mathrm{d}u}{\cos u}$. Unter der Breite 60° hat z. B. ein Meridiangrad die doppelte Länge wie auf der Kugel; und am Pol wird er sogar unendlich lang. Derartige Karten dürfen daher nie bis zu den Polen reichen.

§ 18. Der größte Vorteil, den diese Karten den Seefahrern gewähren, besteht darin, daß die loxodromischen Linien, d. h. diejenigen Kurven, welche mit allen Meridianen der Kugel denselben Winkel bilden, bei dieser Abbildung in gerade Linien übergehen; denn letztere schneiden alle Meridiane der Karte, die ja einander parallel sind, unter demselben Winkel.

§ 19. Wenn z. B. die Linie *ap* (Abb. 1) diejenige Loxodrome darstellt, die mit allen Meridianen den Winkel ζ bildet, und wenn man ihre Länge *ap* mit z bezeichnet, so wird

$$du : dz = \cos\zeta : 1 ,$$

d. h.

$$dz = \frac{du}{\cos\zeta} \quad \text{und} \quad z = \frac{u}{\cos\zeta} .$$

Nun möge jener Kurve *ap* die Linie EP der Bildebene entsprechen (Abb. 3). Dann muß der Winkel EPX ebenfalls $=\zeta$ und daher die Linie EP offenbar eine Gerade sein; ihre Länge ist $\frac{y}{\cos\zeta}$. Kennt man die Größe der Linie EP, so kann man daraus umgekehrt die wirkliche Länge des Weges, den das Schiff durchlaufen hat, d. h. die Länge der Kurve *ap*, ermitteln, da nach dem oben Gesagten die Proportion

$$ap : EP = u : y$$

besteht und man das Verhältnis $u : y$ als bekannt ansehen kann.

§ 20. Während hiernach die Bilder der loxodromischen Linien in der Ebene einfach gerade Linien sind, werden andererseits die größten Kugelkreise durch höhere transzendente Kurven dargestellt. Ist nämlich *ap* (Abb. 1) ein Bogen eines größten Kugelkreises, und bildet derselbe in *a* mit dem Äquator den Winkel $lap = \vartheta$, so ist bekanntlich

$$\tan u = \tan\vartheta \ \sin t .$$

Durch diese Gleichung und die beiden vorher aufgestellten

$$x = t, \quad y = \log\tan\left(45^\circ + \frac{1}{2}u\right)$$

ist die Kurve EP, welche jenem Bogen *ap* entspricht, bestimmt.

§ 21. Um die Eigenschaften der in Rede stehenden Kurve zu ermitteln, bezeichnen wir mit e die Grundzahl des natürlichen Logarithmensystems; dann ist

$$\mathrm{e}^y = \tan\left(45^\circ + \frac{1}{2}u\right) = \frac{1+\tan\frac{1}{2}u}{1-\tan\frac{1}{2}u},$$

folglich

$$\tan\frac{1}{2}u = \frac{\mathrm{e}^y - 1}{\mathrm{e}^y + 1}$$

und weiter

$$\tan u = \frac{\mathrm{e}^{2y} - 1}{2\mathrm{e}^y}.$$

Setzt man diesen Wert von tan u in die obige Gleichung ein und beachtet, daß $t=x$ ist, so ergibt sich:

$$\frac{\mathrm{e}^{2y} - 1}{2\mathrm{e}^y} = \tan\vartheta \sin x,$$

und das ist die Gleichung der gesuchten Kurve. Aus derselben folgt, daß, wenn x sehr klein ist, auch y sehr klein wird. Für sehr kleine Werte von y bzw. x kann aber

$$\mathrm{e}^y = 1+y, \quad \mathrm{e}^{2y} = 1+2y, \quad \sin x = x$$

gesetzt werden; für solche wird daher

$$\frac{y}{1+y} = x \tan\vartheta$$

oder (wenn man y^2 gegen y vernachlässigt)

$$\frac{y}{x} = \tan\vartheta.$$

Die Kurve ist daher in E ebenfalls unter dem Winkel ϑ gegen den Äquator geneigt. [6]

Setzt man ferner $x=90^\circ$, so wird

$$\frac{\mathrm{e}^{2y} - 1}{2\mathrm{e}^y} = \tan\vartheta,$$

daher

$$e^y = \tan\vartheta + \sqrt{\tan^2\vartheta + 1} = \frac{\sin\vartheta + 1}{\cos\vartheta} = \sqrt{\frac{1+\sin\vartheta}{1-\sin\vartheta}} = \cot\left(45^\circ - \frac{1}{2}\vartheta\right)$$

und

$$y = \log\cot\left(45^\circ - \frac{1}{2}\vartheta\right) = \log\tan\left(45^\circ + \frac{1}{2}\vartheta\right).$$

Hieraus erkennt man, daß die Kurve zu den höheren transzendenten Kurven gehört.

II. Über Karten, welche jede Fläche in ihrer wahren Größe darstellen

§ 22. Es mögen wieder, wie wir schon oben angenommen haben, alle Meridiane durch parallele Gerade dargestellt werden und alle Grade des Äquators einander gleich sein: die auf irgendeinem Parallelkreis gezählten Längengrade haben dann dieselbe Größe wie auf dem Äquator; es ist also wieder $x = t$. Nun handelt es sich weiter darum, daß der Flächeninhalt des Rechtecks $PQSR = \mathrm{d}x\mathrm{d}y$ dem Inhalt des Rechtecks *pqsr* der Kugel gleich, d. h. $= \mathrm{d}u\mathrm{d}t \cdot \cos u$ werden soll: dazu ist nur nötig, daß

$$\mathrm{d}y = \mathrm{d}u \cos u$$

wird, woraus durch Integration

$$y = \sin u$$

folgt. Hiernach ist die Konstruktion einer solchen Karte sehr leicht; man braucht nur die einzelnen Ordinaten gleich dem Sinus der entsprechenden Breiten zu machen Die auf den einzelnen Meridianen abzutragenden Breitengrade werden dabei immer kleiner, je weiter man sich vom Äquator entfernt, und verschwinden am Pol ganz. Der Pol selbst wird durch eine dem Äquator parallele Gerade dargestellt, die vom Äquator den Abstand $\sin u = 1$ hat; letzterer Abstand ist also gleich dem Kugelradius.

§ 23. Stellt man die ganze Erdoberfläche auf diese Art dar, so hat die Karte die Form eines Rechtecks, dessen Länge gleich dem Umfang des Äquators, d. h. $= 2\pi$, ist, während die Breitenausdehnung auf jeder Seite des Äquators gleich der Längeneinheit und daher der Flächeninhalt des Rechtecks $=4\pi$, d. h. gleich dem Inhalt der ganzen Kugelfläche, ist. Auf derartigen Karten werden alle Länder der Erde in ihrer wahren Größe dargestellt, wenn auch ihre Gestalt große Abweichungen von der Wirklichkeit zeigt. Stets hat bei dieser Darstellung irgendein Teil der Karte denselben Flächeninhalt wie der betreffende Teil der Erdoberfläche. Solche Karten werden daher dazu dienen, die verschiedenen Gebiete der Erde ihrer wahren Größe nach zu vergleichen. Es geschieht dies am besten durch Angabe der Quadratgrade (des Äquators) oder der Quadratmeilen, wobei auf einen Grad des Äquators fünfzehn deutsche Meilen gerechnet werden.

Zweite Annahme

Es sollen die kleinsten Teile der Erdoberfläche durch ähnliche Figuren auf der Karte dargestellt werden

§ 24. Falls eine solche Ähnlichkeit statthaben soll, ist vor allem nötig, daß die Meridiane überall auf den Parallelkreisen senkrecht stehen. Nach § 12 müssen daher die folgenden Ausdrücke exakte Differentiale werden:

$$\mathrm{d}x = m\cos\varphi\,\mathrm{d}u + n\sin\varphi\,\mathrm{d}t\,,$$

$$\mathrm{d}y = m\sin\varphi\,\mathrm{d}u - n\cos\varphi\,\mathrm{d}t\,.$$

Ferner ist (s. Abb. 2)

$$PQ = \mathrm{d}u\sqrt{p^2+r^2} = m\,\mathrm{d}u\,,$$

$$PR = \mathrm{d}t\sqrt{q^2+s^2} = n\,\mathrm{d}t\,,$$

während der Winkel QPR bei Zugrundelegung vorstehender Formeln von selbst ein rechter ist.

§ 25. Soll nun das Rechteck $PQSR$ dem Rechteck $pqsr$ (s. Abb. 1 und 2) ähnlich sein, so ist noch erforderlich, daß

$$PQ : PR = pq : pr\,,$$

d. h.

$$m : n = 1 : \cos u$$

oder

$$n = m\cos u$$

ist. Unsere beiden Differentialausdrücke werden daher:

$$dx = m \cos \varphi \, du + m \cos u \sin \varphi \, dt ,$$

$$dy = m \sin \varphi \, du - m \cos u \cos \varphi \, dt .$$

§ 26. Unsere ganze Aufgabe ist hiermit darauf zurückgeführt, zu ermitteln, welche Funktionen von t und u man für m und φ nehmen muß, damit die vorstehenden Ausdrücke exakte Differentiale werden. Doch wollen wir der Kürze halber anstelle von m und φ wieder p und r einführen. In § 12 war

$$p = m \cos \varphi, \; r = m \sin \varphi$$

gesetzt; somit haben wir (anstelle der beiden letzten Gleichungen des § 25) folgende Gleichungen:

$$dx = p du + r \cos u \, dt ,$$

$$dy = r du - p \cos u \, dt ;$$

und es fragt sich, welche Funktionen von t und u man für p und r nehmen muß, damit die vorstehenden Ausdrücke exakte Differentiale werden. Eine Lösung dieser Aufgabe hat man, wie sich leicht übersehen läßt, in dem Falle der Seekarten; man hat, um die für letztere oben gefundenen Formeln zu erhalten, nur

$$p = 0, \quad r = \frac{1}{\cos u}$$

zu setzen. Andere Lösungen aber lassen sich nicht so einfach erraten.

§ 27. Aus den bekannten Integrabilitätsbedingungen ergibt sich zunächst, daß folgende Gleichungen erfüllt werden müssen:

$$\frac{\partial p}{\partial t} = \frac{\partial (r \cos u)}{\partial u} = r \sin u + \cos u \, \frac{\partial r}{\partial u} ,$$

$$\frac{\partial r}{\partial t} = - \frac{\partial (p \cos u)}{\partial u} = p \sin u - \cos u \, \frac{\partial p}{\partial u} .$$

Aus der letzten dieser Gleichungen folgt:

$$\frac{\partial p}{\partial u} = p \tan u - \frac{1}{\cos u} \, \frac{\partial r}{\partial t} ,$$

und da

$$dp=\frac{\partial p}{\partial u}\,du+\frac{\partial p}{\partial t}\,dt$$

ist, erhält man folgende neue Bedingung:

$$dp=p\tan u\,du-\frac{\partial r}{\partial t}\,\frac{du}{\cos u}-r\sin u\,dt+\frac{\partial r}{\partial u}\cos u\,dt\,.$$

Multipliziert man mit $\cos u$ und bringt das erste Glied rechts auf die linke Seite, so wird

$$dp\cos u-p\sin u\,du$$

$$=-r\sin u\cos u\,dt+\frac{\partial r}{\partial u}\cos^2 u\,dt-\frac{\partial r}{\partial t}\,du\,.$$

Da in dieser Gleichung der links stehende Ausdruck ein exaktes Differential ist, so muß man auch den rechts stehenden Ausdruck dadurch zu einem solchen machen, daß man für r eine geeignete Funktion von t und u sucht. [7]

§ 28. Jetzt gilt es nun, einen passenden Weg zur Lösung dieser Aufgabe einzuschlagen. Nach reiflicher Erwägung aller Schwierigkeiten boten sich mir zwei Methoden dar, um zum Ziel zu gelangen. Die eine von ihnen liefert unzählig viele Partikularlösungen, während die zweite mich auf die allgemeinste Lösung geführt hat. Beide Methoden werde ich hier ausführlich entwickeln, da durch dieselben die Theorie der Funktionen von zwei Veränderlichen eine erhebliche Bereicherung zu erfahren scheint.

Methode zur Auffindung von Partikularlösungen [8] *der Differentialgleichungen*

$dx=p\,du+r\cos u\,dt$, $dy=r\,du-p\cos u\,dt$

§ 29. Da die Funktionen p und r die beiden Variablen u und t enthalten, wollen wir jede von ihnen gleich dem Produkt einer Funktion von u und einer Funktion von t setzen. Es sei also

$$p=UT,\ r=V\Theta\,,$$

wo U und V Funktionen von u allein, T und Θ aber Funktionen von t allein sind. Dann nehmen die Ausdrücke, die exakte Differentiale werden sollen, die Form an:

$$\text{I. } \mathrm{d}x = UT\,\mathrm{d}u + V\Theta \cos u\,\mathrm{d}t\,,$$

$$\text{II. } \mathrm{d}y = V\Theta\,\mathrm{d}u - UT \cos u\,\mathrm{d}t\,.$$

§ 30. Hieraus kann man eine doppelte Darstellung von x und y in Form von Integralen ableiten. Wenn nämlich t als konstant angesehen wird und daher die letzten Glieder verschwinden, schließt man aus den ersten:

$$x = T\int U\,\mathrm{d}u, \quad y = \Theta\int V\,\mathrm{d}u\,.$$

Betrachtet man dagegen u als konstant, so ergibt sich aus den letzten Gliedern:

$$x = V\cos u\int \Theta\,\mathrm{d}t, \quad y = -U\cos u\int T\,\mathrm{d}t\,.$$

Ferner müssen die beiden Ausdrücke für x einander gleich sein, ebenso die für y. Das gibt:

$$T\int U\mathrm{d}u = V\cos u\int \Theta\,\mathrm{d}t \quad \text{oder} \quad \frac{\int U\,\mathrm{d}u}{V\cos u} = \frac{\int \Theta\,\mathrm{d}t}{T}$$

und

$$\Theta\int V\mathrm{d}u = -U\cos u\int T\mathrm{d}t \quad \text{oder} \quad \frac{\int V\mathrm{d}u}{U\cos u} = -\frac{\int T\mathrm{d}t}{\Theta}\,.$$

Aus diesen beiden Bedingungen muß man die Funktionen U, V, T und Θ ermitteln.

§ 31. Soll

$$\frac{\int U\mathrm{d}u}{V\cos u} = \frac{\int \Theta\,\mathrm{d}t}{T}$$

sein, so müssen beide Brüche einer Konstanten gleich sein, da ja die beiden Variablen u und t voneinander unabhängig sind. Der Wert dieser Konstanten sei α; dann ist

$$\int U\mathrm{d}u = \alpha V\cos u \quad \text{und} \quad \int \Theta\mathrm{d}t = \alpha T\,.$$

Ebenso muß, wenn

$$\frac{\int V\mathrm{d}u}{U\cos u} = -\frac{\int T\mathrm{d}t}{\Theta}$$

sein soll, jeder dieser Brüche einer Konstanten β gleich sein, d. h.

$$\int V\mathrm{d}u = \beta U\cos u, \quad \int T\mathrm{d}t = -\beta\Theta\,.$$

Dadurch sind die in den Formeln auftretenden Integrale auf absolute Größen reduziert, und die Werte von y und x lassen sich ohne Integrationszeichen folgendermaßen ausdrücken:

$$x=\alpha TV \cos u, \quad y=\beta \Theta U \cos u \,.$$

§ 32. Weiter wollen wir zur Abkürzung

$$U \cos u = P, \quad V \cos u = Q, \quad \text{also} \quad U=\frac{P}{\cos u}, \quad V=\frac{Q}{\cos u}$$

setzen. Unsere vier Formeln werden dann:

$$\int \Theta \, \mathrm{d}t = \alpha T, \quad \int T \, \mathrm{d}t = -\beta\Theta \;;$$

$$\int \frac{P \, \mathrm{d}u}{\cos u} = \alpha Q, \quad \int \frac{Q \, \mathrm{d}u}{\cos u} = \beta P \,.$$

Differenziert man die ersten Gleichungen beider Zeilen, so ergibt sich:

$$\Theta = \alpha \frac{\mathrm{d}T}{\mathrm{d}t}, \quad P = \alpha \cos u \frac{\mathrm{d}Q}{\mathrm{d}u},$$

und substituiert man diese Ausdrücke in den beiden übrigen Gleichungen,so werden diese:

$$\int T \mathrm{d}t = -\alpha\beta \frac{\mathrm{d}T}{\mathrm{d}t} \quad \text{und} \quad \int \frac{Q \mathrm{d}u}{\cos u} = \alpha\beta \cos u \frac{\mathrm{d}Q}{\mathrm{d}u} \,.$$

§ 33. [5] Differenziert man die beiden letzten Gleichungen nochmals nach t bzw. u, so ergeben sich die folgenden:

$$T = -\alpha\beta \frac{\mathrm{d}^2 T}{\mathrm{d}t^2}, \quad Q = \alpha\beta \cos^2 u \frac{\mathrm{d}^2 Q}{\mathrm{d}u^2} - \alpha\beta \sin u \cos u \frac{\mathrm{d}Q}{\mathrm{d}u} \,.$$

Damit sind wir auf zwei Differentialgleichungen zweiter Ordnung gelangt, und von ihrer Integration hängt die Lösung unserer Aufgabe ab.

§ 34. Wir wollen mit der ersten Gleichung

$$T = -\alpha\beta \frac{\mathrm{d}^2 T}{\mathrm{d}t^2}$$

beginnen. Multiplizieren wir dieselbe mit $2\frac{\mathrm{d}T}{\mathrm{d}t}$ und integrieren, so ergibt sich:

$$T^2 = -\alpha\beta \left(\frac{\mathrm{d}T}{\mathrm{d}t}\right)^2 + A$$

und weiter

$$\mathrm{d}t^2 = \frac{\alpha\beta \mathrm{d}T^2}{A - T^2}.$$

Ebenso folgt aus der zweiten Gleichung

$$Q = \alpha\beta \cos^2 u \frac{\mathrm{d}^2 Q}{\mathrm{d}u^2} - \alpha\beta \sin u \cos u \frac{\mathrm{d}Q}{\mathrm{d}u},$$

wenn man dieselbe mit $2\frac{\mathrm{d}Q}{\mathrm{d}u}$ multipliziert und dann integriert:

$$Q^2 = \alpha\beta \cos^2 u \left(\frac{\mathrm{d}Q}{\mathrm{d}u}\right)^2 + B$$

und weiter

$$\frac{\mathrm{d}u^2}{\cos^2 u} = \frac{\alpha\beta \mathrm{d}Q^2}{Q^2 - B}.$$

Behufs der weiteren Integration müssen wir zwei Fälle unterscheiden, je nachdem die Größe $\alpha\beta$ positiv oder negativ ist.

Erster Fall:

Es sei $\alpha\beta = +\lambda^2$, also $\beta = +\frac{\lambda^2}{\alpha}$.

§ 35. In diesem Fall haben wir

$$\mathrm{d}t^2 = \frac{\lambda^2 \mathrm{d}T^2}{A - T^2},$$

und hierin wollen wir, da A eine positive Größe sein muß, $A = a^2$ setzen. Dann wird

$$\mathrm{d}t = \frac{\lambda \mathrm{d}T}{\sqrt{a^2 - T^2}}$$

und nach Ausführung der Integration

$$t + \delta = \lambda \arcsin\left(\frac{T}{a}\right),$$

woraus durch Umkehrung

$$T = \alpha \sin\left(\frac{t + \delta}{\lambda}\right)$$

folgt. Da ferner

$$\Theta=\alpha\frac{\mathrm{d}T}{\mathrm{d}t}$$

war, so ergibt sich

$$\Theta=\frac{a\alpha}{\lambda}\cos\left(\frac{t+\delta}{\lambda}\right).$$

§ 36. Die zweite zu integrierende Gleichung wird für $\alpha\beta=+\lambda^2$:

$$\frac{\mathrm{d}u}{\cos u}=\frac{\lambda\mathrm{d}Q}{\sqrt{Q^2-B}};$$

ihr Integral ist

$$\log\tan\left(45^\circ+\frac{1}{2}u\right)+\lambda\log\varepsilon=\lambda\log\left(Q+\sqrt{Q^2-B}\right).$$

Um diese Gleichung in eine bequemere Form bringen zu können, wollen wir

$$\tan\left(45^\circ+\frac{1}{2}u\right)=s$$

setzen, woraus, da

$$\log s=\frac{\mathrm{d}u}{\cos u}$$

ist,

$$\frac{\mathrm{d}s}{s}=\frac{\mathrm{d}u}{\cos u}$$

und daher

$$\frac{\mathrm{d}s}{\mathrm{d}u}=\frac{s}{\cos u}$$

folgt. Die vorstehende Gleichung wird dann:

$$\log\left(\varepsilon^\lambda s\right)=\lambda\log\left(Q+\sqrt{Q^2-B}\right),$$

woraus

$$\varepsilon^\lambda s=\left(Q+\sqrt{Q^2-B}\right)^\lambda \quad \text{oder} \quad Q+\sqrt{Q^2-B}=\varepsilon s^{\frac{1}{\lambda}}$$

folgt. Setzen wir noch zur Abkürzung $\frac{1}{\lambda}=\nu$ und lösen nach Q auf, so ergibt sich:

$$Q=\frac{1}{2}\varepsilon s^\nu+\frac{Bs^{-\nu}}{2\varepsilon}.$$

Ferner wird

$$\frac{dQ}{ds}=\frac{1}{2}\nu\varepsilon s^{\nu-1}-\frac{\nu B}{2\varepsilon}s^{-(\nu+1)},$$

$$\frac{dQ}{du}=\frac{dQ}{ds}\frac{s}{\cos u}=\frac{\frac{1}{2}\nu\varepsilon s^{\nu}}{\cos u}-\frac{\nu B.}{2}\frac{s^{-\nu}}{\cos u},$$

$$P=\alpha\cos u\frac{dQ}{du}=\frac{1}{2}\alpha\nu\varepsilon s^{\nu}-\frac{\alpha\nu B s^{-\nu}}{2}.$$

§ 37. Aus den oben gefundenen Werten von P und Q folgt

$$U=\frac{\alpha\nu\varepsilon s^{\nu}}{2\cos u}-\frac{\alpha\nu B s^{-\nu}}{2\varepsilon\cos u},\quad V=\frac{\varepsilon s^{\nu}}{2\cos u}+\frac{B s^{-\nu}}{2\varepsilon\cos u};$$

und hieraus endlich ergeben sich für die Koordinaten x, y die Formeln:

$$x=\frac{1}{2}\alpha a\sin\left(\frac{t+\delta}{\lambda}\right)\left(\varepsilon s^{\nu}+\frac{B}{\varepsilon}s^{-\nu}\right),$$

$$y=\frac{1}{2}\alpha\nu\lambda a\cos\left(\frac{t+\delta}{\lambda}\right)\left(\varepsilon s^{\nu}-\frac{B}{\varepsilon}s^{-\nu}\right),$$

und darin ist

$$\nu=\frac{1}{\lambda},\quad s=\tan\left(45^{\circ}+\frac{1}{2}u\right).$$

Die vorstehenden Formeln werden noch eleganter, wenn wir $B=\varepsilon^2 b$ setzen. Dann lauten dieselben:

$$x=\frac{1}{2}\alpha\varepsilon a\sin\left(\frac{t+\delta}{\lambda}\right)\left(s^{\frac{1}{\lambda}}+bs^{-\frac{1}{\lambda}}\right),$$

$$y=\frac{1}{2}\alpha\varepsilon a\cos\left(\frac{t+\delta}{\lambda}\right)\left(s^{\frac{1}{\lambda}}-bs^{-\frac{1}{\lambda}}\right).$$

Zweiter Fall:

Es sei $\alpha\beta=-\mu^2$, also $\beta=-\frac{\mu^2}{\alpha}$.

§ 38. In diesem Fall haben wir

$$dt^2=\frac{-\mu^2 dT^2}{A-T^2}$$

und daher

$$dt=\frac{\mu dT}{\sqrt{T^2-A}}.$$

Durch Integration ergibt sich

$$t+\delta=\mu\log\left(T+\sqrt{T^2-A}\right)$$

oder, falls e die Grundzahl der natürlichen Logarithmen bezeichnet,

$$e^{\frac{t+\delta}{\mu}}=T+\sqrt{T^2-A}.$$

Setzen wir zur Abkürzung

$$\frac{t+\delta}{\mu}=\vartheta,$$

womit zugleich $\frac{d\vartheta}{dt}=\frac{1}{\mu}$ wird, so ist

$$e^{\vartheta}-T=\sqrt{T^2-A},$$

daher

$$T=\frac{e^{2\vartheta}+A}{2e^{\vartheta}}=\frac{1}{2}e^{\vartheta}+\frac{1}{2}Ae^{-\vartheta}.$$

Ferner wird

$$\frac{dT}{dt}=\frac{1}{\mu}\frac{dT}{d\vartheta}=\frac{1}{2\mu}\left(e^{\vartheta}-Ae^{-\vartheta}\right),$$

somit

$$\Theta=\frac{\alpha}{2\mu}\left(e^{\vartheta}-Ae^{-\vartheta}\right).$$

§ 39. Weiter wird in diesem Fall

$$\frac{du^2}{\cos^2 u}=\frac{-\mu^2 dQ^2}{Q^2-B}=\frac{\mu^2 dQ^2}{B-Q^2}.$$

Hierin setzen wir, da B notwendig positiv sein muß, $B=b^2$, so daß

$$\frac{du}{\cos u}=\frac{\mu dQ}{\sqrt{b^2-Q^2}}$$

wird. Die Integration ergibt:

$$\log\tan\left(45^\circ+\frac{1}{2}u\right)+\log\varepsilon=\mu\cdot\arcsin\frac{Q}{b},$$

d. h., wenn man wieder $\tan\left(45^\circ+\frac{1}{2}u\right)=s$ setzt,

$$\frac{\log(\varepsilon s)}{\mu}=\arcsin\frac{Q}{b},$$

daher umgekehrt

$$Q=b\sin\left(\frac{\log(\varepsilon s)}{\mu}\right).$$

Weiter wird

$$\frac{\mathrm{d}Q}{\mathrm{d}s}=\frac{b}{\mu}\,\frac{1}{s}\cos\left(\frac{\log(\varepsilon s)}{\mu}\right)$$

und

$$\frac{\mathrm{d}Q}{\mathrm{d}u}=\frac{\mathrm{d}Q}{\mathrm{d}s}\,\frac{s}{\cos u}=\frac{b}{\mu\cos u}\cos\left(\frac{\log(\varepsilon s)}{\mu}\right),$$

endlich

$$P=\frac{\alpha b}{\mu}\cos\left(\frac{\log(\varepsilon s)}{\mu}\right).$$

§ 40. Nun war (nach § 31 bzw. § 32)

$$x=\alpha TV\cos u=\alpha TQ,\quad y=\beta\Theta P=-\frac{\mu^2}{\alpha}\Theta P,$$

also wird:

$$x=\frac{1}{2}\alpha b\sin\left(\frac{\log(\varepsilon s)}{\mu}\right)(\mathrm{e}^{\vartheta}+A\mathrm{e}^{-\vartheta}),$$

$$y=-\frac{1}{2}\alpha b\cos\left(\frac{\log(\varepsilon s)}{\mu}\right)(\mathrm{e}^{\vartheta}-A\mathrm{e}^{-\vartheta});$$

und darin ist

$$\vartheta=\frac{t+\delta}{\mu};\quad s=\tan\left(45^\circ+\frac{1}{2}u\right).$$

§ 41. Da in den vorstehenden Formeln einige Größen völlig willkürlich sind, so haben wir in ihnen schon eine ziemlich allgemeine

Lösung unseres Problems, eine Lösung, die unzählig viele Spezialfälle umfaßt. Eine noch allgemeinere erhalten wir aber, wenn wir zwei oder auch beliebig viele Lösungen der obigen Form miteinander verbinden. Hat man nämlich zuerst die Werte $x=M$, $y=N$ gefunden, sodann $x=M'$, $y=N'$, weiter $x=M''$, $y=N''$ usw. so kann man aus ihnen folgende viel allgemeinere Lösung bilden:

$$x=\mathfrak{A}M+\mathfrak{B}M'+\mathfrak{C}M''+\mathfrak{D}M'''+\dots,$$

$$y=\mathfrak{A}N+\mathfrak{B}N'+\mathfrak{C}N''+\mathfrak{D}N'''+\dots,$$

und zwar ist diese Lösung sicher so allgemein, daß alle möglichen Lösungen in ihr enthalten sind. [9]

Methode zur Ermittlung der allgemeinen Lösung [8] *der Differentialgleichungen*

$$\mathrm{d}x=p\mathrm{d}u+r\cos u\,\mathrm{d}t,\quad \mathrm{d}y=r\mathrm{d}u-p\cos u\,\mathrm{d}t$$

§ 42. Wir wollen eine solche Kombination der beiden vorstehenden Gleichungen suchen, die eine Zerlegung der rechten Seite in zwei Faktoren gestattet. Zu diesem Zweck multiplizieren wir die erste mit α, die zweite mit β und addieren, so kommt:

$$\alpha\mathrm{d}x+\beta\mathrm{d}y=p\,(\alpha\mathrm{d}u-\beta\cos u\,\mathrm{d}t)+r\,(\beta\mathrm{d}u+\alpha\cos u\,\mathrm{d}t)\,,$$

eine Gleichung, die wir, um die beiden Differentialfaktoren rechts auf eine gleiche Form zu bringen, auch so schreiben können:

$$\alpha\mathrm{d}x+\beta\mathrm{d}y=\alpha p\left(\mathrm{d}u-\frac{\beta}{\alpha}\cos u\mathrm{d}t\right)+\beta r\left(\mathrm{d}u+\frac{\alpha}{\beta}\cos u\,\mathrm{d}t\right).$$

Wenn nun

$$\frac{\alpha}{\beta}=-\frac{\beta}{\alpha},\quad \text{also}\quad \alpha^2+\beta^2=0\quad \text{oder}\quad \beta=\alpha\sqrt{-1}$$

ist, so ergibt unsere Kombination:

$$\mathrm{d}x+\mathrm{d}y\sqrt{-1}=(p+r\sqrt{-1})\,(\mathrm{d}u-\sqrt{-1}\cos u\mathrm{d}t)\,.$$

Damit der Differentialfaktor rechts ein exaktes Differential wird, schreiben wir die letzte Gleichung so:

$$\mathrm{d}x+\mathrm{d}y\sqrt{-1}=\cos u\,(p+r\sqrt{-1})\left(\frac{\mathrm{d}u}{\cos u}-\mathrm{d}t\sqrt{-1}\right).$$

§ 43. Setzen wir jetzt

$$\frac{du}{\cos u} - dt\sqrt{-1} = dz\,,$$

also

$$z = \log\tan\left(45^\circ + \frac{1}{2}u\right) - t\sqrt{-1}\,,$$

so wird

$$dx + dy\sqrt{-1} = \cos u\,(p + r\sqrt{-1})\,dz\,;$$

und die rechte Seite dieser Gleichung ist offenbar nur dann ein exaktes Differential, wenn der endliche Faktor $\cos u\,(p+r\sqrt{-1})$ eine Funktion von z ist; welcher Funktion von z er aber auch immer gleich sei, stets kann man die Integration ausgeführt denken. Hieraus folgt, daß auch das Integral eine Funktion von z ist, so daß der Ausdruck $x+y\sqrt{-1}$ gleich einer beliebigen Funktion von z, d. h. von der Größe

$$\log\tan\left(45^\circ + \frac{1}{2}u\right) - t\sqrt{-1}$$

wird.

§ 44. Die Formel wird eleganter, wenn wir, wie oben,

$$\tan\left(45^\circ + \frac{1}{2}u\right) = s$$

setzen, so daß

$$\frac{ds}{s} = \frac{du}{\cos u} \quad \text{und} \quad z = \log s - t\sqrt{-1}$$

wird. Bezeichnet, wie üblich, Γ eine beliebige Funktion des in Klammern beigesetzten Arguments, so wird also

$$x + y\sqrt{-1} = \Gamma\,(\log s - t\sqrt{-1})$$

oder auch, was auf dasselbe hinauskommt,

$$x + y\sqrt{-1} = 2\Gamma\,(\log s - t\sqrt{-1})\,.$$

Da nun der Ausdruck $\sqrt{-1}$ seiner Natur nach das doppelte Vorzeichen $\pm$ haben kann, so wird auch

$$x - y\sqrt{-1} = 2\Gamma\,(\log s + t\sqrt{-1})\,;$$

und aus beiden Gleichungen folgt:

$$x=\Gamma(\log s-t\sqrt{-1})+\Gamma(\log s+t\sqrt{-1})\,,$$
$$y\sqrt{-1}=\Gamma(\log s-t\sqrt{-1})-\Gamma(\log s+t\sqrt{-1})\,.$$

Bekanntlich ergeben diese Ausdrücke für x und y stets reelle Werte. [10]

§ 45. Es möge z. B. Γ irgendeine Potenz des beigesetzten Arguments oder auch ein Vielfaches einer solchen Potenz bezeichnen, und es sei λ der Potenzexponent, so ergibt sich, wenn man entwickelt und zur Abkürzung $\log s=v$ setzt:

$$x=v^{\lambda}-\frac{\lambda(\lambda-1)}{1\cdot 2}v^{\lambda-2}t^{2}+\frac{\lambda(\lambda-1)(\lambda-2)(\lambda-3)}{1\cdot 2\cdot 3\cdot 4}v^{\lambda-4}t^{4}$$
$$-\frac{\lambda\ldots(\lambda-5)}{1\cdot 2\ldots 6}v^{\lambda-6}t^{6}+\ldots\,,$$

$$y=\lambda v^{\lambda-1}t-\frac{\lambda(\lambda-1)(\lambda-2)}{1\cdot 2\cdot 3}v^{\lambda-3}t^{3}+\frac{\lambda\ldots(\lambda-4)}{1\cdot 2\ldots 5}v^{\lambda-5}t^{5}$$
$$-\frac{\lambda\ldots(\lambda-6)}{1\cdot 2\ldots 7}v^{\lambda-7}t^{7}+\ldots$$

Eigentlich hätte der Wert von y das entgegengesetzte Zeichen erhalten müssen; aber man kann, wie sich aus der Natur der Sache ergibt, auf den beiden Koordinatenachsen x und y die positive und negative Richtung ohne weiteres vertauschen. [11]

§ 46. Scheinbar sind diese Werte ganz verschieden von denen, welche uns die vorhergehende partikuläre Lösung geliefert hat. Andererseits aber ergeben sich (aus den Formeln des § 45) sofort die für Seekarten gültigen, die in den oben abgeleiteten Formeln (§§ 37, 40) nicht enthalten waren. Man braucht nur $\lambda=1$ zu setzen, so wird

$$x=\log s=\log\tan\left(45^\circ+\frac{1}{2}u\right),\quad y=t\,.$$

Daß oben die Werte von x und y miteinander vertauscht waren, macht nichts aus; denn eine Vertauschung der Koordinatenachse x und y ist stets gestattet.

§ 47. Indessen ist es sicher, daß alle oben gefundenen Werte auch in unseren jetzigen Formeln enthalten sein müssen, weil letztere offenbar die allgemeinste Lösung darstellen; und es ist wohl der Mühe wert, zu zeigen, daß dies wirklich der Fall ist. Dazu beachte man, daß, wenn $\Gamma(z)$ eine beliebige Funktion von z bezeichnet, dafür auch gesetzt werden kann $\Delta(Z)$, wo Z seinerseits irgendeine Funktion von z ist. Nehmen wir nun $Z=e^{\alpha z}$, während $z=\log s-t\sqrt{-1}$ ist, so kann man statt $\Gamma(\log s-t\sqrt{-1})$ auch schreiben $\Delta\,(e^{\alpha\log s-\alpha t\sqrt{-1}})$. Es ist aber

$$e^{\alpha\log s}=s^{\alpha}\,,$$

ferner

$$e^{\alpha t\sqrt{-1}}=\cos(\alpha t)\pm\sqrt{-1}\sin(\alpha t)\,,$$

daher

$$e^{\alpha\log s-\alpha t\sqrt{-1}}=s^{\alpha}\left[\cos(\alpha t)-\sqrt{-1}\sin(\alpha t)\right].$$

Setzen wir demnach $\Delta(Z)$ anstelle von $\Gamma(z)$, so gehen die Formeln des § 44 in folgende über:

$$x=\Delta\left[s^{\alpha}\left(\cos(\alpha t)-\sqrt{-1}\sin(\alpha t)\right)\right]+\Delta\left(s^{\alpha}\left(\cos(\alpha t)+\sqrt{-1}\sin(\alpha t)\right)\right],$$

$$y\sqrt{-1}=\Delta\left[s^{\alpha}\left(\cos(\alpha t)-\sqrt{-1}\sin(\alpha t)\right)\right]$$
$$-\Delta\left[s^{\alpha}\left(\cos(\alpha t)+\sqrt{-1}\sin(\alpha t)\right.\right.$$

und dabei ist zu beachten, daß diese beiden Werte nicht nur mit einer beliebigen Konstanten multipliziert, sondern auch miteinander vertauscht werden können.

§ 48. Betrachten wir speziell den Fall $\Delta(Z)=Z$, so wird

$$x=2s^{\alpha}\cos(\alpha t),\quad y=2s^{\alpha}\sin(\alpha t)\,.$$

Anstelle von α (das ja beliebig ist) können wir auch $-\alpha$ setzen und erhalten so eine zweite Lösung, nämlich

$$x=2s^{-\alpha}\cos(\alpha t),\quad y=-2s^{-\alpha}\sin(\alpha t)\,.$$

Nun ist schon oben bemerkt, daß man zwei Lösungen stets derart kombinieren kann, daß man beide mit Konstanten multipliziert und dann addiert. Demnach kann aus den beiden vorstehenden Lösungen die allgemeinere gebildet werden:

$$x=(\mathfrak{A}s^{\alpha}+\mathfrak{B}s^{-\alpha})\cos(\alpha t),\quad y=(\mathfrak{A}s^{\alpha}-\mathfrak{B}s^{-\alpha})\sin(\alpha t)\,.$$

Diese Formeln stimmen mit den in § 37 gefundenen überein. Augenscheinlich sind aber die Formeln, welche die Funktion enthalten, viel allgemeiner.

§ 49. Um aus unseren allgemeinen Formeln auch die zweite partikuläre Lösung (§ 40) abzuleiten, setzen wir

$$Z = \cos(\alpha z) = \cos[\alpha \log s - \alpha t \sqrt{-1}]$$

$$= \cos(\alpha \log s) \cos(\alpha t \sqrt{-1}) + \sin(\alpha \log s) \sin(\alpha t \sqrt{-1}) .$$

Bekanntlich ist aber

$$\cos(\alpha t \sqrt{-1}) = \frac{e^{-\alpha t} + e^{+\alpha t}}{2}$$

und

$$\sin(\alpha t \sqrt{-1}) = \frac{e^{-\alpha t} - e^{+\alpha t}}{2\sqrt{-1}} ,$$

daher

$$Z = \frac{e^{-\alpha t} + e^{+\alpha t}}{2} \cos(\alpha \log s) + \frac{e^{-\alpha t} - e^{+\alpha t}}{2\sqrt{-1}} \sin(\alpha \log s) .$$

Wir haben somit:

$$x = \Delta\left(\frac{\cos(\alpha \log s)(e^{-\alpha t} + e^{+\alpha t})}{2} + \frac{\sin(\alpha \log s)(e^{-\alpha t} - e^{+\alpha t})}{2\sqrt{-1}}\right)$$

$$+ \Delta\left(\frac{\cos(\alpha \log s)(e^{-\alpha t} + e^{+\alpha t})}{2} - \frac{\sin(\alpha \log s)(e^{-\alpha t} - e^{+\alpha t})}{2\sqrt{-1}}\right) ,$$

$$y\sqrt{-1} = \Delta\left(\frac{\cos(\alpha \log s)(e^{-\alpha t} + e^{+\alpha t})}{2} + \frac{\sin(\alpha \log s)(e^{-\alpha t} - e^{+\alpha t})}{2\sqrt{-1}}\right.$$

$$\left. - \Delta\left(\frac{\cos(\alpha \log s)(e^{-\alpha t} + e^{+\alpha t})}{2} - \frac{\sin(\alpha \log s)(e^{-\alpha t} - e^{+\alpha t})}{2\sqrt{-1}}\right)\right. .$$

Nehmen wir nun wieder $\Delta(Z) = Z$, so wird

$$x = \cos(\alpha \log s)(e^{-\alpha t} + e^{+\alpha t}), \quad y\sqrt{-1} = \frac{\sin(\alpha \log s)(e^{-\alpha t} - e^{+\alpha t})}{\sqrt{-1}} ,$$

und falls wir α negativ nehmen,

$$x = \cos(\alpha \log s)(e^{+\alpha t} + e^{-\alpha t}), \quad y\sqrt{-1} = \frac{-\sin(\alpha \log s)(e^{+\alpha t} - e^{-\alpha t})}{\sqrt{-1}} .$$

Diese Formeln enthalten die in § 40 aufgestellte Lösung des zweiten Falls. [12]

§ 50. In den vorstehenden allgemeinsten Formeln, die für x und y gefunden sind (§ 44), sind alle möglichen Abbildungen enthalten, bei denen die Kugelfläche derart in einer Ebene dargestellt wird, daß die Meridiane und Parallelkreise einander senkrecht schneiden und zugleich alle ganz kleinen, auf der Kugel beliebig angenommenen Figuren durch ähnliche Figuren in der Ebene wiedergegeben werden. [13]

§ 51. In dieser allgemeinsten Lösung ist auch die Projektion enthalten, mittels deren man gewöhnlich die (nördliche und südliche) Erdhalbkugel im Innern von Kreisen abzubilden pflegt, in deren Zentren die beiden Pole liegen. Diese Projektion ergibt sich aus den in § 48 aufgestellten Formeln

$$x = s^{\alpha} \cos(\alpha t), \quad y = s^{\alpha} \sin(\alpha t),$$

wenn wir in denselben $\alpha = -1$ annehmen, so daß

$$x = \frac{\cos t}{\tan\left(45^\circ + \frac{1}{2} u\right)}, \quad y = \frac{\sin t}{\tan\left(45^\circ + \frac{1}{2} u\right)}$$

wird. Dann verschwinden nämlich x und y in den Polen, in denen ja $u = 90^\circ$ ist. Für den Äquator aber, für den $u = 0$ ist, wird $s = 1$, daher

$$x = \cos t, \; y = \sin t \quad \text{und} \quad x^2 + y^2 = 1 .$$

Es wird also der Äquator durch einen mit dem Radius 1 beschriebenen Kreis dargestellt. Da ferner für alle Punkte, welche dieselbe Länge t haben, $\frac{y}{x} = \tan t$ ist, so werden die Meridiane durch Radien der Kreise dargestellt. Endlich ist das Bild des Parallelkreises von der Breite u ein dem Äquator konzentrischer Kreis, dessen Radius

$$\frac{1}{s} = \frac{1}{\tan\left(45^\circ + \frac{1}{2} u\right)} = \tan\left(45^\circ - \frac{1}{2} u\right)$$

ist; d. h. der Radius ist gleich der Tangente des halben Polabstandes. Dieser Bedingung gemäß pflegt man solche Karten der beiden Halbkugeln zu entwerfen. [14]

Dritte Annahme

Alle Gebiete der Erde sollen in ihrer wahren Größe in einer Ebene dargestellt werden

§ 52. Wir gehen von den allgemeinen Formeln aus (§ 8):

$$\mathrm{d}x = p\mathrm{d}u + q\mathrm{d}t, \quad \mathrm{d}y = r\mathrm{d}u + s\mathrm{d}t$$

und wollen wieder festsetzen, daß die Meridiane von den Parallelkreisen senkrecht geschnitten werden. Es muß daher die Bedingung

$$\frac{s}{q} = -\frac{p}{r}$$

erfüllt werden. Demgemäß setzen wir

$$s = -np, \quad q = +nr\,,$$

wodurch wir

$$\mathrm{d}x = p\mathrm{d}u + nr\mathrm{d}t, \quad \mathrm{d}y = r\mathrm{d}u - pn\mathrm{d}t$$

erhalten. Nun ist das Linienelement des Meridians

$$PQ = \mathrm{d}u\sqrt{p^2 + r^2}$$

und das des Parallelkreises

$$PR = n\mathrm{d}t\sqrt{p^2 + r^2}\,.$$

Daher wird der Flächeninhalt des Rechtecks $PQSR$

$$n\mathrm{d}u\mathrm{d}t\,(p^2 + r^2)\,,$$

während auf der Kugel der Inhalt der entsprechenden Fläche $pqsr = \mathrm{d}u\,\mathrm{d}t\cos u$ war. Beide Ausdrücke sollen einander gleich sein; es wird also

$$n\,(p^2 + r^2) = \cos u \quad \text{und daher} \quad n = \frac{\cos u}{p^2 + r^2}\,.$$

Unsere Annahme führt somit auf folgende Formeln:

$$\mathrm{d}x = p\mathrm{d}u + \frac{r\,\mathrm{d}t\cos u}{p^2 + r^2}, \quad \mathrm{d}y = r\mathrm{d}u - \frac{p\,\mathrm{d}t\cos u}{p^2 + r^2}\,.$$

Die weitere Aufgabe besteht darin, solche Funktionen für p und r zu suchen, daß die beiden vorstehenden Ausdrücke exakte Differentiale werden.

§ 53. Zur Erleichterung der Rechnung setzen wir

$$p = m \cos \varphi, \quad r = m \sin \varphi ,$$

so daß

$$p^2 + r^2 = m^2,$$

wird. Dann haben wir

$$dx = m du \cos \varphi + \frac{1}{m} dt \cos u \sin \varphi ,$$

$$dy = m du \sin \varphi - \frac{1}{m} dt \cos u \cos \varphi .$$

Ferner wurde

$$m = k \cos u$$

gesetzt, so daß

$$dx = k du \cos u \cos \varphi + \frac{1}{k} dt \sin \varphi ,$$

$$dy = k du \cos u \sin \varphi - \frac{1}{k} dt \cos \varphi$$

wird. Endlich wollen wir

$$du \cos u = d\upsilon, \quad \text{d. h.} \quad \upsilon = \sin u$$

setzen, so werden die vorstehenden Gleichungen:

$$dx = k d\upsilon \cos \varphi + \frac{1}{k} dt \sin \varphi ,$$

$$dy = k d\upsilon \sin \varphi - \frac{1}{k} dt \cos \varphi ,$$

und es sind für k und φ geeignete Werte zu ermitteln.

§ 54. Da bisher keine Methode bekannt ist, durch die man zur allgemeinen Lösung der vorstehenden Gleichungen gelangen kann, wollen wir partikuläre Lösungen suchen [15]. Zunächst bietet sich uns die Lösung des oben (§ 22) behandelten Falles dar, in dem $x = t$, $y = \sin u$ war. Diese Werte ergeben sich aus unseren

Formeln, wenn wir in letzteren $k=1$ und $\varphi=90°$ setzen. Ferner übersieht man sofort, daß man etwas allgemeiner für k und φ beliebige konstante Werte setzen kann. Ist $k=a$, $\varphi=\alpha$, so wird

$$x=av\cos\alpha+\frac{t\sin\alpha}{a},\quad y=av\sin\alpha-\frac{t\cos\alpha}{a}.$$

Diese Lösung unterscheidet sich von der vorhergehenden nur dadurch, daß die Meridiane nicht mehr auf unserer Achse EF senkrecht stehen, sondern gegen dieselbe sämtlich unter dem Winkel α geneigt sind. Die Parallelkreise ferner schneiden alle Meridiane senkrecht und werden daher ebenfalls parallele gerade Linien.

§ 55. Andere Lösungen ergeben sich dadurch, daß wir für eine der Größen k und φ eine Funktion nehmen, die nur von v, für die andere eine Funktion, die nur von t abhängt. Es sei also $k=T$ und $\varphi=V$; dann wird

$$\mathrm{d}x=T\mathrm{d}v\cos V+\frac{\mathrm{d}t}{T}\sin V,$$

$$\mathrm{d}y=T\mathrm{d}v\sin V-\frac{\mathrm{d}t}{T}\cos V.$$

Hieraus folgt:

$$x=T\int \mathrm{d}v\cos V=\sin V\int\frac{\mathrm{d}t}{T},$$

$$y=T\int \mathrm{d}v\sin V=-\cos V\int\frac{\mathrm{d}t}{T},$$

und es müssen die beiden Ausdrücke für x einander gleich sein und ebenso die für y.

§ 56. Aus der Gleichheit der beiden Ausdrücke für x schließen wir:

$$\frac{\int \mathrm{d}v\cos V}{\sin V}=\frac{1}{T}\int\frac{\mathrm{d}t}{T}=\alpha,$$

ferner aus der der beiden Ausdrücke für y:

$$\frac{\int \mathrm{d}v\sin V}{\cos V}=\frac{1}{T}\int\frac{\mathrm{d}t}{T}=\beta.$$

Für die Funktion T haben wir somit die beiden Gleichungen

$$\int \frac{dt}{T} = \alpha T \quad \text{und} \quad \int \frac{dt}{T} = -\beta T\,,$$

und daraus ergibt sich, daß $\beta = -\alpha$ sein muß. Durch Differentiation folgt

$$\frac{dt}{T} = \alpha T, \quad \text{daher} \quad T = \sqrt{\frac{2t}{\alpha}}\,.$$

Für V aber haben wir

$$\int d\varphi \cos V = \alpha \sin V \quad \text{und} \quad \int d\varphi \sin V = -\alpha \cos V\,.$$

Differenziert man, so ergeben beide Gleichungen $d\varphi = \alpha dV$, mithin $V = \frac{\varphi}{\alpha}$ oder allgemeiner

$$V = \frac{\varphi + c}{\alpha}\,.$$

§ 57. Mittels dieser Werte finden wir, da

$$\int d\varphi \cos V = \alpha \sin \frac{\varphi + c}{\alpha}$$

und

$$\int \frac{dt}{T} = \alpha T = \sqrt{2\alpha t}$$

ist, für die Koordinaten folgende Ausdrücke:

$$x = \sqrt{2\alpha t} \sin \frac{\varphi + c}{\alpha}, \quad y = -\sqrt{2\alpha t} \cos \frac{\varphi + c}{\alpha}\,.$$

Daraus schließen wir zunächst, daß

$$\sqrt{x^2 + y^2} = \sqrt{2\alpha t}\,,$$

d. h., alle Orte, welche die gleiche Länge t haben, liegen auf der Karte auf der Peripherie eines Kreises mit dem Radius $\sqrt{2\alpha t}$. Sämtliche Meridiane werden demnach durch konzentrische Kreise dargestellt; der Anfangsmeridian, für den $t = 0$ ist, ist dabei sogar in den Mittelpunkt der Kreise zusammengezogen. Hieraus geht hervor, daß alle Parallelkreise durch die Radien der obigen konzentrischen Kreise dargestellt werden. Eine derartige Abbildung ist sicher ganz unzweckmäßig, wenn sie auch alle vorgeschriebenen Bedingungen erfüllt.

§ 58. Wir wollen weiter für k eine Funktion von v setzen, die $=V$ sei, während der Winkel φ eine Funktion von t sein soll, die $=T$ sei. Dann haben wir:

$$\mathrm{d}x = V\mathrm{d}v \cos T + \frac{1}{V}\,\mathrm{d}t \sin T\,,$$

$$\mathrm{d}y = V\mathrm{d}v \sin T - \frac{1}{V}\,\mathrm{d}t \cos T\,;$$

woraus sich für x und y die Werte ergeben:

$$x = \cos T \int V\mathrm{d}v = \frac{1}{V}\int \mathrm{d}t \sin T\,,$$

$$y = \sin T \int V\mathrm{d}v = -\frac{1}{V}\int \mathrm{d}t \cos T\,.$$

Aus diesen Gleichungen folgt

$$V\int V\mathrm{d}v = \frac{1}{\cos T}\int \mathrm{d}t \sin T = \alpha\,,$$

$$-V\int V\mathrm{d}v = \frac{1}{\sin T}\int \mathrm{d}t \cos T = -\beta\,.$$

Die beiden Ausdrücke für V zeigen, daß $\beta=\alpha$ sein muß. Ferner folgt durch Differentiation

$$V\mathrm{d}v = -\frac{\alpha \mathrm{d}V}{V^2} \quad \text{oder} \quad \mathrm{d}v = -\frac{\alpha \mathrm{d}V}{V^3}$$

und durch Integration

$$v + c = \frac{\alpha}{2V^2} \quad \text{oder} \quad V = \sqrt{\frac{\alpha}{2\,(v+c)}}\,.$$

Für die Funktion T haben wir die beiden Gleichungen

$$\int \mathrm{d}t \sin T = \alpha \cos T \quad \text{und} \quad \int \mathrm{d}t \cos T = -\alpha \sin T\,;$$

differenziert man beide, so erhält man

$$\mathrm{d}t = -\alpha \mathrm{d}T, \quad \text{also} \quad T = -\frac{t}{\alpha}\,.$$

§ 59. Vermöge der eben gefundenen Werte wird, wenn man noch beachtet, daß

$$\int V d\varphi = \sqrt{2\alpha\,(\varphi + c)}$$

ist:

$$x = \sqrt{2\alpha\,(\varphi + c)}\cos\frac{t}{\alpha}, \quad y = -\sqrt{2\alpha\,(\varphi + c)}\sin\frac{t}{\alpha}.$$

Hieraus folgt:

$$\frac{y}{x} = -\tan\frac{t}{\alpha}, \quad \sqrt{x^2 + y^2} = \sqrt{2\alpha\,(\varphi + c)}.$$

Die erste dieser Gleichungen ergibt, daß alle Meridiane durch Gerade dargestellt werden, die von einem festen Punkt wie Strahlen ausgehen. Die zweite Gleichung ferner lehrt, daß alle Parallelkreise in konzentrische Kreise der Karte übergehen. Diese Art der Darstellung ist außerordentlich geeignet, die beiden Erdhalbkugeln im Innern von Kreisen abzubilden, deren Mittelpunkte die Bilder der Pole sind. Dabei wird die Gestalt irgendeines Gebietes nicht erheblich von der Wirklichkeit abweichen, während man die wahre Größe desselben unmittelbar auf der Karte messen kann. [16]

§ 60. Die obigen drei Annahmen enthalten alle Forderungen, die man an Landkarten oder Seekarten stellen kann. Die zweite jener Annahmen umfaßt sogar, wie die vorstehende Untersuchung gelehrt hat, alle möglichen Darstellungen. Doch ist es wegen der großen Allgemeinheit der sich ergebenden Formeln nicht leicht, aus denselben Methoden abzuleiten, die praktisch brauchbar sind. Auch hat die vorliegende Abhandlung nicht den Zweck, auf praktische Anwendungen genauer einzugehen, zumal die üblichen Projektionen von anderen Autoren bereits hinlänglich behandelt sind.

V.

Über höchst bemerkenswerte aus dem Imaginären-Kalkül herstammende Integrationen

Zusammenfassung

Wenn man einen in der allgemeinen Form Zdz dargestellten Differentialausdruck betrachtet, wobei Z eine beliebige Funktion der Veränderlichen z bezeichnet, so daß das Integral $\int Zdz$ wenigstens durch Logarithmen und zyklometrische Funktionen ausgedrückt werden kann, dann hat man $\int Zdz = \triangle z$, wobei $\triangle$ eine bestimmte Funktion von z bezeichnet. Wenn man nun z einen imaginären Wert $x + y\sqrt{-1}$ beilegt, dann kann die Funktion Z in der Form $M + N\sqrt{-1}$ dargestellt werden, und das Integral läßt sich immer auf die Form $P + Q\sqrt{-1}$ zurückführen. Es läuft also alles darauf hinaus, die Größen

$$P = \int (M dx - N dy)\,,$$

$$Q = \int (N dx + M dy)$$

zu bestimmen, was man jedesmal ausführen kann, wenn der Ausdruck $\int Zdz$ integrierbar ist für einen reellen Wert von z, wie kompliziert auch immer dieses Integral sein mag.

Nach dieser allgemeinen Beobachtung wird Herr Euler auf die Untersuchung von Integralen der Ausdrücke

$$z^n dz, \quad \frac{dz}{1+zz}, \quad \frac{dz}{1+z^3} \quad \text{und} \quad \frac{z^{m-1}dz}{1+z^n}$$

für den Fall geführt, daß $z = x + y\sqrt{-1}$ oder auch

$$z = v(\cos\varphi + \sqrt{-1}\sin\varphi)\,,$$

falls man

$$x = v\cos\varphi \quad \text{und} \quad y = v\sin\varphi$$

setzt. Die Integration der drei ersten Ausdrücke ist, um die Wahrheit zu sagen, nicht vielen Schwierigkeiten unterworfen, aber die Integration des letzten, die auf der Zerlegung in Partialbrüche beruht, bereitet mehr als nur eine Art von Schwierigkeiten, und es ist interessant zu sehen, daß diese vor den Anstrengungen des größten Analytikers teilweise ihre Kraft verlieren und zurückweichen.

1. Ich betrachte hier im allgemeinen eine beliebig beschaffene Differentialformel Zdz, deren Integral sich schließlich durch Logarithmen und Kreisbögen ausdrücken läßt, was ich durch den

Charakter $\triangle z$ bezeichne, so daß

$$\int Z\mathrm{d}z = \triangle z$$

ist. Nun schreibe ich anstelle von z eine beliebige imaginäre Größe, das heißt $z=x+y\sqrt{-1}$, wobei sich die Funktion Z in die Form $M+N\sqrt{-1}$ verwandelt. Auf diese Weise wird die Differentialform zu

$$(\mathrm{d}x+\mathrm{d}y\sqrt{-1})\,(M+N\sqrt{-1})\,,$$

wobei also der Realteil des Produkts gleich

$$M\mathrm{d}x-N\mathrm{d}y$$

ist, während der Imaginärteil gleich

$$(N\mathrm{d}x+M\mathrm{d}y)\sqrt{-1}$$

ist. Dann aber kann das Integral selbst, das gleich $\triangle\,(x+y\sqrt{-1})$ ist, in eine ähnliche Gestalt $P+Q\sqrt{-1}$ verwandelt werden. Daher ergibt dadurch, daß die reellen und die imaginären Größen für sich genommen zusammengefaßt werden müssen, dann eine doppelte Integration:

$$\text{I. } P=\int (M\mathrm{d}x-N\mathrm{d}y)\,,$$
$$\text{II. } Q=\int (N\mathrm{d}x+M\mathrm{d}y)\,,$$

diese beiden Formeln sind also stets integrierbar, auch wenn die beiden Variablen x und y auftreten. Es ist klar, daß auf Grund eines bekannten Integrabilitätskriteriums sowohl $\frac{\partial M}{\partial y}=-\frac{\partial N}{\partial x}$ als auch $\frac{\partial N}{\partial y}=\frac{\partial M}{\partial x}$ ist. Von daher ist zu verstehen, daß aus einer beliebigen vorgelegten Differentialformel zwei Integrationen abgeleitet werden können, die um so mehr als angemessen und schwierig zu bezeichnen sind, je komplizierter das Integral ist, weshalb es sich der Mühe verlohnt, mehrere Fälle darzustellen.

I. Entwicklung der Differentialformel $z^n\mathrm{d}z$

2. Da nun

$$\int z^n\mathrm{d}z=\frac{z^{n+1}}{n+1}$$

ist, ergeben, wenn wir $x+y\sqrt{-1}$ anstelle von z schreiben, diese Potenzen des Binoms, gewöhnlich Charaktere genannt, mit denen ich öfter die Unzen [1] bezeichnet habe, in entwickelter Gestalt

$$(x+y\sqrt{-1})^n=x^n+\binom{n}{1}x^{n-1}y\sqrt{-1}-\binom{n}{2}x^{n-2}yy$$
$$-\binom{n}{3}x^{n-3}y^3\sqrt{-1}+\ldots$$

Daraus folgt durch Zusammenfassen

$$M=x^n-\binom{n}{2}x^{n-2}yy+\binom{n}{4}x^{n-4}y^4-\binom{n}{6}x^{n-6}y^6+\ldots$$

und

$$N=\binom{n}{1}x^{n-1}y-\binom{n}{3}x^{n-3}y^3+\binom{n}{5}x^{n-5}y^5-\ldots$$

Auf ähnliche Weise ergibt sich für die Form des Integrals

$$(n+1)\,P=x^{n+1}-\binom{n+1}{2}x^{n-1}yy+\binom{n+1}{4}x^{n-3}y^4$$
$$-\binom{n+1}{6}x^{n-5}y^6+\ldots,$$

$$(n+1)\,Q=\binom{n+1}{1}x^{n-2}y-\binom{n+1}{3}x^{n-2}y^3+\binom{n+1}{5}x^{n-4}y^5-\ldots$$

3. Auf diese Weise nehmen die beiden durch diese Werte festgelegten Integrationen, die wir hernach ausführen, die Gestalt an:

$$P=\int\left\{\begin{array}{l}\mathrm{d}x\left(x^n-\binom{n}{2}x^{n-2}y^2+\binom{n}{4}x^{n-4}y^4-\binom{n}{6}x^{n-6}y^6+\ldots\right)\\ -\mathrm{d}y\left(\binom{n}{1}x^{n-1}y-\binom{n}{3}x^{n-3}y^3+\binom{n}{5}x^{n-5}y^5-\ldots\right)\end{array}\right\},$$

wobei wir an den Summanden erkennen, daß diese Form dem P selbst gleich ist. Dagegen ist

$$\text{I. }\int x^n\mathrm{d}x=\frac{x^{n+1}}{n+1},$$

was sich aus dem ersten Glied der in § 2 für P eingeführten Reihe ergibt. Dann wird

$$\text{II. }-\int\binom{n}{2}x^{n-2}y^2\mathrm{d}x-\int\binom{n}{1}x^{n-1}y\mathrm{d}y$$

in Angriff genommen; hierbei geht aus dem vorderen Summanden bei konstant gehaltenem y das Integral

$$-\binom{n}{2}\frac{x^{n-1}}{n-1}yy$$

hervor, aus dem hinteren Summanden bei konstant gehaltenem x das Integral

$$-\binom{n}{1}x^{n-1}\frac{yy}{2},$$

wobei diese beiden Ausdrücke offenbar einander gleich sind, also insgesamt

$$=-\frac{n}{2}x^{n-1}yy\,.$$

Dagegen ist der zweite Summand von P gleich

$$-\frac{1}{n+1}\binom{n+1}{2}x^{n-1}yy\,,$$

was wegen

$$\binom{n+1}{2}=\frac{n+1}{1}\cdot\frac{n}{2}$$

sichtlich gleich

$$-\frac{n}{2}x^{n-1}yy$$

ist. Jetzt wird

$$\text{III.}\int\binom{n}{4}x^{n-4}y^{-4}\mathrm{d}x+\int\binom{n}{3}x^{n-3}y^{3}\mathrm{d}y$$

ausgerechnet. Hier folgt aus dem vorderen Summanden das Integral

$$\frac{1}{n-3}\binom{n}{4}x^{n-3}y^{4}\,,$$

aus dem hinteren Summanden aber

$$\frac{1}{4}\binom{n}{3}x^{n-3}y^{4}\,.$$

Da ja

$$\binom{n}{4}=\binom{n}{3}\frac{n-3}{4}$$

ist, sind diese beiden Formeln offensichtlich einander gleich, und das Integral ist

$$\frac{1}{4}\binom{n}{3} x^{n-3}y^4=\frac{n}{1}\cdot\frac{n-1}{2}\cdot\frac{n-2}{3}\cdot\frac{1}{4}x^{n-3}y^4 .$$

Der dritte Summand der für P angegebenen Formel ist jedoch

$$\frac{1}{n+1}\binom{n+1}{4} x^{n-3}y^4 ,$$

was auf Grund von

$$\binom{n+1}{4}=\frac{n+1}{1}\,\frac{n}{2}\,\frac{n-1}{3}\,\frac{n-2}{4}$$

jenem oben berechneten Integral offenbar gleich ist. Auf ähnliche Weise wird die Übereinstimmung der weiteren Glieder von P gezeigt, und zugleich ist leicht einzusehen, daß auf gleiche Weise die Übereinstimmung der Formel Q bewiesen werden kann.

4. Solange also der Exponent n eine positive ganze Zahl ist, fällt die Gültigkeit unserer Formeln offenbar in die Augen. Wenn aber n eine negative oder gebrochene Zahl ist, dann erstrecken sich die Formeln für die Ausdrücke M und N, desgleichen für P und Q ins Unendliche; weshalb in diesen Fällen die Berechnung auf andere Weise auszuführen ist. Es ist klar, daß man anstelle von x und y zwei andere Variable in die Rechnung einzuführen hat, indem man $\sqrt{(xx+yy)}=v$ setzt und einen Winkel φ sucht, so daß $\tan\varphi=\frac{x}{y}$ wird; dann ist aber

$$x=v\cos\varphi \quad \text{und} \quad y=v\sin\varphi ,$$

deshalb ergibt sich durch Differentiation

$$dx=dv\cos\varphi-v\,d\varphi\sin\varphi$$

und

$$dy=dv\sin\varphi+v\,d\varphi\cos\varphi .$$

Dagegen ist unter diesen Voraussetzungen

$$(x+y\sqrt{-1})^n=v^n(\cos n\varphi+\sqrt{-1}\sin n\varphi) ,$$

woraus sich durch Zusammenfassen ergibt:

$$M=v^n\cos n\varphi \quad \text{und} \quad N=v^n\sin n\varphi .$$

Ferner erhält man schließlich für das Integral

$$z^{n+1}=\varrho^{n+1}\left(\cos(n+1)\varphi+\sqrt{-1}\sin(n+1)\varphi\right),$$

was

$$P=\frac{\varrho^{n+1}\cos(n+1)\varphi}{n+1} \quad \text{und} \quad Q=\frac{\varrho^{n+1}\sin(n+1)\varphi}{n+1}$$

zur Folge hat.

5. Dadurch, daß wir jetzt

$$P=\int(M\mathrm{d}x-N\mathrm{d}y) \quad \text{und} \quad Q=\int(N\mathrm{d}x+M\mathrm{d}y)$$

in Betracht ziehen, wird durch die ausgeführte Substitution

$$P=\int\left(\varrho^n\mathrm{d}\varrho\cos(n+1)\varphi-\varrho^{n+1}\mathrm{d}\varphi\sin(n+1)\varphi\right)$$

und

$$Q=\int\left(\varrho^n\mathrm{d}\varrho\sin(n+1)\varphi+\varrho^{n+1}\mathrm{d}\varphi\cos(n+1)\varphi\right).$$

Aber diese beiden Formeln gestatten offensichtlich die Integration, da sich aus dem Vorangehenden ergibt:

$$P=\frac{\varrho^{n+1}}{n+1}\cos(n+1)\varphi \quad \text{und} \quad Q=\frac{\varrho^{n+1}}{n+1}\sin(n+1)\varphi\ ;$$

da dies naheliegend ist, gehen wir zu Schwierigerem über.

II. Entwicklung der Differentialformel $\frac{\mathrm{d}z}{1+zz}$, deren Integral arctan z ist

6. Da hier

$$Z=\frac{1}{1+zz}$$

ist, ergibt sich, wenn man $z=x+y\sqrt{-1}$ setzt:

$$Z=\frac{1}{1+2xy\sqrt{-1}+xx-yy}.$$

Hier ist es zunächst möglich, den Nenner von imaginären Größen zu befreien, was durch Multiplikation von Zähler und Nenner mit $1+xx-yy-2xy\sqrt{-1}$ geschieht, und es wird

$$Z=\frac{1+xx-yy-2xy\sqrt{-1}}{(1+xx-yy)^2+4xxyy},$$

demnach ist

$$M=\frac{1+xx-yy}{(1+xx-yy)^2+4xxyy}$$

und

$$N=\frac{-2xy}{(1+xx-yy)^2+4xxyy}.$$

Folglich erreichen wir hierauf für das Integral $P+Q\sqrt{-1}$:

$$P=\int\frac{(1+xx-yy)\,\mathrm{d}x+2xy\mathrm{d}y}{(1+xx-yy)^2+4xxyy}$$

und

$$Q=\int\frac{(1+xx-yy)\,\mathrm{d}y-2xy\mathrm{d}x}{(1+xx-yy)^2+4xxyy},$$

und wir haben schon die Gewißheit, daß diese beiden Formeln integrierbar sind.

7. Wir wollen genauer den Nenner betrachten, der in die Form:

$$(xx+yy)^2+2\,(xx-yy)+1$$

entwickelt wird, welche weiter auf

$$(xx+yy+1)^2-4yy$$

zurückgeführt wird, was demnach ein Produkt aus zwei Faktoren ist:

$$(xx+yy+1+2y)\,(xx+yy+1-2y)\,,$$

wobei also die Faktoren $xx+(y+1)^2$ und $xx+(y-1)^2$ auftreten. Wegen dieser Tatsache kann jeder von jenen beiden Brüchen in zwei Brüche aufgespalten werden, von denen einer den Nenner $xx+(y+1)^2$ und der andere den Nenner $xx+(y-1)^2$ besitzt. Für diese auszuführende Zerlegung bedienen wir uns der Zerlegung des allgemeinen Bruches [2] $\frac{S}{TU}$ in zwei Brüche $\frac{F}{T}+\frac{G}{U}$, wobei der Zähler F aus der Formel $\frac{S}{U}$ durch Einsetzen von $T=0$ ermittelt wird; dagegen wird die andere Größe G aus der Formel $\frac{S}{T}$ durch Einsetzen von $U=0$ bestimmt. [3]

8. Für die obenstehende Formel ergibt sich

$$S=(1+xx-yy)\,\mathrm{d}x+2xy\,\mathrm{d}y\;,$$

$$T=xx+(y+1)^2 \quad \text{und} \quad U=xx+(y-1)^2\;;$$

weswegen im oben auftretenden Bruch $\frac{F}{T}$ die Größe F aus dem Bruch

$$\frac{(1+xx-yy)\,\mathrm{d}x+2xy\mathrm{d}y}{xx+(y-1)^2}$$

zu bestimmen ist, indem man $xx+(y+1)^2=0$ setzt. Da nun deshalb von jetzt an $xx=-(y+1)^2$ ist, gewinnt man nach Einsetzen dieses Wertes sowohl in den Zähler als auch in den Nenner, wo ja xx auftritt, die Beziehung

$$\frac{-2\mathrm{d}x\,(yy+y)+2xy\mathrm{d}y}{-4y}=\frac{1}{2}\,\mathrm{d}x\,(y+1)-\frac{1}{2}\,x\mathrm{d}y\,.$$

Auf ähnliche Weise ist für den Bruch $\frac{G}{U}$ der Zähler G aus dem Bruch

$$\frac{(1+xx-yy)\,\mathrm{d}x+2xy\mathrm{d}y}{xx+(y+1)^2}$$

zu bestimmen, indem man $xx+(y-1)^2=0$ setzt, woraus $xx=-(y-1)^2$ folgt, und nach Einsetzen dieses Wertes findet man:

$$G=\frac{2\mathrm{d}x\,(y-yy)+2xy\mathrm{d}y}{4y}=-\frac{1}{2}\,\mathrm{d}x\,(y-1)+\frac{1}{2}\,x\mathrm{d}y\,.$$

Deshalb haben wir also

$$P=\frac{1}{2}\int\frac{\mathrm{d}x\,(y+1)-x\mathrm{d}y}{xx+(y+1)^2}-\frac{1}{2}\int\frac{\mathrm{d}x\,(y-1)-x\mathrm{d}y}{xx+(y-1)^2}\,.$$

9. Aber jetzt bereitet die Integration dieser Formeln keine Schwierigkeit mehr. Wenn wir nämlich im obenstehenden $y+1=tx$ setzen, dann ist $\mathrm{d}y=t\,\mathrm{d}x+x\,\mathrm{d}t$, wodurch sich die Integralformel in

$$-\frac{1}{2}\int\frac{\mathrm{d}t}{1+tt}=-\frac{1}{2}\,\arctan t=-\frac{1}{2}\,\arctan\frac{y+1}{x}\;[4]$$

verwandelt. In der anderen Formel wird $y-1=ux$ gesetzt, so daß $dy=udx+x\,du$ ist, und diese Formel geht über in

$$\frac{1}{2}\int\frac{du}{1+uu}=\frac{1}{2}\arctan u=\frac{1}{2}\arctan\frac{y-1}{x},$$

wodurch wir den Wert des Symbols P gewinnen, der gleich

$$P=\frac{1}{2}\arctan\frac{y-1}{x}-\frac{1}{2}\arctan\frac{y+1}{x}$$

ist. Da nun

$$\arctan a-\arctan b=\arctan\frac{a-b}{1+ab}$$

ist, ergibt sich

$$P=-\frac{1}{2}\arctan\frac{2x}{xx+yy-1}.$$

10. In ähnlicher Weise verfahren wir mit dem zu findenden Wert Q, und es ist

$$S=(1+xx-yy)\,dy-2xy\,dx$$

und weiter

$$T=xx+(y+1)^2 \quad \text{und} \quad U=xx+(y-1)^2,$$

weshalb im Bruch $\frac{F}{T}$ der Zähler F gleich dem Bruch

$$\frac{S}{U}=\frac{(1+xx-yy)\,dy-2xydx}{xx+(y-1)^2}$$

ist, wenn nur $xx+(y+1)^2=0$ oder $xx=-(y+1)^2$ gesetzt wird. Es ist also

$$F=\frac{+2dy\,(yy+y)+2xydx}{4y}=\frac{1}{2}\,dy\,(y+1)+\frac{1}{2}\,xdx.$$

Dann aber wird der Zähler G des Bruches

$$\frac{(1+xx-yy)\,dy-2xydx}{xx+(y+1)^2},$$

indem $xx=-(y-1)^2$ gesetzt wird, folgendermaßen ausgedrückt:

$$G=\frac{-2dy\,(yy-y)-2xydx}{4y}=-\frac{1}{2}\,dy\,(y-1)-\frac{1}{2}\,xdx.$$

Von daher stammt also die Beziehung

$$Q=\frac{1}{2}\int\frac{dy\,(y+1)+x dx}{xx+(y+1)^2}-\frac{1}{2}\int\frac{dy\,(y-1)+x dx}{xx+(y-1)^2}$$

wo in jedem der beiden Summanden der Wert des Zählers gleich dem halben Differential des Nenners ist, also der gesuchte Wert gleich

$$Q=\frac{1}{4}\log\left(xx+(y+1)^2\right)-\frac{1}{4}\log\left(xx+(y-1)^2\right)=\frac{1}{4}\log\frac{xx+(y+1)^2}{xx+(y-1)^2}$$

ist.

11. Daher ergibt sich auf Grund der für P und Q gefundenen Werte der Wert des gesuchten Integrals als $P+Q\sqrt{-1}$, wodurch – da das Integral der vorausgesetzten Formel gleich arctan z ist – wir nun die Gewißheit haben, daß dann, wenn wir $x+y\sqrt{-1}$ anstelle von z schreiben, der Kreisbogen, dessen Tangens die imaginäre Größe $x+y\sqrt{-1}$ ist, immer der Größe

$$-\frac{1}{2}\arctan\frac{2x}{xx+yy-1}+\frac{\sqrt{-1}}{4}\log\frac{xx+(y+1)^2}{xx+(y-1)^2}$$

gleich ist.

12. Es war daher auch nicht nötig, die Werte für P und Q durch Integration zu gewinnen, sondern sie können unmittelbar aus dem bekannten Integral arctan $(x+y\sqrt{-1})$ hergeleitet werden. Wenn nämlich

$$P+Q\sqrt{-1}=\arctan\,(x+y\sqrt{-1})$$

gesetzt wird, dann folgt nach Änderung des Vorzeichens des Imaginärteils

$$P-Q\sqrt{-1}=\arctan\,(x-y\sqrt{-1})\,.$$

Addition dieser Formeln führt sogleich zu

$$2P=\arctan\,(x+y\sqrt{-1})+\arctan\,(x-y\sqrt{-1})$$
$$=\arctan\frac{2x}{1-xx-yy}\,,$$

deshalb zu

$$P=\frac{1}{2}\arctan\frac{2x}{1-xx-yy}=-\frac{1}{2}\arctan\frac{2x}{xx+yy-1}.$$

Ferner liefert die Subtraktion jener Formeln

$$2Q\sqrt{-1}=\arctan(x+y\sqrt{-1})-\arctan(x-y\sqrt{-1})$$
$$=\arctan\frac{2y\sqrt{-1}}{1+xx+yy}.$$

Weil aber

$$\arctan u\sqrt{-1}=\int\frac{du\sqrt{-1}}{1-uu}=\sqrt{-1}\int\frac{du}{1-uu}=\frac{\sqrt{-1}}{2}\log\frac{1+u}{1-u}$$

ist, gilt daher, weil in unserem Falle $u=\frac{2y}{1+xx+yy}$ ist, die Beziehung:

$$2Q\sqrt{-1}=\frac{\sqrt{-1}}{2}\log\frac{xx+(y+1)^2}{xx+(y-1)^2},$$

also

$$Q=\frac{1}{4}\log\frac{xx+(y+1)^2}{xx+(y-1)^2},$$

wie wir ohne weiteres ausrechnen. Dagegen ist in den anderen Fällen zu bemerken, daß, so oft nur das Integral $\int Z dz$ eine Darstellung durch Logarithmen oder Kreisbögen gestattet, nach der Substitution $z=x+y\sqrt{-1}$ diese Funktionen in zwei Anteile zerlegt werden dürfen, in einen reellen und einen rein-imaginären, infolgedessen können die Werte der Größen P und Q bestimmt werden, wenn auch die sich für diese Symbole ergebenden Integralformeln noch so verworren und versteckt sein mögen.

III. Entwicklung der Differentialformel $\frac{dz}{1+z^3}$, deren Integral sich als $\frac{1}{3}\log(1+z)-\frac{1}{3}\log\sqrt{(1-z+zz)}+\frac{1}{\sqrt{3}}\arctan\frac{z\sqrt{3}}{2-z}$ erweist

13. Wir setzen hier nun $z=x+y\sqrt{-1}$, und es ist

$$Z=\frac{1}{1+z^3}=\frac{1}{1+x^3+3xxy\sqrt{-1}-3xyy-y^3\sqrt{-1}};$$

wobei also der Nenner gleich

$$1+x^3-3xyy+\sqrt{-1}\,(3xxy-y^3)$$

ist, oberhalb und unterhalb des Bruchstriches mit

$$1+x^3-3xyy-\sqrt{-1}\,(3xxy-y^3)$$

multipliziert wird und dabei der Ausdruck

$$Z=\frac{1+x^3-3xyy-\sqrt{-1}\,(3xxy-y^3)}{1+2x\,(xx-3yy)+(xx+yy)^3}$$

entsteht. Daraus gewinnen wir also

$$M=\frac{1+x^3-3xyy}{1+2x\,(xx-3yy)+(xx+yy)^3}$$

und

$$N=-\frac{3xxy-y^3}{1+2x\,(xx-3yy)+(xx+yy)^3}.$$

14. Aus diesen Werten erhalten wir nunmehr, wenn wir das gesuchte Integral mit $P+Q\sqrt{-1}$ bezeichnen, für jede der Größen P und Q die folgenden Integralformeln:

$$P=\int\frac{(1+x^3-3xyy)\,dx+(3xxy-y^3)\,dy}{1+2x\,(xx-3yy)+(xx+yy)^3}$$

und

$$Q=\int\frac{(1+x^3-3xyy)\,dy-(3xxy-y^3)\,dx}{1+2x\,(xx-3yy)+(xx+yy)^3},$$

die wir schon im Vorangehenden beide als integrierbar erkannt haben, wenn auch die Entwicklung dieser Formeln äußerst schwierig ist, da die Faktoren des Nenners nicht zu erkennen sind; indessen kann man jedoch die Werte dieser Größen P und Q aus dem ursprünglichen mit Hilfe von z ausgedrückten Integral ableiten.

15. Da ja in diesen Formeln zwei Veränderliche x und y auftreten, darf nach Belieben eine von beiden als Konstante behandelt werden. Wenn wir auf diese Weise x als Konstante annehmen, haben wir, nachdem wir $x=a$ gesetzt haben, für P und Q die

Integralformeln

$$P=\int \frac{(3aay-y^3)\,\mathrm{d}y}{1+2a\,(aa-3yy)+(aa+yy)^2}$$

und

$$Q=\int \frac{(1+a^3-3ayy)\,\mathrm{d}y}{1+2a\,(aa-3yy)+(aa+yy)^3}.$$

Wenn y konstant gehalten wird, entstehen auf ähnliche Weise für P und Q, indem $y=b$ zu setzen ist, die folgenden Werte:

$$P=\int \frac{(1+x^3-3bbx)\,\mathrm{d}x}{1+2x\,(xx-3bb)+(bb+xx)^3}$$

und

$$Q=\int \frac{(b^3-3bxx)\,\mathrm{d}x}{1+2x\,(xx-3bb)+(bb+xx)^3},$$

die zusammenfallen müssen, falls die Berechnung richtig durchgeführt wird. Gleichwohl ist es immer sicherer, wenn bei den ursprünglichen Formeln, in die die beiden Veränderlichen x und y eingehen, in den ersteren die Größe a und in den letzteren jedoch die Größe b als Konstante eingeführt wird, und zwar deswegen, weil bei Benutzung der zuletzt abgeleiteten Formeln die Hinzufügung einer Konstanten zu einem Fehler führen kann.

16. Wegen dieser sehr großen Schwierigkeiten ist es deshalb nicht wenig erstaunlich, daß in Wirklichkeit die Werte dieser Integrale nichtsdestoweniger bestimmt werden können; es ist nämlich nur nötig, in dem mit Hilfe von z ausgedrückten Integral $x+y\sqrt{-1}$ anstelle von z zu schreiben und die einzelnen Glieder in die beiden Teile aufzuspalten, in den Realteil und den Imaginärteil; dann ergeben nämlich die zusammen genommenen Realteile den Wert von P, während die Imaginärteile den Wert von Q liefern.

17. Da nun aber in dem erwähnten Integral nur Logarithmen mit einem Kreisbogen auftreten, genügt es, die folgenden zwei Reduktionen [5] anzuwenden:

$$\text{I. } \log\,(p+q\sqrt{-1})=\log\sqrt{(pp+qq)}+\sqrt{-1}\,\arctan\frac{q}{p}$$

und

$$\text{II. } \arctan\,(p+q\sqrt{-1})=\frac{1}{2}\arctan\frac{2p}{1-pp-qq}+\frac{\sqrt{-1}}{4}\log\frac{pp+(q+1)^2}{pp+(q-1)^2}.$$

Weil der erste Summand des Integrals gleich $\frac{1}{3}\log(1+z)$ ist, folgt daraus nach Einsetzen von $z=x+y\sqrt{-1}$:

$$\log(1+x+y\sqrt{-1})=\log\sqrt{((1+x)^2+yy)}+\sqrt{-1}\arctan\frac{y}{1+x}.$$

Für den zweiten Summanden, der gleich $-\frac{1}{6}\log(1-z+zz)$ ist, ergibt sich wegen

$$1-z+zz=1-x+xx-yy+\sqrt{-1}\,(2xy-y)$$

und demzufolge auch

$$p=1-x+xx-yy \quad \text{und} \quad q=2xy-y$$

die Gleichung

$$(1-z+zz)=\log\sqrt{((xx+yy-x)^2+2xx-yy-2x+1)}$$
$$+\sqrt{-1}\arctan\frac{2xy-y}{1-x+xx-yy}.$$

Schließlich hat der dritte Summand den Wert $\frac{1}{\sqrt{3}}\arctan\frac{z\sqrt{3}}{2-z}$, wofür sich also wegen

$$\frac{z}{2-z}=\frac{x+y\sqrt{-1}}{2-x-y\sqrt{-1}}=\frac{2x+2y\sqrt{-1}-xx-yy}{(2-x)^2+yy}$$

ergibt:

$$p=\frac{(2x-xx-yy)\sqrt{3}}{(2-x)^2+yy} \quad \text{und} \quad q=\frac{2y\sqrt{3}}{(2-x)^2+yy}.$$

Für diesen Summanden folgt daraus:

$$\arctan\frac{z\sqrt{3}}{2-z}=\frac{1}{2}\arctan$$
$$\frac{2\,(2x-xx-yy)\,((2-x)^2+yy)\sqrt{3}}{(2-x)^4+2yy\,(2-x)^2-3\,(2-x)^2xx+6xyy\,(2-x)-12yy-2y^4}$$
$$+\frac{\sqrt{-1}}{4}\log\frac{pp+(q+1)^2}{pp+(q-1)^2};$$

da diese Ausdrücke so ausgedehnt sind, ziehen wir es vor, im letzten Summanden die Symbole p und q beizubehalten; deshalb kümmern wir uns hier viel weniger um die Werte von P und Q, weil es ausreicht, die zusammengenommenen Realteile zu kennen, um P hinzuschreiben, und die durch $\sqrt{-1}$ dividierten Imaginärteile zu kennen, um Q zu gewinnen; aus diesem Grund ist es auch offensichtlich, warum die wirkliche Herleitung der oben angeführten Formeln nicht gelungen ist.

IV. Entwicklung der Differentialformel $\frac{z^{m-1}dz}{1+z^n}$, deren vollständiges Integral stets ermittelt wird, falls die Exponenten m und n ganze Zahlen sind

18. Aus dem bisher Mitgeteilten ist klar zu sehen, daß hier ein ganz anderer Weg einzuschlagen ist. Wir setzen folglich sofort

$$x=v\cos\varphi \quad \text{und} \quad y=v\sin\varphi\,,$$

um so anstelle der beiden Veränderlichen x und y sofort die beiden anderen, v und φ, in die Rechnung einzuführen; dann ist nämlich

$$z^m=v^m(\cos m\varphi+\sqrt{-1}\sin m\varphi)$$

und

$$1+z^n=1+v^n(\cos n\varphi+\sqrt{-1}\sin n\varphi)\,.$$

Deshalb multiplizieren wir den vorgelegten Bruch oberhalb und unterhalb des Bruchstrichs mit

$$1+v^n(\cos n\varphi-\sqrt{-1}\sin n\varphi)\,,$$

und dadurch entsteht der Nenner $1+2v^n\cos n\varphi+v^{2n}$.

19. Weil für den Zähler

$$z^{m-1}dz=\frac{1}{m}\,dz^m=\frac{1}{m}\,dv^m(\cos m\varphi+\sqrt{-1}\sin m\varphi)$$

gilt, jedoch ganz allgemein

$$d(\cos\omega+\sqrt{-1}\sin\omega)=d\omega\sqrt{-1}(\cos\omega+\sqrt{-1}\sin\omega)$$

ist, ergibt sich in ausführlicher Darstellung

$$z^{m-1}dz=v^{m-1}dv(\cos m\varphi+\sqrt{-1}\sin m\varphi)$$
$$+v^m d\varphi\sqrt{-1}(\cos m\varphi+\sqrt{-1}\sin m\varphi)$$

oder

$$z^{m-1}dz = \rho^{m-1}(\cos m\varphi + \sqrt{-1}\sin m\varphi)(d\rho + \rho\, d\varphi\sqrt{-1}) .$$

Folglich darf diese Formel überdies mit

$$1 + \rho^n(\cos n\varphi - \sqrt{-1}\sin n\varphi)$$

multipliziert werden, wobei die Relation

$$(\cos\alpha + \sqrt{-1}\sin\alpha)(\cos\beta - \sqrt{-1}\sin\beta)$$
$$= \cos(\alpha-\beta) + \sqrt{-1}\sin(\alpha-\beta)$$

heranzuziehen ist; dadurch wird also unser Zähler zu

$$\rho^{m-1}(\cos m\varphi + \sqrt{-1}\sin m\varphi)(d\rho + \rho d\varphi\sqrt{-1}) +$$
$$+ \rho^{m+n-1}\big(\cos(m-n)\varphi + \sqrt{-1}\sin(m-n)\varphi\big)(d\rho + \rho\, d\varphi\sqrt{-1}) ,$$

dessen Realteil demnach gleich

$$\rho^{m-1}d\rho\cos m\varphi + \rho^{m+n-1}d\rho\cos(m-n)\varphi$$
$$-\rho^m d\varphi\sin m\varphi - \rho^{m+n}d\varphi\sin(m-n)\varphi$$

ist, während der Imaginärteil gleich

$$\rho^{m-1}d\rho\sqrt{-1}\sin m\varphi + \rho^m d\varphi\sqrt{-1}\cos m\varphi$$
$$+\rho^{m+n-1}d\rho\sqrt{-1}\sin(m-n)\varphi + \rho^{m+n}d\varphi\sqrt{-1}\cos(m-n)\varphi$$

ist.

20. Wenn wir nach diesen Vorbereitungen das gesuchte Integral unserer Differentialformel in der Gestalt $P + Q\sqrt{-1}$ ansetzen, so finden wir jeden der beiden Summanden durch die folgenden reellen Integralformeln ausgedrückt:

$$P = \int \frac{\rho^{m-1}d\rho(\cos m\varphi + \rho^n\cos(m-n)\varphi) - \rho^m d\varphi(\sin m\varphi + \rho^n\sin(m-n)\varphi)}{1 + 2\rho^n\cos n\varphi + \rho^{2n}}$$

$$Q = \int \frac{\rho^{m-1}d\rho(\sin m\varphi + \rho^n\sin(m-n)\varphi) + \rho^m d\varphi(\cos m\varphi + \rho^n\cos(m-n)\varphi)}{1 + 2\rho^n\cos n\varphi + \rho^{2n}}$$

Man darf also, wir wir vorhin schon bemerkt haben, diese Integrale aus dem mit Hilfe von z geschriebenen ursprünglichen Integral ableiten, falls das ganze Integral wirklich teils aus Logarithmen, teils aus Kreisbögen mit gegebenen Tangens-Werten zusammengesetzt ist. Dennoch wollen wir unterdessen sehen, ob man mit der gewohnten Methode diese Integrale untersuchen kann.

Untersuchung der Integralformel

$$P=\int\frac{v^{m-1}dv\,(\cos m\varphi+v^n\cos(m-n)\varphi)-v^m d\varphi\,(\sin m\varphi+v^n\sin(m-n)\varphi)}{1+2v^n\cos n\varphi+v^{2n}}$$

21. Die ganze Aufgabe läuft also darauf hinaus, wie vor allem der Nenner in seine Faktoren zerlegt wird, und zwar in trinomische Faktoren, da nun einmal für unser Vorhaben alle Faktoren reell sein müssen. Wir wollen deshalb einen Faktor dieses Nenners in der Gestalt $1-2v\cos\varphi+vv$ ansetzen, und dazu ist es notwendig, daß nach Nullsetzen dieses Faktors (was $v=\cos\omega+\sqrt{-1}\sin\omega$ nach sich zieht) sogar der Nenner verschwindet. Da sich daraus nun

$$v^n=\cos n\omega+\sqrt{-1}\sin n\omega$$

und

$$v^{2n}=\cos 2n\omega+\sqrt{-1}\sin 2n\omega$$

ergeben, nimmt der Nenner nach Einsetzen dieser Ausdrücke die Form

$$1+2\cos n\varphi\cos n\omega+\cos 2n\omega+\sqrt{-1}\,(2\cos n\varphi\sin n\omega+\sin 2n\omega)$$

an, für die deshalb sowohl der Realteil als auch der Imaginärteil einzeln gleich Null sein müssen. Aus dem Imaginärteil geht dann die Gleichung

$$2\cos n\varphi\cdot\sin n\omega+\sin 2n\omega=0$$

hervor, was nach Division durch $2\sin n\omega$ die Beziehung

$$\cos n\varphi+\cos n\omega=0$$

zur Folge hat. Aber schließlich wird aus dem Realteil die Beziehung

$$1+2\cos n\varphi\cos n\omega+\cos 2n\omega=0$$

abgeleitet, woraus sich ganz wie oben wegen

$$1+\cos 2n\omega=2\cos n\omega^2$$

die Gleichung

$$\cos n\varphi+\cos n\omega=0$$

ergibt. Daraus wird offensichtlich, wie der Winkel ω festzulegen ist, damit die Beziehung

$$\cos n\omega = -\cos n\varphi$$

herauskommt, wobei dieser Bedingung auf unendlich viele Arten genügt werden kann, indem man

$$n\omega = \pi \pm n\varphi \quad \text{oder} \quad n\omega = 3\pi \pm n\varphi \quad \text{oder} \quad n\omega = 5\pi \pm n\varphi$$

oder vielmehr im allgemeinen $n\omega = (2i+1)\,\pi \pm n\varphi$ setzt. Aber auf diese Weise werden n verschiedene Werte für ω erhalten; ebensoviele haben wir aber auch im Nenner zu berücksichtigen. Die allgemeine Form des Winkels ω ist also

$$\omega = \frac{(2i+1)\,\pi}{n} \pm \varphi\;;$$

und welcher Wert auf diese Weise dem ω auch zugeordnet werden möge, ein Faktor des Nenners ist stets $1 - 2v\cos\omega + vv$, mit dessen Verschwinden zugleich der Nenner verschwindet, und es wird offensichtlich $v^{2n} = -2v^n \cos n\varphi - 1$.

22. Nun kann nach Auffinden aller Faktoren des Nenners die vorgelegte Formel in ebensoviele Teile zerlegt werden, deren Nenner dann die dreigliedrigen Faktoren $1 - 2v\cos\omega + vv$ sind; und deshalb muß für einen beliebigen solchen Faktor der ihm entsprechende Bruch, dessen Nenner er ist, untersucht werden; weil dieser aus dem Nenner der vorgelegten Integralform abgeleitet werden muß, setzen wir aber der Kürze halber den Nenner der vorgelegten Integralformel gleich

$$R\,dv + S\,d\varphi\,,$$

so daß

$$R = v^{m-1}\left(\cos m\varphi + v^n \cos(m-n)\,\varphi\right)$$

und

$$S = v^m\left(\sin m\varphi + v^n \sin(m-n)\,\varphi\right)$$

ist. Nun entwickeln wir als erstes den Bruch

$$\frac{R}{1 + 2v^n \cos n\varphi + v^{2n}},$$

zu dessen Umformung wir den einfachen Bruch

$$\frac{r}{1 - 2v\cos\omega + vv}$$

heranziehen, für dessen Zähler r es feststeht, daß der Wert desselben aus dem Bruch

$$\frac{R\,(1-2v\cos\omega+vv)}{1+2v^n\cos n\varphi+v^{2n}}$$

hergeleitet werden muß, indem $1-2v\cos\omega+vv=0$ gesetzt wird, wobei die Operation so auszuführen ist, daß die gesamte Größe erhalten wird.

23. Wenn nun dagegen im Falle von $1-2v\cos\omega+vv=0$ sowohl der Zähler als auch der Nenner verschwindet, so ist wohlbekannt [6], daß in diesem Falle eben der Bruch

$$\frac{1-2v\cos\omega+vv}{1+2v^n\cos n\varphi+v^{2n}}$$

dem Bruch

$$\frac{v-\cos\omega}{nv^{2n-1}+nv^{n-1}\cos n\varphi}=\frac{vv-v\cos\omega}{nv^n\,(v^n+\cos n\varphi)}$$

dessen Nenner wegen $v^{2n}=-2v^n\cos n\varphi-1$ den Wert $-nv^n\cos n\varphi-n$ annimmt, gleichzusetzen ist; der Zähler jedoch ist wegen $vv=2v\cos\omega-1$ gleich $v\cos\omega-1$, und deshalb ist der Bruch gleich

$$=\frac{-v\cos\omega+1}{n\,(v^n\cos n\varphi+1)}.$$

Dagegen ergibt das Nullsetzen des Nenners $v^n=-\cos n\varphi+\sqrt{-1}\sin n\varphi$ [7], wobei dieser Wert, eingesetzt in jenen Bruch, liefert:

$$\frac{1-v\cos\omega}{-n\cos n\varphi^2+n\sqrt{-1}\sin n\varphi\cos n\varphi+n}$$

$$=\frac{1-v\cos\omega}{n\sin n\varphi\,(\sin n\varphi+\sqrt{-1}\cos n\varphi)}.$$

Mit Rücksicht auf $v=\cos\omega+\sqrt{-1}\sin\omega$ wird nun der Zähler zu

$$\sin\omega\,(\sin\omega-\sqrt{-1}\cos\omega)\,,$$

und so ist jener gesamte Bruch gleich

$$\frac{\sin\omega\,(\sin\omega-\sqrt{-1}\cos\omega)}{n\sin n\varphi\,(\sin n\varphi+\sqrt{-1}\cos n\varphi)}.$$

Nun wird dieser Bruch oben und unten mit $\sin n\varphi - \sqrt{-1} \cos n\varphi$ erweitert und geht über in

$$-\frac{\sin \omega \left(\cos(\omega + n\varphi) + \sqrt{-1} \sin(\omega + n\varphi)\right)}{n \sin n\varphi}.$$

Jedoch stört das Imaginäre, das hier bis jetzt übriggeblieben ist, vollkommen unser Vorhaben. Indessen kann jedoch diese Unbequemlichkeit beseitigt werden, wenn die Größe v in den Zähler eingeführt wird. Wir setzen deshalb den Zähler in der Form $Av + B$ an, so daß A und B reelle Größen sind; wonach, da ja

$$Av + B = A \cos \omega + B + \sqrt{-1}\, A \sin \omega$$

ist, die Real- und die Imaginärteile einzeln übereinstimmen, so daß

$$A \sin \omega = -\sin(\omega + n\varphi) \sin \omega$$

sein muß, woraus sich

$$A = -\sin(\omega + n\varphi)$$

ergibt, nach dessen Substitution die Realteile liefern:

$$-\cos \omega \sin(\omega + n\varphi) + B = -\sin \omega \cos(\omega + n\varphi),$$

woraus seinerseits

$$B = \sin n\varphi$$

folgt, und so ist unser Bruch gleich

$$\frac{-v \sin(\omega + n\varphi) + \sin n\varphi}{n \sin n\varphi}. \quad [8]$$

24. Nun bleibt also nur noch übrig, diese Formel mit R zu multiplizieren, d. h. mit demjenigen Wert von R, den es annimmt, nachdem man

$$vv - 2v \cos \omega + 1 = 0$$

gesetzt hat. Es war aber

$$R = v^{m-1} \left(\cos m\varphi + v^n \cos(m-n)\varphi\right),$$

welches nach Einsetzen von $v = \cos \omega + \sqrt{-1} \sin \omega$ in

$$\cos m\varphi \cos(m-1)\omega + \cos(m-n)\varphi \cos(m+n-1)\omega$$
$$+\sqrt{-1}\left(\cos m\varphi \sin(m-1)\omega + \cos(m-n)\varphi \sin(m+n-1)\omega\right)$$

übergeht, an dessen Stelle wir, um das Imaginäre zu beseitigen, $Cv+D$ oder

$$C\cos\omega+D+\sqrt{-1}\,C\sin\omega$$

schreiben, wonach sich

$$C=\frac{\cos m\varphi\sin(m-1)\,\omega+\cos(m-n)\,\varphi\sin(m+n-1)\,\omega}{\sin\omega}$$

und jetzt

$$D=\frac{\cos m\varphi\sin(2-m)\,\omega+\cos(m-n)\,\varphi\sin(2-m-n)\,\omega}{\sin\omega}$$

ergeben.

25. Jetzt nach dem Auffinden der Werte der Symbole A, B, C, D ist unser gesuchter Zähler gleich $r=(Av+B)\,(Cv+D)$. Da aber hierbei bis jetzt das Quadrat vv vorkommt, bleibt an dessen Stelle $2v\cos\omega-1$ zu schreiben übrig, so daß der geeignete Wert gleich

$$r=2ACv\cos\omega-AC+(AD+BC)\,v+BD$$

ist. Folglich erweist sich

$$\int\frac{r\,dv}{1-2v\cos\omega+vv}$$

als der diesem Faktor für die Veränderliche v entsprechende Teil des Integrals. Auf ähnliche Weise ist für die andere Veränderliche φ der Teilbruch aus dem Bruch

$$\frac{S}{1-2v^n\cos n\varphi+v^{2n}}$$

abzuleiten; welcher auf ähnliche Weise durch Einführen von

$$\frac{s}{1-2v\cos\omega+vv}$$

und Ansetzen von S in der Gestalt $Ev+F$ aus der Gleichheit

$$s=(Av+B)\,(Ev+F)$$

ermittelt wird, wobei jedoch überdies an Stelle von vv der Ausdruck $2v\cos\omega-1$ zu schreiben ist, wonach wir für die Veränderliche φ die Formel

$$\int \frac{s d\varphi}{1 - 2v \cos \omega + vv}$$

gewinnen.

26. Wenn wir dies nun zusammenfassen, dann lautet der von einem beliebigen Faktor $1 - 2v \cos \omega + vv$ des Nenners herrührende Anteil des Integrals

$$\int \frac{r dv + s d\varphi}{1 - 2v \cos \omega + vv};$$

hierbei ist ganz besonders anzumerken, daß jenes wohlbekannte Kriterium [9] für die Integrabilität von Formeln, die zwei Veränderliche enthalten, sicher Statt haben wird. Jedoch genügt es oft, daß nur eine von beiden Veränderlichen in Betracht gezogen wird.

27. Hier könnte nun bis auf den zu bestimmenden Wert des Symbols P die Formel

$$\int \frac{r dv}{1 - 2v \cos \omega + vv}$$

ausreichen, in der allein v als Veränderliche behandelt wird und deren Integral bekanntlich durch Logarithmen und Kreisbögen dargestellt werden kann. Indessen muß dieses Integral aber aus der anderen Formel

$$\int \frac{s d\varphi}{1 - 2v \cos \omega + vv}$$

ermittelt werden, in der allein der Winkel φ mit dem von ihm abhängenden Winkel ω als veränderlich angesehen wird und deren Integration dem Auftreten dieses Winkels höchst angemessen ist durch den Umstand, daß zahlreiche Vielfache des Winkels φ in der Formel auftreten, aber bisher eine Methode, solche Formeln zu behandeln, nicht genügend ausgebildet ist. Aber dies ist in der Tat zu allgemein dafür, daß wir das, was darin enthalten ist, klar überblicken können; von hier aus wird nicht wenig Licht durch uns verbreitet, wenn wir einige ganz einfache Fälle betrachten.

Anwendung auf die Differentialformel $\frac{dz}{1+z}$, wobei $m=1$ und $n=1$ ist

28. Da das Integral dieser Formel $\log(1+z)$ ist, nimmt es nach Einsetzen von $z=x+y\sqrt{-1}$ oder sogar, wie wir es im allgemeinen getan haben,

$$z=v(\cos\varphi+\sqrt{-1}\sin\varphi)$$

die Gestalt

$$\log(1+v\cos\varphi+v\sqrt{-1})\sin\varphi$$

an und erscheint in der Form

$$P+Q\sqrt{-1}$$

mit

$$P=\log\sqrt{(1+2v\cos\varphi+vv)}$$

und

$$Q=\arctan\frac{v\sin\varphi}{1+v\cos\varphi}.$$

29. Wir werden uns also jetzt bemühen, diese Werte durch Integration zu finden. Nach Einsetzen von $m=n=1$ nehmen die für P und Q aufgestellten allgemeinen Formeln die folgende Gestalt an:

$$P=\int\frac{dv(\cos\varphi+v)-vd\varphi\sin\varphi}{1+2v\cos\varphi+vv}$$

und

$$Q=\int\frac{dv\sin\varphi+vd\varphi\cos\varphi+vvd\varphi}{1+2v\cos\varphi+vv},$$

wobei die erstere Formel offensichtlich das Integral

$$\frac{1}{2}\log(1+2v\cos\varphi+vv)$$

besitzt, während die letztere Formel das Integral

$$\arctan\frac{v\sin\varphi}{1+v\cos\varphi}$$

hat, so wie durch Differentiation augenscheinlich wird, daß es also hier nicht notwendig ist, den anderen Winkel ω in die Rechnung einzuführen.

Anwendung auf die Differentialformel $\frac{dz}{1+zz}$, wobei $m=1$ und $n=2$ ist

30. Diesen Fall haben wir schon oben erörtert, wobei wir gesehen haben, daß das Integral nach Einsetzen von $z=x+y\sqrt{-1}$ gleich

$$\arctan(x+y\sqrt{-1}) = -\frac{1}{2}\arctan\frac{2x}{xx+yy-1}+\frac{\sqrt{-1}}{4}\log\frac{xx+(y+1)^2}{xx+(y-1)^2}$$

ist. Wenn wir

$$x=\varrho\cos\varphi \quad \text{und} \quad y=\varrho\sin\varphi$$

setzen, dann ist also für das Integral $P+Q\sqrt{-1}$

$$P=-\frac{1}{2}\arctan\frac{2\varrho\cos\varphi}{\varrho\varrho-1}=\frac{1}{2}\arctan\frac{2\varrho\cos\varphi}{1-\varrho\varrho}$$

und

$$Q=\frac{1}{4}\log\frac{1+2\varrho\sin\varphi+\varrho\varrho}{1-2\varrho\sin\varphi+\varrho\varrho}.$$

Wir sehen also, wie wir diese Werte durch Integration gewinnen.

31. Weil also hier $m=1$ und $n=2$ ist, ergeben die allgemeinen Formeln

$$P=\int\frac{d\varrho\,(1+\varrho\varrho)\cos\varphi-\varrho d\varphi\,(1-\varrho\varrho)\sin\varphi}{1+2\varrho\varrho\cos 2\varphi+\varrho^4},$$

$$Q=\int\frac{d\varrho\,(1-\varrho\varrho)\sin\varphi+\varrho d\varphi\,(1+\varrho\varrho)\cos\varphi}{1+2\varrho\varrho\cos 2\varphi+\varrho^4},$$

wobei zu bemerken ist, daß wegen

$\cos 2\omega=-\cos 2\varphi=\cos(\pi\pm 2\varphi)$ und daher $\omega=90°+\varphi$ oder $\omega=90°-\varphi$ die beiden Faktoren des Nenners gleich

$$1+2\varrho\sin\varphi+\varrho\varrho \quad \text{und} \quad 1-2\varrho\sin\varphi+\varrho\varrho$$

sind. Daher betrachten wir zum Zwecke der auszuführenden Auflösung im allgemeinen den Bruch

$$\frac{S}{1+2\varrho\varrho\cos 2\varphi+\varrho^4},$$

den wir in Summanden zerlegt ansetzen:

$$\frac{F}{1+2\varrho\sin\varphi+\varrho\varrho}+\frac{G}{1-2\varrho\sin\varphi+\varrho\varrho},$$

wodurch wir erkennen, daß die Zähler so zu bestimmen sind, daß

$$F=\frac{S}{1-2v\sin\varphi+vv}$$

durch Einsetzen von $1+2v\sin\varphi+vv=0$ und

$$G=\frac{S}{1+2v\sin\varphi+vv}$$

durch Einsetzen von $1-2v\sin\varphi+vv=0$ gilt.

32. Nachdem wir nun sowohl für P als auch für Q beide Summanden berechnet haben, wobei der eine durch dv und der andere durch dφ gegeben wird, sei anfangs

$$S=(1+vv)\cos\varphi\,,$$

woraus sich

$$F=\frac{(1+vv)\cos\varphi}{1-2v\sin\varphi+vv}$$

ergibt, nachdem $1+vv=-2v\sin\varphi$ gesetzt worden ist, woraus sogleich

$$F=\frac{-2v\sin\varphi\cos\varphi}{-4v\sin\varphi}=\frac{1}{2}\cos\varphi$$

folgt; in ähnlicher Weise ist

$$G=\frac{(1+vv)\cos\varphi}{1+2v\sin\varphi+vv}$$

nach Einsetzen von $1+vv=+2v\sin\varphi$, so daß

$$G=+\frac{1}{2}\cos\varphi$$

ist; deshalb lautet für P der das Element dv enthaltende Anteil des Integrals

$$P=\frac{1}{2}\int\frac{dv\cos\varphi}{1+2v\sin\varphi+vv}+\frac{1}{2}\int\frac{dv.\cos\varphi}{1-2v\sin\varphi+vv}\,.$$

33. Jedoch für den Summanden, in dem φ die Veränderliche ist, haben wir

$$S=-v\,(1-vv)\sin\varphi\,,$$

woraus sich

$$F=\frac{-v\,(1-vv)\sin\varphi}{1-2v\sin\varphi+vv}$$

nach Einsetzen von $1+\varrho\varrho=-2\varrho\sin\varphi$ und deshalb $\varrho\varrho=-2\varrho\sin\varphi-1$ ergibt, folglich wird

$$F=\frac{1}{2}\,(1+\varrho\sin\varphi)\,.$$

In ähnlicher Weise ist

$$G=\frac{-\varrho\,(1-\varrho\varrho)\sin\varphi}{1+2\varrho\sin\varphi+\varrho\varrho}\,,$$

und zwar selbstverständlich nach Einsetzen von $1+\varrho\varrho=2\varrho\sin\varphi$, ~~wodurch~~

$$G=-\frac{1}{2}\,(1-\varrho\sin\varphi)$$

entsteht. Daher lautet also der vollständige Wert der Größe P aus jeder einzelnen der beiden Abhängigkeiten von einer Veränderlichen:

$$P=\frac{1}{2}\int\frac{d\varrho\cos\varphi+(1+\varrho\sin\varphi)\,d\varphi}{1+2\varrho\sin\varphi+\varrho\varrho}$$
$$+\frac{1}{2}\int\frac{d\varrho\cos\varphi-(1-\varrho\sin\varphi)\,d\varphi}{1-2\varrho\sin\varphi+\varrho\varrho}\,.$$

34. In gleicher Weise haben wir für die Größe Q zunächst:

$$S=(1-\varrho\varrho)\sin\varphi\,,$$

deshalb ergibt sich:

$$F=\frac{(1-\varrho\varrho)\sin\varphi}{1-2\varrho\sin\varphi+\varrho\varrho}$$

nach Einsetzen von $1+\varrho\varrho=-2\varrho\sin\varphi$, woraus

$$F=\frac{1+\varrho\sin\varphi}{2\varrho}$$

folgt. Hier ist aber ϱ aus dem Nenner zu beseitigen; zu diesem Zweck wird oben und unten mit $\varrho+2\sin\varphi$ multipliziert, so daß der Nenner den Wert $2\,(\varrho\varrho+2\varrho\sin\varphi)=-2$ annimmt; der Zähler wird dann zu

$$\varrho\varrho\sin\varphi+\varrho+2\varrho\sin\varphi^2+2\sin\varphi\,,$$

daher ist

$$F=\frac{1}{2}(v+\sin\varphi)\,.$$

Auf ähnliche Weise folgt

$$G=\frac{(1-vv)\sin\varphi}{1+2v\sin\varphi+vv}\,,$$

und zwar nach Einsetzen von $1+vv=2v\sin\varphi$, mit Rücksicht darauf weiter

$$G=\frac{1-vv}{4v}$$

und wegen $1=2v\sin\varphi-vv$:

$$G=\frac{1}{2}(\sin\varphi-v)\,.$$

Demnach lautet für Q der erste die Veränderliche v enthaltende Anteil:

$$Q=\frac{1}{2}\int\frac{dv\,(v+\sin\varphi)}{1+2v\sin\varphi+vv}+\frac{1}{2}\int\frac{dv\,(\sin\varphi-v)}{1-2v\sin\varphi+vv}\,.$$

Für den anderen, die Veränderliche φ enthaltenden Anteil ergibt sich

$$S=v(1+vv)\cos\varphi\,,$$

und daher folgt insgesamt

$$F=\frac{v(1+vv)\cos\varphi}{1-2v\sin\varphi+vv}$$

nach Einsetzen von $1+2v\sin\varphi+vv=0$ oder $1+vv=-2v\sin\varphi$, woraus sich

$$F=\frac{1}{2}v\cos\varphi$$

ergibt; ferner hat man

$$G=\frac{v(1+vv)\cos\varphi}{1+2v\sin\varphi+vv}$$

nach Einsetzen von $1+vv=+2v\sin\varphi$, was

$$G=\frac{1}{2}v\cos\varphi$$

nach sich zieht, so daß der vollständige Wert von Q gleich

$$Q=\frac{1}{2}\int\frac{d\rho\,(\rho+\sin\varphi)+\rho\,d\varphi\cos\varphi}{1+2\rho\sin\varphi+\rho\rho}+\frac{1}{2}\int\frac{d\rho\,(\sin\varphi-\rho)+\rho\,d\varphi\cos\varphi}{1-2\rho\sin\varphi+\rho\rho}$$

ist.

35. Wir beginnen mit der ja äußerst leichten Entwicklung des zweiten Summanden in Q, da nämlich in dem letzteren Formelausdruck der Zähler offensichtlich das halbe Differential des Nenners ist, woraus man sofort

$$Q=\frac{1}{4}\log\frac{1+2\rho\sin\varphi+\rho\rho}{1-2\rho\sin\varphi+\rho\rho}$$

erhält, welcher Wert ganz und gar mit dem oben angegebenen zusammenfällt. Für das Symbol P aber ist zu bemerken, daß

$$\int\frac{f d\rho}{1-2\rho\cos\omega+\rho\rho}=\frac{f}{\sin\omega}\arctan\frac{\rho\sin\omega}{1-\rho\cos\omega}$$

ist, weshalb, da in unserem Falle für den ersten Summanden

$$f=\cos\varphi,\ \cos\omega=-\sin\varphi \quad \text{und} \quad \sin\omega=\cos\varphi$$

ist, sich ergibt:

$$\int\frac{d\rho\cos\varphi}{1+2\rho\sin\varphi+\rho\rho}=\arctan\frac{\rho\cos\varphi}{1+\rho\sin\varphi},$$

falls nur der Winkel φ als konstant angesehen wird. Jedoch ergibt sich aus dieser Abhängigkeit überhaupt nicht der andere Summand, der gleich

$$\int\frac{d\varphi\,(1+\rho\sin\varphi)}{1+2\rho\sin\varphi+\rho\rho}$$

ist, aber Differentiation führt stattdessen auf

$$\frac{-\rho d\varphi\sin\varphi-\rho\rho d\varphi}{1+2\rho\sin\varphi+\rho\rho}.$$

Es ist also angebracht, in diesen Gegensatz genauer einzudringen.

36. Gewiß steht es zunächst außer Zweifel, daß die Differentiation der Formel

$$\arctan\frac{\rho\cos\varphi}{1+\rho\sin\varphi}$$

den ersten Summanden liefert; aber dasselbe würde herauskommen, wenn eine beliebige Konstante hinzugefügt würde, weshalb in dieser Integration dadurch der Winkel φ als Konstante auftritt, zumal außerdem ebendiese Konstante den Winkel φ enthalten kann. Wegen dieses Umstandes gehen wir im allgemeinen davon aus, daß das gesuchte Integral gleich

$$\arctan \frac{v \cos \varphi}{1+v \sin \varphi}+\int \Phi d\varphi$$

ist, wobei Φ eine Funktion von φ ist, und nun ist das Differential dieser Formel nach Konstant-Setzen von v gleich

$$\frac{-v\, d\varphi \sin \varphi - vv\, d\varphi}{1+2v \sin \varphi + vv}+\Phi d\varphi = d\varphi\,(\Phi + 2v \sin \varphi + \Phi vv$$
$$- v \sin \varphi - vv)\,,$$

woraus unter der Annahme $\Phi = 1$ unser Differential zu

$$\frac{d\varphi\,(1+v \sin \varphi)}{1+2v \sin \varphi + vv}$$

wird, so daß eben dieser Summand gleich

$$\arctan \frac{v \cos \varphi}{1+v \sin \varphi}+\varphi = \arctan \frac{v \cos \varphi}{1+v \cos \varphi}+\arctan \frac{\sin \varphi}{\cos \varphi}$$

ist, wodurch die beiden zusammengezogenen Bögen

$$\arctan \frac{\sin \varphi + v}{\cos \varphi}$$

ergeben und diese Formel nach Differenzieren das angegebene Integral liefert.

37. Jedoch gilt für den zweiten Summanden, der gleich

$$\int \frac{dv \cos \varphi - (1 - v \sin \varphi)\, d\varphi}{1 - 2v \sin \varphi + vv}$$

ist: Weil diese Form von der früheren nur darin abweicht, daß der Winkel negativ genommen ist, führt diese im Integral vorgenommene Änderung auf den Wert

$$\arctan \frac{v - \sin \varphi}{\cos \varphi}\,.$$

Auf diese Weise lautet der vollständige Wert der Größe P:

$$P=\frac{1}{2}\arctan\frac{\varrho+\sin\varphi}{\cos\varphi}+\frac{1}{2}\arctan\frac{\varrho-\sin\varphi}{\cos\varphi},$$

wonach die beiden zu einem Bogen vereinigten Kreisbögen ergeben:

$$P=\frac{1}{2}\arctan\frac{2\varrho\cos\varphi}{1-\varrho\varrho},$$

welcher Wert gleichfalls vollkommen mit dem oben angegebenen übereinstimmt.

Anwendung auf den Fall, wo $m=1$ und $n=3$ ist, oder die Differentialformel $\frac{dz}{1+z^3}$

38. Wenn hier nun

$$z=\cos\varphi+\sqrt{-1}\sin\varphi$$

gesetzt wird und das sich daraus ergebende Integral in der Gestalt

$$\int\frac{dz}{1+z^3}=P+Q\sqrt{-1}$$

angenommen wird, so ist gemäß den oben angegebenen allgemeinen Formeln

$$P=\int\frac{d\varrho\,(\cos\varphi+\varrho^3\cos2\varphi)-\varrho\,d\varphi\,(\sin\varphi-\varrho^3\sin2\varphi)}{1+2\varrho^3\cos3\varphi+\varrho^6}$$

und

$$Q=\int\frac{d\varrho\,(\sin\varphi-\varrho^3\sin2\varphi)+\varrho\,d\varphi\,(\cos\varphi+\varrho^3\cos2\varphi)}{1+2\varrho^3\cos3\varphi+\varrho^6}.$$

39. Hier besitzt demnach der Nenner drei dreigliedrige Faktoren; deren Gestalt muß durch Einführung von $1-2\varrho\cos\omega+\varrho\varrho$ gleich $\cos3\omega=-\cos3\varphi$ sein. Wenn also 3ω dem Wert $\pi+3\varphi$ oder $\pi-3\varphi$ oder $3\pi-3\varphi$ gleichgesetzt wird, so entstehen daraus folgende drei Werte von ω:

$$\omega=60^\circ+\varphi,\qquad \omega=60^\circ-\varphi,\qquad \omega=180^\circ-\varphi\,.$$

Im allgemeinen werden wir nun also den Bruch

$$\frac{S}{1+2\varrho^3\cos3\varphi+\varrho^6}$$

betrachten, dessen einer Teilbruch gleich

$$\frac{F}{1-2\rho\cos\omega+\rho\rho}$$

ist; deshalb ist, wie wir oben hervorgehoben haben, der Wert von F aus der Form

$$\frac{S\,(1-2\rho\cos\omega+\rho\rho)}{1+2\rho^3\cos 3\varphi+\rho^6}$$

abzuleiten, falls $1-2\rho\cos\omega+\rho\rho=0$ gesetzt wird; aber dann reduziert sich ebendieser Bruch auf die Form

$$\frac{S\,(\rho\rho-\rho\cos\omega)}{3\rho^6+3\rho^3\cos 3\varphi}.$$

Da aber

$$\rho^6=-2\rho^3\cos 3\varphi-1$$

ist, haben wir als Nenner

$$-3\,(\rho^3\cos 3\varphi+1)\,,$$

während der Zähler gleich

$$S\,(\rho\cos\omega-1)$$

ist, so daß der zu zerlegende Bruch gleich

$$\frac{S\,(1-\rho\cos\omega)}{3\,(\rho^3\cos 3\varphi+1)}=F$$

ist, wobei danach natürlich die Größe ρ aus dem Nenner zu entfernen ist.

40. Da wir nun nach Voraussetzung

$$\rho=\cos\omega+\sqrt{-1}\,\sin\omega$$

haben, ist

$$\rho^3=\cos 3\omega+\sqrt{-1}\,\sin 3\omega\,,$$

wobei anzumerken ist, daß

$$\cos 3\omega=-\cos 3\varphi$$

gilt; dann ist demzufolge

$$\sin 3\omega=\pm\sin 3\varphi\,.$$

Dies heißt, für den ersten Wert, wobei $\omega=60^\circ+\varphi$ oder $3\omega=$ $=180^\circ+3\varphi$ angenommen wird, ergibt sich: $\sin 3\omega=-\sin 3\varphi$: für den zweiten Wert, bei $3\omega=180^\circ-3\varphi$, ergibt sich: $\sin 3\omega=$ $=+\sin 3\varphi$; für den dritten Fall, $3\omega=3\pi-3\varphi$, hat man schließlich $\sin 3\omega=+\sin 3\varphi$. Nach Einsetzen dieser Werte wird unser Nenner zu

$$3\,(-\cos 3\varphi^2 \pm \sqrt{-1}\sin 3\varphi\cdot\cos 3\varphi+1)\,,$$

wo das obere Vorzeichen für den dritten und zweiten Wert des Winkels ω gilt, das untere Vorzeichen jedoch für den ersten Wert. Dieser Nenner kann noch hübscher in der Weise

$$3\sin 3\varphi\,(\sin 3\varphi \pm \sqrt{-1}\cos 3\varphi)$$

ausgedrückt werden.

41. Nun erweitern wir sowohl den Zähler als auch den Nenner mit $\sin 3\varphi \mp \sqrt{-1}\cos 3\varphi$, und es ergibt sich so:

$$F=\frac{S\cdot(1-\nu\cos\omega)\,(\sin 3\varphi\mp\sqrt{-1}\cos 3\varphi)}{3\sin 3\varphi}\,.$$

Wenn wir jedoch $\cos\omega+\sqrt{-1}\sin\omega$ anstelle von ν schreiben, so entsteht

$$F=\frac{S\sin\omega\,(\sin\omega-\sqrt{-1}\cos\omega)\,(\sin 3\varphi\pm\sqrt{-1}\cos 3\varphi)}{3\sin 3\varphi}\,.$$

Daher findet man, falls die beiden imaginären Faktoren des Nenners jeweils einer mit dem anderen erweitert werden, daß

$$F=\frac{S\sin\omega\,\big(\mp\cos(\omega\pm 3\varphi)\mp\sqrt{-1}\sin(\omega\pm 3\varphi)\big)}{3\sin 3\varphi}$$

ist, wobei wir uns um das Imaginäre nicht weiter kümmern, da es ja, wie wir oben gesehen haben, durch Einführung der Größe ν wieder entfernt werden kann.

41.a. [10] Nun haben wir aber für Q vier Werte entsprechend den beiden zu bestimmenden Größen P und Q. Zunächst ist nämlich für P und das Element $d\nu$

$$S=\cos\varphi+\nu^3\cos 2\varphi\,,$$

worin wir anstelle von v^3 den schon vorher benutzten Wert $-\cos 3\varphi \pm \sqrt{-1} \sin 3\varphi$ eintragen, wodurch

$$S = \cos \varphi - \cos 3\varphi \cos 2\varphi \pm \sqrt{-1} \sin 3\varphi \cdot \cos 2\varphi$$
$$= \sin 3\varphi\,(\sin 2\varphi \pm \sqrt{-1} \cos 2\varphi)$$

entsteht, so daß unser Wert gleich

$$F = \frac{1}{3} \sin \omega\,(\sin 2\varphi \pm \sqrt{-1} \cos 2\varphi)$$
$$\times \big(\mp \cos(\omega \pm 3\varphi) \mp \sqrt{-1} \sin(\omega \pm 3\varphi)\big)$$

ist, wobei dieser Wert für die oberen Vorzeichen gleich

$$F = +\frac{1}{3} \sin \omega\,\big(\sin(\omega + \varphi) - \sqrt{-1} \cos(\omega + \varphi)\big) \quad [11]$$

ist, während sich für die unteren Vorzeichen ergibt:

$$F = +\frac{1}{3} \sin \omega\,\big(\sin(\omega - \varphi) - \sqrt{-1} \cos(\omega - \varphi)\big)\,.$$

42. Nun muß man hieraus das Imaginäre entfernen, zu welchem Zwecke wir

$$\sin(\omega + \varphi) - \sqrt{-1} \cos(\omega + \varphi) = Av + B$$
$$= A \cos \omega + B + \sqrt{-1} A \sin \omega$$

setzen, woraus augenscheinlich zu folgern ist, daß

$$A = -\frac{\cos(\omega + \varphi)}{\sin \omega} \quad \text{und} \quad B = \frac{\cos \varphi}{\sin \omega}\,,$$

so daß wir für den ersten Fall haben:

$$F = -\frac{1}{3} v \cos(\omega + \varphi) + \frac{1}{3} \cos \varphi\,,$$

für den zweiten Fall aber:

$$A = -\frac{\cos(\omega - \varphi)}{\sin \omega} \quad \text{und} \quad B = \frac{\cos \varphi}{\sin \omega}$$

und deshalb

$$F = -\frac{1}{3} v \cos(\omega - \varphi) + \frac{1}{3} \cos \varphi\,.$$

Es ist wirklich nicht notwendig, weiterzugehen, weil uns ja die Erörterung dieser Spezialfälle schon den Weg ebnet zu der zu untersuchenden allgemeinen Form, die wir deshalb in der nun folgenden Aufgabenstellung behandeln werden.

Allgemeine Aufgabenstellung

Man untersuche, wenn $z=v(\cos\varphi+\sqrt{-1}\sin\varphi)$ *gesetzt wird, das Integral der Formel*

$$\int\frac{z^{m-1}dz}{1+z^n}.$$

Lösung

43. Da wegen des imaginären Wertes von z das gesuchte Integral gleichermaßen imaginär sein muß, setzen wir es in der Gestalt $P+Q\sqrt{-1}$ an, und zwar derart, daß P und Q reelle Größen sind; aus diesem Grunde ergibt sich durch die angegebene Substitution

$$\int\frac{z^{m-1}dz}{1+z^n}=P+Q\sqrt{-1}.$$

44. Da ferner

$$z=v(\cos\varphi+\sqrt{-1}\sin\varphi)$$

ist, folgt

$$z^n=v^n(\cos n\varphi+\sqrt{-1}\sin n\varphi)$$

und

$$\frac{dz}{z}=\frac{dv}{v}+d\varphi\sqrt{-1}.$$

Darum verwandelt sich also die vorgelegte Formel in

$$\frac{v^m(\cos m\varphi+\sqrt{-1}\sin m\varphi)\left(\frac{dv}{v}+d\varphi\sqrt{-1}\right)}{1+v^n(\cos n\varphi+\sqrt{-1}\sin n\varphi)},$$

wobei für die anschließende Rechnung anzumerken ist, daß der Nenner verschwindet, falls

$$v^n=-\frac{1}{\cos n\varphi+\sqrt{-1}\sin n\varphi}=-\cos n\varphi+\sqrt{-1}\sin n\varphi$$

gesetzt wird. Um nun den Nenner wirklich vom Imaginären zu befreien, wird oben und unten mit $1+\varrho^n(\cos n\varphi-\sqrt{-1}\sin n\varphi)$ multipliziert, und die Differentialformel, die wir mit $\mathrm{d}V$ bezeichnen werden, wird zu

$$\mathrm{d}V=\frac{\varrho^m(\cos m\varphi+\sqrt{-1}\sin m\varphi)\left(\frac{\mathrm{d}\varrho}{\varrho}+\mathrm{d}\varphi\sqrt{-1}\right)(1+\varrho^n(\cos n\varphi-\sqrt{-1}\sin n\varphi))}{1+2\varrho^n\cos n\varphi+\varrho^{2n}}$$

Der Zähler jedoch kann auf die Gestalt

$$\varrho^m\left(\frac{\mathrm{d}\varrho}{\varrho}+\mathrm{d}\varphi\sqrt{-1}\right)\Big(\cos m\varphi+\sqrt{-1}\sin m\varphi+\varrho^n\big(\cos(m-n)\varphi+$$
$$+\sqrt{-1}\sin(m-n)\varphi\big)\Big)$$

zurückgeführt werden, deren Real- und Imaginärteile sich gegenseitig derart voneinander trennen lassen, daß der Realteil gleich

$$\varrho^{m-1}\mathrm{d}\varrho\big(\cos m\varphi+\varrho^n\cos(m-n)\varphi\big)-\varrho^m\mathrm{d}\varphi\big(\sin m\varphi+\varrho^n\sin(m-n)\varphi\big)$$

ist, während der durch $\sqrt{-1}$ dividierte Imaginärteil gleich

$$\varrho^{m-1}\mathrm{d}\varrho\big(\sin m\varphi+\varrho^n\sin(m-n)\varphi\big)+\varrho^m\mathrm{d}\varphi\big(\cos m\varphi+\varrho^n\cos(m-n)\varphi\big)$$

ist.

45. Wir setzen nun der Kürze halber

$$R=\cos m\varphi+\varrho^n\cos(m-n)\varphi$$

und

$$S=\sin m\varphi+\varrho^n\sin(m-n)\varphi\,,$$

und die beiden gesuchten Größen P und Q werden durch die folgenden Integralformeln ausgedrückt:

$$P=\int\frac{R\varrho^{m-1}\,\mathrm{d}\varrho-S\varrho^m\,\mathrm{d}\varphi}{1+2\varrho^n\cos n\varphi+\varrho^{2n}}$$

und

$$Q=\int\frac{S\varrho^{m-1}\,\mathrm{d}\varrho+R\varrho^m\,\mathrm{d}\varphi}{1+2\varrho^n\cos n\varphi+\varrho^{2n}}\,.$$

Die ganze Aufgabe läuft also darauf hinaus, zunächst die dreigliedrigen Faktoren des Nenners aufzufinden und sie dann aus den einzelnen Partialbrüchen abzuspalten.

46. Wir setzen also voraus, ein beliebiger Faktor des Nenners sei

$$1-2\wp\cos\omega+\wp\wp\ ,$$

und dazu ist notwendig, daß nach dem Nullsetzen von $1-2\wp\cos\omega+$ $+\wp\wp$ allerdings der Nenner verschwindet, was wir schon vorher bemerkt haben insofern, als dies im Fall

$$\wp^n=-\cos n\varphi+\sqrt{-1}\sin n\varphi$$

zutrifft. Da nun $\wp=\cos\omega+\sqrt{-1}\sin\omega$ ist, ergibt sich daraus

$$\wp^n=\cos n\omega+\sqrt{-1}\sin n\omega\ ,$$

woher offensichtlich ist, daß

$$\cos n\omega=-\cos n\varphi \quad \text{und} \quad \sin n\varphi=+\sin n\omega$$

sein muß. Hierdurch ist klar, daß die Summe der Winkel $n\omega$ und $n\varphi$ einem Winkel $i\pi$, worin i eine beliebige ungerade Zahl bezeichnet, gleichzusetzen ist, so daß $n\omega=i\pi-n\varphi$ und deshalb

$$\omega=\frac{i\pi}{n}-\varphi$$

ist. Auf diese Weise ist jedoch evident, daß sich für ω ebensoviele verschiedene Werte ergeben, wie der Exponent Einheiten besitzt. Jeder einzelne Wert kommt aber dort vor, falls anstelle von i die ungeraden Zahlen 1, 3, 5, 7 usw. bis zu $2n-1$ eingesetzt werden; aus diesem Grunde führen dabei die einzelnen Faktoren auf die gleiche Anzahl von Teilbrüchen, und zwar für die einzelnen Anteile, durch die die Symbole P und Q ausgedrückt werden.

47. Zum Zwecke dieser auszuführenden Zerlegung betrachten wir in allgemeiner Weise den Bruch

$$\frac{N}{1+2\wp^n\cos n\varphi+\wp^{2n}}\ ,$$

wobei für den Faktor $1-2\wp\cos\omega+\wp\wp$ der Teilbruch gleich

$$\frac{F}{1-2\wp\cos\omega+\wp\wp}$$

wird, alle übrigen Glieder aber werden mit Ω bezeichnet, so daß

$$\frac{N}{1+2\wp^n\cos n\varphi+\wp^{2n}}=\frac{F}{1-2\wp\cos\omega+\wp\wp}+\Omega$$

ist, woraus wir

$$F=\frac{N\,(1-2v\cos\omega+vv)}{1+2v^n\cos n\varphi+v^{2n}}-\Omega\,(1-2v\cos\omega+vv)$$

ermitteln. Daran ist abzulesen, daß der Wert von F aus dem ersten Summanden allein gewonnen werden kann, falls $1-2v\cos\omega+$ $+vv=0$ gesetzt wird. Dann aber verschwinden sowohl der Zähler als auch der Nenner des ersten Summanden, woraus folgt, daß gemäß einer wohlbekannten Regel [12] die Differentiale zu substituieren sind, was

$$F=\frac{N\,(2v-2\cos\omega)}{2nv^{2n-1}+2nv^{n-1}\cos n\varphi}=\frac{N\,(v-\cos\omega)}{nv^{n-1}\,(v^n+\cos n\varphi)}$$

nach sich zieht.

48. Weil aber in dem Falle, in dem jenes Verschwinden von Zähler und Nenner auftritt,

$$v=\cos\omega+\sqrt{-1}\,\sin\omega$$

und

$$v^n=-\cos n\varphi+\sqrt{-1}\,\sin n\varphi$$

ist, erhält man nach Einsetzen dieser Werte:

$$F=\frac{N\sin\omega}{nv^{n-1}\sin n\varphi}=\frac{Nv\sin\omega}{nv^n\sin n\varphi}\,.$$

Es ist also jetzt nur noch notwendig, anstelle von N die verschiedenen Summanden, die oben in den Zählern der Formeln P und Q auftreten, einzusetzen und danach mit Hilfe der Gleichung $vv-2v\cos\omega+1=0$ die einzelnen Ausdrücke unter die zweite Potenz von v hinunterzudrücken.

49. Zu diesem Zweck ziehen wir das folgende Lemma heran: *Falls*

$$vv-2v\cos\omega+1=0$$

ist, so ist stets

$$v^\lambda\sin\omega=v\sin\lambda\omega-\sin(\lambda-1)\omega\,,$$

dessen Gültigkeit nicht schwierig zu beweisen ist. Es ist nur nötig, daß für das Symbol N zwei Werte diskutiert werden, und zwar $N=Rv^{m-1}$ und $N=Sv^{m-1}$, denen nachher dv oder $d\varphi$ hinzuzufügen ist. Es sei also zunächst

$$N = R\nu^{m-1} = \nu^{m-1}\cos m\varphi + \nu^{m+n-1}\cos(m-n)\varphi$$

und

$$F = \frac{\nu^{m-n}\sin\omega\cos m\varphi + \nu^m\sin\omega\cos(m-n)\varphi}{n\sin n\varphi},$$

wobei wir nach dem Lemma haben:

$$\nu^{m-n}\sin\omega = \nu\sin(m-n)\omega - \sin(m-n-1)\omega$$

und

$$\nu^m\sin\omega = \nu\sin m\omega - \sin(m-1)\omega,$$

woraus sich also

$$F = \frac{1}{n\sin n\varphi}\left\{\frac{+\nu\sin(m-n)\omega\cos m\varphi - \sin(m-n-1)\omega\cos m\varphi}{+\nu\sin m\omega\cos(m-n)\varphi - \sin(m-1)\omega\cos(m-n)\varphi}\right\}$$

ergibt.

50. In diesem Ausdruck wird das Symbol ν begleitet von der Formel

$$\sin(m-n)\omega\cos m\varphi + \cos(m-n)\varphi\sin m\omega,$$

für deren Zerlegung zu bemerken ist, daß

$$\cos n\omega = -\cos n\varphi \quad \text{und} \quad \sin n\omega = +\sin n\varphi$$

gilt, und daher ergibt sich:

$$\sin(m-n)\omega = -\sin m\omega\cos n\varphi - \cos m\omega\sin n\varphi,$$

während

$$\cos(m-n)\varphi = \cos m\varphi\cos n\varphi + \sin m\varphi\sin n\varphi$$

ist, so daß die nach Einsetzung dieser Werte die das Symbol ν betreffende Größe gleich

$$-\sin n\varphi\cos m(\omega+\varphi)$$

ist. Der übrigbleibende Summand aber entsteht nun, wenn nach Vorzeichenänderung $(m-1)\omega$ anstelle von $m\omega$ geschrieben wird, so daß der gesamte gesuchte Wert gleich

$$F = -\frac{1}{n}\nu\cos m(\omega+\varphi) + \frac{1}{n}\cos\big((m-1)\omega + m\varphi\big)$$

ist.

51. Wir haben jedoch oben gesehen, daß $\omega+\varphi=\frac{i\pi}{n}$ und deshalb $m\,(\omega+\varphi)=\frac{mi\pi}{n}$ ist; anstelle des letzteren schreiben wir ζ, infolgedessen ist im vorliegenden Fall mit $N=R\varrho^{m-1}$ der Zähler des gesuchten Bruches gleich

$$F=-\frac{1}{n}\left(n\cos\zeta-\cos\left(\zeta-\omega\right)\right),$$

und es wird dergestalt vereinbart, ihn auf zweifache Weise zu behandeln; bezüglich des Symbols P ist er ja mit $d\varrho$ zu multiplizieren, während er in bezug auf Q mit $\varrho\, d\varphi$ zu multiplizieren ist.
52. Für den Fall

$$N=S\varrho^{m-1}=\varrho^{m-1}\sin m\varphi+\varrho^{m+n-1}\sin\left(m-n\right)\varphi$$

ergibt sich auf ähnliche Weise

$$F=\frac{\varrho^{m-n}\sin\omega\sin m\varphi+\varrho^{m}\sin\omega\sin\left(m-n\right)\varphi}{n\sin n\varphi}.$$

Anstelle der Potenzen von ϱ tragen wir nun die oben bezeichneten Werte ein, und es wird

$$F=\frac{1}{n\sin n\omega}\begin{Bmatrix}\varrho\sin m\varphi\sin\left(m-n\right)\omega-\sin m\varphi\sin\left(m-n-1\right)\omega\\ +\varrho\sin\left(m-n\right)\varphi\sin m\omega-\sin\left(m-n\right)\varphi\sin\left(m-1\right)\omega\end{Bmatrix}.$$

Da nun

$$\sin\left(m-n\right)\omega=-\sin m\omega\cos n\varphi-\cos m\omega\sin n\varphi$$

und

$$\sin\left(m-n\right)\varphi=\sin m\varphi\cos n\varphi-\cos m\varphi\sin n\varphi$$

ist, wird ϱ durch die Größe

$$-\sin n\varphi\sin\left(\varphi+\omega\right)m=-\sin n\varphi\sin\zeta$$

bestimmt, woraus sich der gesamte Wert als

$$F=-\frac{1}{n}\left(\varrho\sin\zeta-\sin\left(\zeta-\omega\right)\right)$$

ergibt, wobei dieser Wert hinsichtlich P mit $-\varrho\, d\varphi$ und hinsichtlich Q mit $+d\varrho$ zu versehen ist.
53. Nach Ermitteln dieser Werte ergeben dann die einzelnen Winkel ω, deren Anzahl $=n$ ist, ebensoviele Anteile für die

gesuchten Größen P und Q, das heißt, der Wert $\omega = \frac{i\pi}{n} - \varphi$, wobei $\frac{mi\pi}{n} = \zeta$ ist, ergibt [13]:

$$P = -\frac{1}{n} \int \frac{d\varrho\,(v \cos\zeta - \cos(\zeta-\omega)) - \varrho\, d\varphi\,(\varrho \sin\zeta - \sin(\zeta-\omega))}{1 - 2\varrho\cos\omega + \varrho\varrho}$$

und

$$Q = -\frac{1}{n} \int \frac{d\varrho\,(\varrho \sin\zeta - \sin(\zeta-\omega)) + \varrho\, d\varphi\,(\varrho \cos\zeta - \cos(\zeta-\omega))}{1 - 2\varrho\cos\omega - \varrho\varrho}.$$

Hierin wird allerdings $d\varphi$ noch mit $\varrho\varrho$ multipliziert, anstelle dieses Faktors darf $2\varrho\cos\omega - 1$ geschrieben werden; freilich wird durch Unterlassen dieser Substitution kein Fehler begangen.

54. Wir sehen nun, wie die Integration dieser Formeln ausgeführt werden kann. Zunächst haben wir den Winkel φ als Konstante, so daß

$$P = -\frac{1}{n} \int \frac{d\varrho\,(\varrho \cos\zeta - \cos(\zeta-\omega))}{1 - 2\varrho\cos\omega + \varrho\varrho}$$

und

$$Q = -\frac{1}{n} \int \frac{d\varrho\,(\varrho \sin\zeta - \sin(\zeta-\omega))}{1 - 2\varrho\cos\omega + \varrho\varrho}$$

sind. Es wird dann

$$M = \int \frac{d\varrho\,(\varrho \cos\zeta - \cos(\zeta-\omega))}{1 - 2\varrho\cos\omega + \varrho\varrho}$$

gesetzt, und es gilt

$$M - \cos\zeta \log\sqrt{1 - 2\varrho\cos\omega + \varrho\varrho}$$

$$= \int \frac{d\varrho\,(\varrho \cos\zeta - \cos(\zeta-\omega))}{1 - 2\varrho\cos\omega + \varrho\varrho} - \int \frac{(\varrho\cos\zeta - \cos\zeta\cos\omega)\,d\varrho}{1 - 2\varrho\cos\omega + \varrho\varrho}$$

$$= \int \frac{d\varrho\,(\cos\zeta\cos\omega - \cos(\zeta-\omega))}{1 - 2\varrho\cos\omega + \varrho\varrho} = -\int \frac{d\varrho \sin\zeta \sin\omega}{1 - 2\varrho\cos\omega + \varrho\varrho}$$

so daß das Integral zu

$$-\sin\zeta \arctan\frac{\varrho\sin\omega}{1 - \varrho\cos\omega}$$

wird, deshalb ist

$$M = \cos\zeta \log\sqrt{1-2v\cos\omega+vv} - \sin\zeta \arctan\frac{v\sin\omega}{1-v\cos\omega}$$

folglich haben wir

$$P = -\frac{\cos\zeta}{n}\log\sqrt{1-2v\cos\omega+vv} + \frac{\sin\zeta}{n}\arctan\frac{v\sin\omega}{1-v\cos\omega}.$$

55. An diesem Wert lesen wir an Hand der Variabilität von v allein sofort ab, wie es um den veränderlichen Winkel φ bestellt ist. Zu diesem Zwecke differenzieren wir die gefundene Formel unter der Festsetzung, allein der Winkel ω sei veränderlich, wobei ja $d\omega = -d\varphi$ wegen des konstanten Winkels ζ ist, und das Differential wird zu

$$-\frac{1}{n}\,\frac{-v\,d\varphi\sin\omega\cos\zeta + v\,d\varphi(\cos\omega - v)\sin\zeta}{1-2v\cos\omega+vv}$$
$$= \frac{1}{n}\,\frac{\left(v\sin\zeta - \sin(\zeta-\omega)\right)v\,d\varphi}{1-2v\cos\omega+vv},$$

was vollständig mit der vorgegebenen Form in Einklang steht, so daß der richtige Wert für P gleich

$$P = -\frac{\cos\zeta}{n}\log\sqrt{1-2v\cos\omega+vv} = \frac{\sin\zeta}{n}\arctan\frac{v\sin\omega}{1-v\cos\omega}$$

ist.

56. In gleicher Weise verfahren wir mit dem Wert Q, und es sei

$$M = \int\frac{dv\left(v\sin\zeta - \sin(\zeta-\omega)\right)}{1-2v\cos\omega+vv},$$

dann ist

$$M - \sin\zeta\log\sqrt{1-2v\cos\omega+vv}$$
$$= \int\frac{dv\left(v\sin\zeta - \sin(\zeta-\omega)\right)}{1-2v\cos\omega+vv} - \int\frac{(v\sin\zeta - \cos\omega\sin\zeta)\,dv}{1-2v\cos\omega+vv}$$
$$= \int\frac{dv\cos\zeta\sin\omega}{1-2v\cos\omega+vv} = \cos\zeta\arctan\frac{v\sin\omega}{1-v\cos\omega},$$

woraus offensichtlich zu folgern ist:

$$Q = -\frac{\sin\zeta}{n}\log\sqrt{1-2v\cos\omega+vv} - \frac{\cos\zeta}{n}\arctan\frac{v\sin\omega}{1-v\cos\omega},$$

wobei dieser Ausdruck auch mit der Veränderlichkeit von φ in Einklang steht.

57. Jetzt ist es also leicht möglich, den Fall der Formel $\int \frac{dz}{1+z^3}$, den wir schon zweimal erfolglos in Angriff genommen hatten, zu erledigen. Da nun hier $m=1$ und $n=3$ ist, müssen von dem Symbol i die drei Werte 1, 3 und 5 angenommen werden, weshalb für unsere Integralformeln die folgenden Werte in Frage kommen:

i	1	3	5
ω	$60^\circ-\varphi$	$180^\circ-\varphi$	$300^\circ-\varphi$
$\sin\omega$	$\sin(60^\circ-\varphi)$	$\sin\varphi$	$-\sin(60^\circ+\varphi)$
$\cos\omega$	$\cos(60^\circ-\varphi)$	$-\cos\varphi$	$\cos(60^\circ+\varphi)$
ζ	60°	180°	300°
$\sin\zeta$	$\frac{\sqrt{3}}{2}$	0	$-\frac{\sqrt{3}}{2}$
$\cos\zeta$	$\frac{1}{2}$	-1	$\frac{1}{2}$

58. Aus diesen drei Werten aber gewinnen wir sowohl für P als auch für Q jeweils drei Beiträge, welche lauten:

Für P

Beitrag I. $$-\frac{1}{6}\log\sqrt{1-2v\cos(60^\circ-\varphi)+vv}+$$
$$+\frac{1}{2\sqrt{3}}\arctan\frac{v\sin(60^\circ-\varphi)}{1-v\cos(60^\circ-\varphi)},$$

Beitrag II. $$+\frac{1}{3}\log\sqrt{1+2v\cos\varphi+vv}+0,$$

Beitrag III. $$-\frac{1}{6}\log\sqrt{1-2v\cos(60^\circ+\varphi)+vv}+$$
$$+\frac{1}{2\sqrt{3}}\arctan\frac{v\sin(60^\circ+\varphi)}{1-v\cos(60^\circ+\varphi)}.$$

Auf Grund dessen ist es nützlich angemerkt zu werden, daß der erste und der dritte Beitrag wie folgt zusammengefaßt ausgedrückt werden können:

$$-\frac{1}{12}\log\left(1-2v\cos\varphi+2vv\left(\frac{1}{2}+\cos 2\varphi\right)-2v^3\cos\varphi+v^4\right)$$

$$+\frac{1}{2\sqrt{3}}\arctan\frac{2v\cos\varphi\sqrt{3}-vv\sqrt{3}}{2-2v\cos\varphi-vv}.$$

Für Q

Beitrag I. $-\frac{1}{2\sqrt{3}}\log\sqrt{1-2v\cos(60^\circ-\varphi)+vv}-$

$$-\frac{1}{6}\arctan\frac{v\sin(60^\circ-\varphi)}{1-v\cos(60^\circ-\varphi)},$$

Beitrag II. $-0 \quad +\frac{1}{3}\arctan\frac{v\sin\varphi}{1+v\cos\varphi},$

Beitrag III. $+\frac{1}{2\sqrt{3}}\log\sqrt{1-2v\cos(60^\circ+\varphi)+vv}+$

$$+\frac{1}{6}\arctan\frac{v\sin(60^\circ+\varphi)}{1-v\cos(60^\circ+\varphi)}.$$

Hier können wiederum der erste und der dritte Beitrag zusammengezogen werden, aber es ist besser, dies an den Formeln auszuführen, sobald sie gefunden worden sind. So erschließen wir nun durch ebendiese Verfahrensweise die folgenden Lehrsätze.

Theorem

59. Wenn unter der Annahme

$$z=v(\cos\varphi+\sqrt{-1}\sin\varphi)$$

gesetzt wird:

$$\int\frac{dz}{1+z^3}=P+Q\sqrt{-1},$$

dann drücken sich die Größen P und Q folgendermaßen aus:

$$P=\begin{cases} -\frac{1}{6}\log\sqrt{1-2v\cos(60^\circ-\varphi)+vv}+ \\ \qquad +\frac{1}{2\sqrt{3}}\arctan\frac{v\sin(60^\circ-\varphi)}{1-v\cos(60^\circ-\varphi)} \\ +\frac{1}{3}\log\sqrt{1+2v\cos\varphi+vv} \\ -\frac{1}{6}\log\sqrt{1-2v\cos(60^\circ+\varphi)+vv}+ \\ \qquad +\frac{1}{2\sqrt{3}}\arctan\frac{v\sin(60^\circ+\varphi)}{1-v\cos(60^\circ+\varphi)}, \end{cases}$$

$$Q=\begin{cases} -\frac{1}{2\sqrt{3}}\log\sqrt{1-2v\cos(60^\circ-\varphi)+vv} \\ \qquad -\frac{1}{6}\arctan\frac{v\sin(60^\circ-\varphi)}{1-v\cos(60^\circ-\varphi)} \\ +\frac{1}{3}\arctan\frac{v\sin\varphi}{1+v\cos\varphi} \\ +\frac{1}{2\sqrt{3}}\log\sqrt{1-2v\cos(60^\circ+\varphi)+vv}+ \\ \qquad +\frac{1}{6}\arctan\frac{v\sin(60^\circ+\varphi)}{1-v\cos(60^\circ+\varphi)}. \end{cases}$$

Korollar 1

60. Wenn wir also den Winkel φ gleich 0 setzen, so daß $z=v$ wird, dann gilt für die Integralformel

$$\int\frac{dv}{1+v^3}=P+Q\sqrt{-1}:$$

$$P=\begin{cases} -\frac{1}{6}\log\sqrt{1-v+vv}+\frac{1}{2\sqrt{3}}\arctan\frac{v\sqrt{3}}{2-v} \\ +\frac{1}{3}\log(1+v) \\ -\frac{1}{6}\log\sqrt{1-v+vv}+\frac{1}{2\sqrt{3}}\arctan\frac{v\sqrt{3}}{2-v}, \end{cases}$$

$$Q=\begin{cases} -\dfrac{1}{2\sqrt{3}}\log\sqrt{1-v+vv}+\dfrac{1}{6}\arctan\dfrac{v\sqrt{3}}{2-v} \\ +\dfrac{1}{2\sqrt{3}}\log\sqrt{1-v+vv}+\dfrac{1}{6}\arctan\dfrac{v\sqrt{3}}{2-v}. \end{cases}$$

Demnach ist $Q=0$, wie es die Natur der Sache erfordert. Weil ja die zu integrierende Form selbst reell ist, kann auch das Integral keinen Imaginärteil enthalten. Davon abgesehen ist dieses Integral hinreichend bekannt.

Korollar 2

61. Wir betrachten auch den Fall $\varphi=90°$, folglich $z=v\sqrt{-1}$, und die zu integrierende Formel ist

$$\int\frac{dv\sqrt{-1}}{1-v^3\sqrt{-1}}=P+Q\sqrt{-1}\ ;$$

die Größen P und Q jedoch drücken sich wie folgt aus:

$$P=\begin{cases} -\dfrac{1}{6}\log\sqrt{1-v\sqrt{3}+vv}-\dfrac{1}{2\sqrt{3}}\arctan\dfrac{v}{2-v\sqrt{3}} \\ +\dfrac{1}{3}\log\sqrt{1+vv} \\ -\dfrac{1}{6}\log\sqrt{1+v\sqrt{3}+vv}+\dfrac{1}{2\sqrt{3}}\arctan\dfrac{v}{2+v\sqrt{3}}, \end{cases}$$

$$Q=\begin{cases} -\dfrac{1}{2\sqrt{3}}\log\sqrt{1-v\sqrt{3}+vv}+\dfrac{1}{6}\arctan\dfrac{v}{2-v\sqrt{3}} \\ \qquad +\dfrac{1}{3}\arctan v \\ +\dfrac{1}{2\sqrt{3}}\log\sqrt{1+v\sqrt{3}+vv}+\dfrac{1}{6}\arctan\dfrac{v}{2+v\sqrt{3}}. \end{cases}$$

Korollar 3

62. Außerdem scheint noch in der Tat der Fall $\varphi=60°$ besonderer Aufmerksamkeit würdig zu sein, wobei $z=\dfrac{v}{2}+\dfrac{v\sqrt{-3}}{2}$ und $z^3=-v^3$

ist, so daß die zu integrierende Formel gleich

$$\frac{d\varphi\left(\frac{1}{2}+\frac{1}{2}\sqrt{-3}\right)}{1-\varphi^3}$$

ist; dann ist also

$$P=\begin{cases} -\frac{1}{6}\log(1-\varphi) \\ +\frac{1}{3}\log\sqrt{1+\varphi+\varphi\varphi} \\ -\frac{1}{6}\log\sqrt{1+\varphi+\varphi\varphi}+\frac{1}{2\sqrt{3}}\arctan\frac{\varphi\sqrt{3}}{2+\varphi}, \end{cases}$$

$$Q=\begin{cases} -\frac{1}{2\sqrt{3}}\log(1-\varphi) \\ +\frac{1}{3}\arctan\frac{\varphi\sqrt{3}}{2+\varphi} \\ +\frac{1}{2\sqrt{3}}\log\sqrt{1+\varphi+\varphi\varphi}+\frac{1}{6}\arctan\frac{\varphi\sqrt{3}}{2+\varphi}, \end{cases}$$

woraus sich offenbar $P:Q=1:\sqrt{3}$ ergibt, ganz wie es die Natur der Sache verlangt.

VI.

Eine weitere Untersuchung über imaginäre Integrale

Zusammenfassung

Wenn man mit Z irgendeine Funktion von z bezeichnet, wobei man $z=x+y\sqrt{-1}$ setzt, erhält man die Form $M+N\sqrt{-1}$; auf die Funktion $M-N\sqrt{-1}$ führt das Setzen von $z=x-y\sqrt{-1}$, wo M und N stets reelle Größen sind. Daraus folgt, daß – wenn man im Integral $\int Z\mathrm{d}z$ setzt $z=x+y\sqrt{-1}$, also $Z=M+N\sqrt{-1}$ ist – das Integral die Form $P+Q\sqrt{-1}$ haben wird, wobei

$$P=\int(M\mathrm{d}x-N\mathrm{d}y) \quad \text{und} \quad Q=\int(N\mathrm{d}x+M\mathrm{d}y)$$

sein wird.

Nach diesen Prinzipien hat der Autor dieser Abhandlung einst das Integral

$$\int\frac{z^{m-1}\mathrm{d}z}{1+z^n}$$

in einem der Aufsätze des Bandes 7 der „Nova Acta" dargestellt, und derselben Methode folgend hat er in dem vorliegenden Aufsatz das Integral der um vieles allgemeineren Formel

$$\int\frac{z^{m-1}\mathrm{d}z}{(a+bz^n)^\lambda}$$

gesucht für den Fall, wo z eine imaginäre Größe der Form $x+y\sqrt{-1}$ ist und die Werte der reellen Größen P und Q bestimmt, die das Integral $P+Q\sqrt{-1}$ bilden, gemäß den Formeln, deren Integration man mit Hilfe derselben Gesetze durchführt, die für das Integral $\int\frac{z^{m-1}\mathrm{d}z}{(a+bz^n)^\lambda}$ vorgegeben sind, wenn z eine reelle Größe ist; damit werden, wenn dieses Integral berechnet werden kann, sei es algebraisch, sei es durch den Logarithmus und die Bogenlänge, auch die Werte von P und Q auf dieselbe Weise ausgedrückt.

Diese Untersuchung führt den Autor zu einem sehr allgemeinen Satz der Integralrechnung; aus der Erkenntnis, daß man immer – wenn P und Q rationale Funktionen der Form x^n bezeichnen –

$$\frac{\mathrm{d}x\,(Px^{m-1}+Qx^{n-1})}{(a+bx^n)^{\frac{m}{n}}}$$

mit Hilfe der Logarithmen und der Bogenlängen errechnen kann, vollendet der Beweis dieses Satzes die Abhandlung.

Der Autor bemerkt ferner, daß es wünschenswert wäre, diese letzteren Integrationen auch ohne Hilfe der imaginären Größen machen zu können; aber er räumt ein, daß er dafür keine Möglichkeit sieht, was einen neuen Beweis für den großen Nutzen gibt, den die Analysis durch die Einführung imaginärer Größen gewinnt, wodurch der verstorbene Herr Euler eine Anzahl von Problemen der Integralrechnung gelöst hat, sogar die Fragen, die die Analysis des Diophant betreffen und die ohne Hilfe von imaginären Größen niemals gelöst worden wären. [14]

1. Die allgemeine Theorie der imaginären Zahlen, von der so viele bedeutende Zuwächse nunmehr wenigstens der Analysis hinzugefügt worden sind, stützt sich hauptsächlich auf die Grundlage, daß, wenn Z eine beliebige Funktion von z ist und diese – nachdem $z=x+y\sqrt{-1}$ gesetzt worden ist – in die Form $M+N\sqrt{-1}$ übergeht, sich dann dieselbe Funktion Z, nachdem $z=x-y\sqrt{-1}$ gesetzt worden ist, zu $M-N\sqrt{-1}$ entwickelt, wobei jedenfalls M und N immer reelle Größen bezeichnen. Daher wird, wenn die Differentialform Zdz angesetzt wird, deren Integral $\int Zdz=V$ ist und in der $z=x+y\sqrt{-1}$ gesetzt wird, woraus $z=M+N\sqrt{-1}$ hervorgeht, das Integral selbst von der Form $V=P+Q\sqrt{-1}$ sein. Da nämlich

$$dV=Zdz=Mdx-Ndy+(Ndx+Mdy)\sqrt{-1}$$

ist, wird das Integral

$$\int(Mdx-Ndy)+\sqrt{-1}\cdot\int(Ndx+Mdy)=P+Q\sqrt{-1}$$

sein.

Notwendig ist also, daß – nachdem $z=x-y\sqrt{-1}$ gesetzt worden ist –

$$P-Q\sqrt{-1}=\int(Mdx-Ndy)-\sqrt{-1}\cdot\int(Ndx+Mdy)$$

werde.

Daraus ist aber ersichtlich, daß

$$P=\int(Mdx-Ndy) \quad \text{und} \quad Q=\int(Ndx+Mdy)$$

sein werden.

Dadurch ist erkennbar, daß bei Substitutionen dieser Art reelle und imaginäre Teile untereinander immer vergleichbar sein müssen.

2. Diese Entwicklung gibt uns jetzt die hervorstechenden Eigenschaften, die zwischen den Größen M, N, P und Q bestehen. Wenn nämlich zunächst

$$P = (M\mathrm{d}x - N\mathrm{d}y)$$

sei, wobei diese Gleichung immer eine Integration zuläßt, wird gemäß dem allgemeinen Kriterium für Integrale dieser Art

$$\frac{\partial M}{\partial y} = -\frac{\partial N}{\partial x}$$

sein.

Auf dieselbe Weise aber wird, weil wir

$$Q = \int (N\mathrm{d}x + M\mathrm{d}y)$$

haben, wegen der Integrierbarkeit dieser Formel

$$\frac{\partial M}{\partial x} = \frac{\partial N}{\partial y}$$

sein.

Durch eine derartige Substitution werden die beiden so beschaffenen Funktionen M und N der beiden Variablen x und y immer gefunden, die mit solchen hervorstechenden Merkmalen ausgestattet sind, daß sowohl

$$\frac{\partial M}{\partial y} = -\frac{\partial N}{\partial x}$$

als auch

$$\frac{\partial M}{\partial x} = \frac{\partial N}{\partial y}$$

ist.

3. Eine ähnliche Eigenschaft kommt auch den Größen P und Q zu. Denn wenn

$$\mathrm{d}P = M\mathrm{d}x - N\mathrm{d}y \quad \text{und} \quad \mathrm{d}Q = M\mathrm{d}y + N\mathrm{d}x$$

sei, wird durch ähnliche Eigenschaften

$$\frac{\partial P}{\partial x} = M \quad \text{und} \quad \frac{\partial P}{\partial y} = -N\,,$$

$$\frac{\partial Q}{\partial x} = N \quad \text{und} \quad \frac{\partial Q}{\partial y} = M\,,$$

woraus offensichtlich ist, daß

$$\frac{\partial P}{\partial x}=\frac{\partial Q}{\partial y} \quad \text{und} \quad \frac{\partial P}{\partial y}=-\frac{\partial Q}{\partial x}$$

sein werden.

Solche Beziehungen sind jedenfalls um so mehr einer Untersuchung wert, als deren Berechnung weniger durchschaut wird, sobald für Z etwas kompliziertere Funktionen angenommen werden.

4. Unlängst habe ich gemäß diesen Grundlagen das Integral

$$\int \frac{z^{m-1}\mathrm{d}z}{1 \pm z^n}$$

angesehen, von dem ich mehrere, nicht zu verachtende Beziehungen dieser Art erlangt habe. Daraufhin habe ich diese Betrachtungsweise auch auf das Integral

$$\int \frac{\mathrm{d}z}{n\sqrt{(1+z^n)}}$$

ausgedehnt; da es möglich ist, dieses Integral immer durch Logarithmen und Bogenlängen auszudrücken, müssen sie deshalb auch für P und Q derselben Formel nützen, die eine ähnliche Integration zulassen, wenn auch kaum ein Weg offen ist, diese Integration auszuführen. Auf diese Weise bin ich an einen sehr bemerkenswerten Satz herangeführt worden, dessen Beweis nahezu die Mittel der Analysis zu übertreffen scheint; in der Zwischenzeit habe ich seinen Beweis dennoch nacheinander herausgearbeitet; deshalb habe ich beschlossen, diesen Nachweis etwas allgemeiner abzuhandeln.

5. Ich werde also hier die viel weitreichendere Gleichung

$$\int \frac{z^{m-1}\,\mathrm{d}z}{(\mathrm{d}+bz^n)^\lambda}=V$$

durchdenken, wobei ich – damit die Rechnung bequemer gelingt – an Stelle von z die imaginäre Gleichung

$$z=v\,(\cos\vartheta+\sqrt{-1}\,\sin\vartheta)$$

setze, welche ja alles Imaginäre in sich enthält; wenn ich dann den Winkel ϑ als Konstante ansetze, so wie für uns allein v die

Variable sei, dann wird also sogleich

$$\frac{dz}{z}=\frac{dv}{v}$$

werden. Da also

$$z^m=v^m\,(\cos m\vartheta+\sqrt{-1}\,\sin m\vartheta)\,dv$$

ist, wird der Zähler dieser Formel sofort

$$z^{m-1}dz=v^{m-1}\,(\cos m\vartheta+\sqrt{-1}\,\sin m\vartheta)\,dv\,.$$

Gemäß dieser Substitution wollen wir jedenfalls voraussetzen, daß dieser Integralwert

$$V=P+Q\sqrt{-1}$$

wird.

6. Für den Nenner aber werden wir

$$a+bz^n=a+bv^n\,(\cos n\vartheta+\sqrt{-1}\,\sin n\vartheta)$$

erhalten, dessen reeller Teil also

$$a+bv^n\cos n\vartheta$$

ist, der imaginäre Teil aber

$$bv^n\sqrt{-1}\,\sin n\vartheta\;;$$

von da aus könnten wir leicht, wenn der Exponent eine gerade Zahl wäre, die imaginären Teile aus dem Nenner in den Zähler bringen, indem wir oben und unten multiplizieren würden zu

$$\left(a+bv^n\,(\cos n\vartheta-\sqrt{-1}\,\sin n\vartheta)\right)^\lambda .$$

Und da diese Fälle ohne Schwierigkeit ablaufen, ist diese Rechenart vorzüglich geeignet, für rationale Exponenten, die für λ angenommen sind, angewendet zu werden.

7. Schließlich wollen wir an Stelle der Variablen v eine andere Variable, und zwar s mit dem bestimmten Winkel φ, in die Rechnung einführen, so daß

$$a+bv^n\cos n\vartheta=s\cos\varphi \quad \text{und} \quad bv^n\sin n\vartheta=s\sin\varphi$$

ist, wodurch also eine bestimmte Beziehung zwischen dieser neuen Variablen s und dem Winkel φ festgesetzt wird, so daß entweder s allein oder der Winkel φ allein in die Rechnung eingeführt werden kann. Es ist auch ersichtlich, daß diese beiden Größen für die Variable v so definiert werden, daß

$$1.\ ss = aa + 2abv^n \cos n + bbv^{2n},$$

$$2.\ \tan\varphi = \frac{bv^n \sin n\vartheta}{a + bv^n \cos n\vartheta}$$

ist.

8. Hier wird aber sofort erkannt, daß die Größe s selbst an Stelle von v nicht leicht in die Rechnung eingeführt werden kann, zumindest könnte der Winkel φ, dessen verschiedene Vielfache hinderlich sind, auf keine Weise aus der Rechnung eliminiert werden oder wenigstens unentwirrbare Formen in die Rechnung eingehen lassen. Deshalb ist es angebracht, die gesamte Rechnung auf die eine Variable φ zurückzuführen, so daß es uns obliegt, die beiden Größen v und s durch die neue Variable φ zu bestimmen.

9. Bevor wir jedoch dies durchführen, wollen wir den Nenner unserer Formel untersuchen, der für die beiden angenommenen Variablen s und φ so exakt ausgedrückt werden kann, daß

$$a + bz^n = s\,(\cos\varphi + \sqrt{-1}\sin\varphi)$$

werde, und daher ist der ganze Nenner

$$(a + bz^n)^\lambda = s^\lambda\,(\cos\lambda\varphi + \sqrt{-1}\sin\lambda\varphi)\,.$$

Wenn wir also oben und unten mit

$$\cos\lambda\varphi - \sqrt{-1}\sin\lambda\varphi$$

multiplizieren, wird unsere angesetzte Formel durch den bisher zurückbehaltenen Zähler folgende Form annehmen

$$\int \frac{v^{m-1}\,dv\,(\cos m\vartheta + \sqrt{-1}\sin m\vartheta)\,(\cos\lambda\varphi - \sqrt{-1}\sin\lambda\varphi)}{s^\lambda} = V,$$

die in die vereinfachte Form

$$\int \frac{v^{m-1}dv}{s^\lambda}\,(\cos(m\vartheta - \lambda\varphi) + \sqrt{-1}\sin(m\vartheta - \lambda\varphi))$$

übergeführt wird; deren Wert, wenn gesetzt sei

$$=P+Q\sqrt{-1},$$

wird, wenn man die reellen Teile von den imaginären trennt,

$$P=\frac{v^{m-1}\,dv\cos(m\vartheta-\lambda\varphi)}{s^{\lambda}}$$

und

$$Q=-\frac{v^{m-1}\,dv\sin(m\vartheta-\lambda\varphi)}{s^{\lambda}}$$

sein.

10. Sobald wir nunmehr hieraus die beiden Größen v und s eliminieren, wollen wir zu den beiden zuvor aufrecht erhaltenen Positionen

$$1.\ a+bv^{n}\cos n\vartheta=s\cos\varphi$$

und

$$2.\ bv^{n}\sin n\vartheta=s\sin\varphi$$

zurückkehren.

Hier wird zuerst die Größe s durch diese Kombination eliminiert:

$$1.\ \sin\varphi-2.\ \cos\varphi,$$

woraus

$$a\sin\varphi=bv^{n}\sin(n\vartheta-\varphi)$$

wird, und schließlich

$$v^{n}=\frac{a\sin\varphi}{b\sin(n\vartheta-\varphi)},$$

und somit haben wir schon den Wert von v durch den Winkel φ ausgedrückt. Bald zeigt sich diese Kombination

$$1.\ \sin n\vartheta-2.\ \cos n\vartheta$$

als

$$a\sin n\vartheta=s\sin(n\vartheta-\varphi),$$

woraus

$$s=\frac{a\sin n\vartheta}{\sin(n\vartheta-\varphi)},$$

wird, aus welchem Wert wir

$$P=\frac{1}{a^\lambda \sin n\vartheta^\lambda}\int v^{m-1}\,dv \sin(n\vartheta-\varphi)^\lambda \cos(m\vartheta-\lambda\varphi)$$

und

$$Q=\frac{1}{a^\lambda \sin n\vartheta^\lambda}\int v^{m-1}\,dv \sin(n\vartheta-\varphi)^\lambda \sin(m\vartheta-\lambda\varphi)$$

erhalten.

11. Da wir bald

$$v^n=\frac{a\sin\varphi}{b\sin(n\vartheta-\varphi)}$$

finden, werden wir, nachdem die Logarithmen gebildet worden sind,

$$n\log v=\log a\sin\varphi-\log b\sin(n\vartheta-\varphi)$$

erhalten und durch Differenzieren

$$\frac{n\,dv}{v}=\frac{d\varphi\cos\varphi}{\sin\varphi}+\frac{d\varphi\cos(n\vartheta-\varphi)}{\sin(n\vartheta-\varphi)}=\frac{d\varphi\sin n\vartheta}{\sin\varphi\sin(n\vartheta-\varphi)}.$$

Daraufhin wird aber

$$v^m=\left(\frac{a\sin\varphi}{b\sin(n\vartheta-\varphi)}\right)^{\frac{m}{n}}$$

sein.

Nachdem also diese Werte substituiert worden sind, werden wir auf die folgenden Gleichungen geführt

$$P=\frac{1}{na^\lambda \sin n\vartheta^{\lambda-1}}\int\left(\frac{a\sin\varphi}{b\sin(n\vartheta-\varphi)}\right)^{\frac{m}{n}}\frac{d\varphi\sin(n\vartheta-\varphi)^\lambda\cos(m\vartheta-\lambda\varphi)}{\sin\varphi\sin(n\vartheta-\varphi)},$$

$$Q=\frac{1}{na^\lambda \sin n\vartheta^{\lambda-1}}\int\left(\frac{a\sin\varphi}{b\sin(n\vartheta-\varphi)}\right)^{\frac{m}{n}}\frac{d\varphi\sin(n\vartheta-\varphi)^\lambda\sin(m\vartheta-\lambda\varphi)}{\sin\varphi\sin(n\vartheta-\varphi)}.$$

Wenn wir wegen der Kürze

$$n\vartheta-\varphi=\psi$$

setzen, so daß $\varphi+\psi=n\vartheta$ und schließlich $d\varphi+d\psi=0$ ist, können beide Gleichungen noch harmonischer auf folgende Weise ausgedrückt werden:

$$P=\frac{a^{\frac{m}{n}-\lambda}}{nb^{\frac{m}{n}}\sin n\vartheta^{\lambda-1}}\,\mathrm{d}\varphi\sin\varphi^{\frac{m-n}{n}}\sin\psi^{\lambda-\frac{m}{n}-1}\cos(m\vartheta-\lambda\varphi)\,,$$

$$Q=\frac{a^{\frac{m}{n}-\lambda}}{nb^{\frac{m}{n}}\sin n\vartheta^{\lambda-1}}\int\mathrm{d}\varphi\sin\varphi^{\frac{m-n}{n}}\sin\psi^{\lambda-\frac{m}{n}-1}\sin(m\vartheta-\lambda\varphi)\,.$$

12. Und so sind wir also zu den beiden Gleichungen hingeführt worden, deren Integration, wie sehr diese auch wegen des rationalen Exponenten $\frac{m}{n}$ schwierig erscheint, dennoch immer von dem vorgegebenen Integral

$$\int\frac{z^{m-1}\,\mathrm{d}z}{(a\pm bz^n)^{\lambda}}$$

abhängt; wenn dieses Integral entweder algebraisch oder wenigstens durch Logarithmen und Bogenlängen bestimmt werden kann, werden wir ebenfalls sicher behaupten können, daß die beiden hier gefundenen Gleichungen nach demselben Verfahren integriert werden können. Hier bietet sich zumindest zuerst der Fall $m=n$ an, von dem das Integral noch dazu algebraisch ausgerechnet werden kann; weil aber für den Fall $\frac{m}{n}$ eine weitere Zerlegung nicht möglich ist, wollen wir ihn übergehen.

13. Zunächst begegnet hier jedoch der sehr bemerkenswerte Fall, bei dem $\lambda=\frac{m}{n}$, da ja dadurch die Integration durch Logarithmen und Bogenlängen ausgeführt werden kann. Wenn wir nämlich in unserem Integral

$$\int\frac{\mathrm{d}z}{z}\,\frac{z^m}{(a+bz^n)^{\frac{m}{n}}}$$

$$\frac{z}{(a+bz^n)^{\frac{1}{n}}}=t$$

setzen, so daß das Integral

$$\int t^m \frac{dz}{z}$$

ist, dann wird

$$t^n = \frac{z^n}{a + bz^n}$$

sein, wodurch zusammengefaßt wird

$$z^n = \frac{at^n}{bt^n - 1};$$

und daher wird durch Differenzieren mit den o. g. Logarithmen

$$\frac{dz}{z} = \frac{dt}{t} - \frac{bt^{n-1}\,dt}{bt^n - 1} = \frac{-dt}{t\,(bt^n - 1)},$$

so daß unser Integral

$$-\int \frac{t^{m-1}dt}{bt^n - 1}$$

ist; da dieses rational ist, kann es immer durch Logarithmen und Bogenlängen ausgedrückt werden, was auch von unseren beiden Größen P und Q zu behaupten sein wird.

14. Setzen wir also in unseren o. g. Gleichungen $\lambda = \frac{m}{n}$ und lassen, diese in die Gleichungen

$$P = \frac{1}{nb^{\frac{m}{n}} \sin n\vartheta^{\lambda-1}} \int \frac{d\varphi \sin \varphi^{\frac{m}{n}-1} \cos\left(m\vartheta - \frac{m}{n}\varphi\right)}{\sin \psi},$$

$$Q = \frac{1}{nb^{\frac{m}{n}} \sin n\vartheta^{\lambda-1}} \int \frac{d\varphi \sin \varphi^{\frac{m}{n}-1} \sin\left(m\vartheta - \frac{m}{n}\varphi\right)}{\sin \psi}$$

übergehen, wobei der Kürze wegen an Stelle des konstanten Koeffizienten C geschrieben wird, und da in der betrachteten Formel immer $m < n$ ist, ist es möglich, diese Gleichungen knapper so auszudrücken:

$$P=C\int\frac{d\varphi\cos\left(m\vartheta-\frac{m}{n}\varphi\right)}{\sin\psi\sin\varphi^{\frac{n-m}{n}}}$$

und

$$Q=C\int\frac{d\varphi\sin\left(m\vartheta-\frac{m}{n}\varphi\right)}{\sin\psi\sin\varphi^{\frac{n-m}{n}}};$$

diese Formeln können immer, welche Zahlen auch für m und n angenommen werden, durch Logarithmen und Bogenlängen ausgedrückt werden.

15. Wenn nun die beiden Formeln

$$\cos\left(m\vartheta-\frac{m}{n}\varphi\right)\quad\text{und}\quad\sin\left(m\vartheta-\frac{m}{n}\varphi\right)$$

gelöst werden, können beide o. g. Integralformeln bequem zu einer zusammengezogen werden, welche die Form

$$C\int d\varphi\frac{\alpha\sin\frac{m}{n}\varphi+\beta\cos\frac{m}{n}\varphi}{\sin\psi\sin\varphi^{\frac{n-m}{m}}}$$

haben wird, die gemäß dem vorher genannten Verfahren Integration zuläßt, welche Werte α und β auch immer annehmen werden. Daraufhin wird, weil $\psi=n\vartheta-\varphi$ ist, nach erfolgter Darstellung an Stelle von $\sin\psi$ oder einer seiner Vielfachen $\gamma\sin\varphi+$ $+\delta\cos\varphi$ geschrieben werden können, und somit wird unser Integral jetzt

$$\int\frac{d\varphi}{\sin\varphi^{\frac{n-m}{n}}}\frac{\alpha\sin\frac{m}{n}\varphi+\beta\cos\frac{m}{n}\varphi}{\gamma\sin\varphi+\delta\cos\varphi},$$

wobei α, β, γ, δ je nach Belieben angenommen werden können; deshalb werden wir, wenn wir zwecks Beseitigung der Brüche

$$\varphi=n\omega$$

setzen, so daß

$$\frac{m}{n}\varphi = m\omega$$

ist, zu folgendem Satz geführt, der einer Aufzeichnung äußerst wert ist.

Satz

Wenn m und n beliebige ganze Zahlen bezeichnen, kann das Integral

$$\int \frac{d\omega}{(\sin n\omega)^{\frac{n-m}{n}}} \frac{\alpha \sin m\omega + \beta \cos m\omega}{\gamma \sin n\omega + \delta \cos n\omega}$$

stets auf Logarithmen und Bogenlängen zurückgeführt werden, welche Werte $\alpha, \beta, \gamma, \delta$ *auch immer annehmen mögen.*

16. Wie schwierig der Beweis dieses Satzes ist, werden wir besser verstehen, wenn wir dieses Integral von den Winkeln auf die zugeordneten Größen beziehen. Setzen wir also

$$\tan \omega = t,$$

so wird

$$d\omega = \frac{dt}{1+tt};$$

wenn wir daraufhin der Kürze wegen Binominalkoeffizienten auf solche Weise bezeichnen, daß

$$(1+x)^\lambda = 1 + \binom{\lambda}{1} x + \binom{\lambda}{2} x^2 + \binom{\lambda}{3} x^3 + \text{usw.},$$

werden Sinus und Cosinus der vielfachen Winkel von ω auf folgende Weise durch t ausgedrückt:

$$\sin m\omega = \frac{\binom{m}{1} t - \binom{m}{3} t^3 + \binom{m}{5} t^5 - \binom{m}{7} t^7 + \ldots}{(1+tt)^{\frac{m}{2}}},$$

$$\cos m\omega = \frac{1 - \binom{m}{2} t^2 + \binom{m}{4} t^4 - \binom{m}{6} t^6 + \ldots}{(1+tt)^{\frac{m}{2}}}.$$

Setzen wir jedoch zwecks einer weiteren Verkürzung

$$\binom{m}{1}t-\binom{m}{3}t^3+\binom{m}{5}t^5-\ldots=M\,,$$

$$1-\binom{m}{2}t^2+\binom{m}{4}t^4-\ldots=\mathfrak{M}\,,$$

und setzen wir auch auf ähnliche Weise

$$\binom{n}{1}t-\binom{n}{3}t^3+\binom{n}{5}t^5-\ldots=N\,,$$

$$1-\binom{n}{2}t^2+\binom{n}{4}t^4-\ldots=\mathfrak{N}\,,$$

so daß wir

$$\sin m\omega=\frac{M}{(1+tt)^{\frac{m}{2}}}\,,\quad \cos m\omega=\frac{\mathfrak{M}}{(1+tt)^{\frac{m}{2}}}\,,$$

$$\sin n\omega=\frac{N}{(1+tt)^{\frac{n}{2}}}\,,\quad \cos n\omega=\frac{\mathfrak{N}}{(1+tt)^{\frac{n}{2}}}$$

erhalten; mit diesen substituierten Werten erscheint unser Integral in der folgenden Form

$$\int\frac{(1+tt)^{n-m-1}\,dt\,(\alpha M+\beta\mathfrak{M})}{N^{\frac{n-m}{n}}\,(\gamma N+\delta\mathfrak{N})}$$

Weil nun alles rationale Werte sind außer dem Ausdruck $N^{\frac{m}{n}}$, der aber übergeht in

$$\left(\binom{n}{1}t-\binom{n}{3}t^3+\binom{n}{5}t^5-\ldots\right)^{\frac{m}{n}}$$

und sofort das Binom n so übertrifft, daß es irrational wird, so daß überhaupt kein Weg zur Aufhebung der Irrationalität offen steht, sofern nur $n=3$ gewesen ist, umso weniger wird es möglich sein, auf irgendeine Weise eine Rückführung auf Rationalität zu erhoffen, wenn der Exponent n mehr anwächst. Inzwischen ist es mir dennoch gelungen, folgenden Beweis zu ermitteln.

Beweis des o. g. Satzes

17. Vor allem ist es hierbei angebracht, jene imaginären Formeln zu Hilfe zu rufen, die ich schon mehrmals mit ausgezeichnetem Erfolg benutzt habe; gemäß diesen setze ich

$$\cos\omega+\sqrt{-1}\sin\omega=p \quad \text{und} \quad \cos\omega-\sqrt{-1}\sin\omega=q\,,$$

und es entsteht

$$pq=1 \quad \text{und} \quad \frac{\mathrm{d}p}{p}=\mathrm{d}\omega\sqrt{-1}\,.$$

Daraufhin werden wir aber für die Sinus und Cosinus der vielfachen Winkel

$$\sin m\omega=\frac{p^m-q^m}{2\sqrt{-1}}=\frac{p^{2m}-1}{2p^m\sqrt{-1}}$$

und

$$\cos m\omega=\frac{p^m+q^m}{2}=\frac{p^{2m}+1}{2p^m}$$

erhalten und auf ähnliche Weise auch

$$\sin n\omega=\frac{p^{2n}-1}{2p^n-1} \quad \text{und} \quad \cos n\omega=\frac{p^{2n}+1}{2p^n}\,.$$

18. Da durch Substitution dieser Werte weiterhin Erleichterung geschaffen wird, wird es nützlich sein zu beachten, daß die konstanten Koeffizienten nichts zur Integrierbarkeit beitragen und schließlich unterdrückt oder in einer anderen Form erscheinen werden. Deshalb setzen wir

$$\mathrm{d}\omega=\frac{\mathrm{d}p}{p} \quad \text{und} \quad \sin n\omega=\frac{p^{2n}-1}{p^n}\,;$$

daraufhin wird mit geänderter Form der Konstanten

$$\alpha\sin m\omega+\beta\cos m\omega=\frac{\alpha' p^{2m}+\beta'}{p^m}$$

und auf dieselbe Weise

$$\gamma\sin n\omega+\delta\cos n\omega=\frac{\gamma' p^{2n}+\delta'}{p^n}\,.$$

Nach Substitution dieser Werte erhält unser Integral die Form

$$\int \frac{p^{2n-2m-1}\,\mathrm{d}p}{(p^{2n}-1)^{\frac{n-m}{n}}} \frac{\alpha' p^{2m}+\beta'}{\gamma' p^{2n}+\delta'}.$$

19. Dieses Integral zerteilt sich nunmehr von selbst in zwei Teile, die wir gesondert so darstellen wollen

$$\alpha' \int \frac{p^{2n-1}\,\mathrm{d}p}{(p^{2n}-1)^{\frac{n-m}{m}}(\gamma' p^{2n}+\delta)} + \beta' \int \frac{p^{2n-2m-1}\,\mathrm{d}p}{(p^{2n}-1)^{\frac{n-m}{n}}(\gamma' p^{2n}+\delta')},$$

und nun wird es nicht mehr schwer sein, beide Teile dieses Integrals jeweils auf rationale Ausdrücke zurückzuführen. Zunächst ist es nämlich nur notwendig,

$$p^{2n}-1=x^{2n}$$

aufzustellen; dann wird folglich

$$p^{2n-1}\,\mathrm{d}p=x^{2n-1}\,\mathrm{d}x \quad \text{und} \quad (p^{2n}-1)^{\frac{n-m}{n}}=x^{2n-2m}$$

und somit wird die erste Formel die Form

$$\alpha' \int \frac{x^{2m-1}\,\mathrm{d}x}{\gamma' x^{2n}+\gamma'+\delta'}$$

annehmen, deren Integral durch Logarithmen und Bogenlängen dargestellt werden kann.

20. Was jedoch die zweite Formel betrifft, so bietet sich ebenfalls leicht eine Zurückführung an, wenn das Integral auf diese Weise dargestellt wird

$$\beta' \int \frac{\mathrm{d}p}{p} \frac{p^{2n-2m}}{(p^{2n}-1)^{\frac{n-m}{n}}(\gamma' p^{2n}+\delta')}$$

oder

$$\beta' \int \frac{\mathrm{d}p}{p} \left(\frac{p^2}{(p^{2n}-1)^{\frac{1}{n}}}\right)^{n-m} \frac{1}{\gamma' p^{2n}+\delta'}.$$

Wenn hier nämlich

$$\frac{p^2}{(p^{2n}-1)^{\frac{1}{n}}}=y^2$$

gesetzt wird, wird

$$\frac{p^{2n}}{p^{2n}-1}=y^{2n}$$

und daher

$$p^{2n}=\frac{y^{2n}}{y^{2n}-1},$$

woraus – nachdem die Logarithmen berechnet worden sind und differenziert worden ist –

$$\frac{dp}{p}=\frac{-dy}{y\,(y^{2n}-1)}$$

hervorgeht, und nach Substitution der Werte entwickelt sich das Integral

$$-\beta'\int\frac{y^{2n-2m-1}\,dy}{(\gamma'+\delta')\,y^{2n}-\delta'},$$

das nunmehr ebenfalls rational ist.

21. Da nun also der Wahrheitsgehalt unseres Satzes ausreichend begründet bewiesen worden ist und dieser Fall so beschaffen ist, daß das ganze Integral auf keine Weise mit Hilfe einer einzigen Substitution auf Rationalität zurückgeführt werden kann, was um so bemerkenswerter ist, weil man gewöhnlich alle Differentialgleichungen, soweit sie irrational gewesen sind, so aufzustellen pflegt, wenn deren Integrale durch Logarithmen und Bogenlängen ausgedrückt werden können. Nun sehen wir also, daß das eben Gesagte so gelöst werden muß, daß es sich nur auf einzelne Teile der gesamten vorgeschlagenen Formel erstreckt, weil es ansonsten geschehen könnte, daß irgendein Teil gesonderte Substitution erfordert.

22. Wenn wir diesen Beweis aufmerksamer abwägen, wird man leicht sehen können, daß dieser auf Integrale, die sich auf vieles mehr erstrecken, ausgedehnt werden kann. Es wird sich nämlich folgendes, viel allgemeineres Integral anbieten, das immer zur Rationalität geführt werden kann, was wir in dem folgenden Satz deutlicher ausdrücken wollen.

Allgemeinster Satz

23. *Wenn P und Q beliebige rationale Funktionen der Form x^n bezeichnen, wird das Integral*

$$\int \frac{dx\,(Px^{m-1}+Qx^{n-1})}{(a+bx^n)^{\frac{m}{n}}}$$

immer durch Logarithmen und Bogenlängen ausgedrückt.

Beweis

Man teile, wie wir das oben getan haben, dieses Integral ebenfalls in zwei Teile, die da sind

$$\int \frac{Px^{m-1}\,dx}{(a+bx^n)^{\frac{m}{n}}} \quad \text{und} \quad \int \frac{Qx^{n-1}\,dx}{(a+bx^n)^{\frac{m}{n}}},$$

und sofort ist es möglich, daß der zweite Teil in einen rationalen verwandelt wird, indem man

$$a+bx^n=r^n$$

setzt; dann wird nämlich

$$(a+bx^n)^{\frac{m}{n}}=r^m,$$

ferner

$$x^n=\frac{r^n-a}{b}$$

und

$$x^{n-1}\,dx=\frac{r^{n-1}\,dr}{b}.$$

Da Q nunmehr eine rationale Funktion von x^n ist, wird nach erfolgter Substitution ganz sicher eine rationale Funktion von r^n herauskommen, und somit nimmt der zweite Teil die Form

$$\frac{1}{b}\int Qr^{n-m-1}\,dr$$

an. Sobald der erste Teil zur Rationalität geführt werden soll, setze man

$$\frac{x}{(a+bx^n)^{\frac{1}{n}}}=s\,,$$

so daß

$$\frac{x^m}{(a+bx^n)^{\frac{m}{n}}}=s^m$$

entsteht, dann aber

$$x^n=\frac{as^n}{1-bs^n}$$

wird; dieser Wert, der in P an Stelle von x^n substituiert wird, wird ganz offensichtlich eine rationale Funktion von s^n bieten; daraus leitet sich

$$\frac{\mathrm{d}x}{x}=\frac{\mathrm{d}s}{s\,(1-bs^n)}$$

ab, und aus diesen Werten entsteht unser erster Teil

$$=\int\frac{Ps^{m-1}\mathrm{d}s}{1-bs^m}\,,$$

welcher also auch rational ist.

Ja es kann sogar für die Winkel ein viel allgemeinerer Satz vorgeschlagen werden, der sich folgendermaßen formulieren läßt:

Allgemeiner Satz

24. Wenn P und Q beliebige rationale Funktionen von $\sin 2n\omega$ und $\cos 2n\omega$ bezeichnen, wird das folgende Integral immer durch Logarithmen und Bogenlängen dargestellt werden können

$$\int (P\sin m\omega+Q\cos m\omega)\,\mathrm{d}\,(\sin n\omega)^{\frac{m}{n}},$$

wobei zu bemerken ist, daß

$$\mathrm{d}\,(\sin n\omega)^{\frac{m}{n}}=\frac{m\mathrm{d}\omega\cos n\omega}{(\sin n\omega)^{\frac{n-m}{n}}}$$

ist; der Beweis dafür erfolgt auf ähnliche Weise wie oben, indem man gleichzeitig zu beiden Teilen gelangt, die man beide durch die vereinbarte Substitution zur Rationalität zurückführen kann.

25. Einigen wird es vielleicht mißfallen, daß die Lösung des zweiten Integrals durch imaginäre Substitution vollzogen wird, obwohl wir uns gerade hier vorgenommen hatten, das Imaginäre vom Reellen zu trennen; es wäre deshalb äußerst wünschenswert, wenn man diese Aufgabe ohne imaginäre Teile lösen könnte; ich jedenfalls sehe mich jedoch gezwungen einzugestehen, daß ich keinen Weg sehe, wie das erledigt werden könnte. Da übrigens die Reduktion imaginärer Teile auf reelle schon genug verfeinert ist, scheint ein solches Hilfsmittel nicht ein allzu großes Desiderat zu sein. Es erweist sich sogar dieser neue Gebrauch der imaginären Teile gerade in der Lösung von Gleichungen als um so vorzüglicher, weil sie Integrale von der Art darzustellen vermögen, die ohne Hilfe der imaginären Teile nicht ermittelt werden könnten.

VII.

Über die Werte der von $x=0$ bis $x=\infty$ erstreckten Integrale

1. Unter jenen Integralen, die sich von $x=0$ bis $x=\infty$ erstrecken [1] und einen endlichen Wert annehmen, ist ein sehr einfaches Rechenbeispiel $\int \frac{dx}{1+xx}$, dessen Wert $\frac{\pi}{2}$ ist, wobei π das Verhältnis von Umfang zum Durchmesser $=1$ bezeichnet. Ferner habe ich auch durch eine ganz und gar einzigartige Methode entdeckt, daß

$$\int \frac{x^{m-1}dx}{1+x^n}\begin{bmatrix}\text{von } x=0\\ \text{bis } \ x=\infty\end{bmatrix}=\frac{\pi}{n\sin\frac{m\pi}{n}}$$

ist [2]. Außerdem habe ich auf diese Weise noch mehrere andere Integrale dieser Art durchgerechnet, in deren Differentialen nicht allein algebraische Funktionen von x, sondern auch von $\log x$ vorkommen.

2. Es haben sich mir aber auch bestimmte andere Integrale dieser Art angeboten, in denen auch transzendente Funktionen enthalten sind und deren gesuchte Werte nach keiner bis jetzt bekannten Methode bestimmbar zu sein scheinen. Ich hatte deshalb eine Kurve bestimmt, in der der Krümmungsradius überall indirekt proportional ist der Bogenlänge dieser Kurve, wobei für die Bogenlänge s und den berührenden Radius r gilt

$$rs=aa\,. \quad [3]$$

Von hier aus ist es nämlich nicht schwer, die Gestalt der Kurve gleichsam frei Hand zu zeichnen, da diese nun einmal eine solche Gestalt haben soll (Abb. 1).

Nachdem nämlich der Anfang der Kurve im Punkt A angelegt worden ist, wird die Kurve daraufhin stetig gekrümmt und schließlich nach unzähligen Windungen in einem bestimmten Punkt 0 zusammengezogen, den man gewöhnlich als den Pol dieser Kurve bezeichnet. Es ist also ein Vorsatz von mir gewesen,

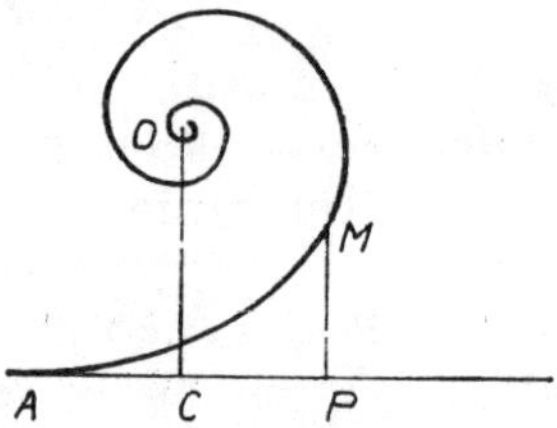

Abb. VII. 1

den Ort dieses Poles genauer zu erforschen und für ihn die Größen der Koordinaten AC und CO zu ermitteln.

3. Wird zu diesem Zweck in die Berechnung eines beliebigen Teiles $AM=s$ der Winkel φ eingeführt, so daß $r=\frac{ds}{d\varphi}$ ist, werde

$$sds=aad\varphi$$

und von daher $ss=2aa\varphi$ und

$$s=a\sqrt{2\varphi}=2c\sqrt{\varphi}\,.$$

Daraus geht hervor $ds=\frac{cd\varphi}{\sqrt{\varphi}}$, wodurch, wenn man die Abszisse für diesen Kreisbogen $AP=x$ und die Ordinate $PM=y$ setzt, folgt

$$x=c\int\frac{d\varphi\cos\varphi}{\sqrt{\varphi}} \quad \text{und} \quad y=c\int\frac{d\varphi\sin\varphi}{\sqrt{\varphi}}\,.$$

4. Von hier also werden für den zu bestimmenden Pol 0 die Werte dieser beiden Integrale ermittelt, nachdem diese von $\varphi=0$ bis $\varphi=\infty$ erstreckt worden sind. Anfangs hatte ich nämlich gedacht, daß diese Werte nicht anders als durch Näherung erhalten werden können, indem beide Formeln hintereinander Stück für Stück entwickelt werden; zuerst nämlich von $\varphi=0$ bis $\varphi=\pi$, darauf von $\varphi=\pi$ bis zu $\varphi=2\pi$, weiter von $\varphi=2\pi$ bis zu $\varphi=3\pi$ usw., wodurch hinreichend konvergente Reihen entstehen. Aber es ist auch ersichtlich, daß dieses Vorgehen lange, ziemlich zum Verdruß führende Rechnungen erfordert, die zu entwickeln ich jedenfalls nicht gewagt habe. Neulich habe ich jedoch auf

Grund eines glücklichen Zufalles durch eine ganz und gar einzigartige Methode erkannt, daß sowohl

$$\int \frac{d\varphi \cos\varphi}{\sqrt{\varphi}} \begin{bmatrix} \text{von } \varphi=0 \\ \text{bis } \varphi=\infty \end{bmatrix} = \sqrt{\frac{\pi}{2}}$$

als auch

$$\int \frac{d\varphi \sin\varphi}{\sqrt{\varphi}} \begin{bmatrix} \text{von } \varphi=0 \\ \text{bis } \varphi=\infty \end{bmatrix} = \sqrt{\frac{\pi}{2}},$$

so daß für den gesuchten Ort des Poles 0

$$AC=c\sqrt{\frac{\pi}{2}} \quad \text{und} \quad CO=c\sqrt{\frac{\pi}{2}}$$

ist.

5. Da nun aber die Methode, die ich hierzu abgeleitet habe, nicht wenig zu versprechen scheint, glaube ich, daß es den Mathematikern sehr willkommen sein wird, wenn ich diese hier mit aller Sorgfalt darlegen werde. Und da sich diese viel weiter erstreckt als nur auf diese Integrale, werde ich sie auch ganz ausführlich darlegen, weil ich alles aus der Betrachtung der ziemlich einfachen Formel

$$\int x^{n-1} dx e^{-x}$$

abgeleitet habe; dieses Integral ist also für verschiedene Werte des Exponenten n zu berechnen. [4]

6. Zunächst ist jedenfalls für den Fall $n=1$ des Integrals $\int dx e^{-x}$ der Integrand offensichtlich $1-e^{-x}$, der für den Fall $x=0$ verschwindet, als $x=\infty$ aber $=1$ ist. Außerdem wird aber, da das Differential der Formel $x^\lambda e^{-x}$

$$\lambda x^{\lambda-1} dx e^{-x} - x^\lambda dx e^{-x}$$

ist, umgekehrt

$$\int x^\lambda dx e^{-x} = \lambda \int x^{\lambda-1} dx e^{-x} - x^\lambda e^{-x},$$

wo das letzte Glied sowohl für den Fall $x=0$ als auch $x=\infty$ verschwindet. wenn nur $\lambda>0$ ist. So wird also für unsere Integrationsgrenzen

$$\int x^\lambda dx e^{-x} = \lambda \int x^{\lambda-1} dx e^{-x}$$

sein, wobei mit Hilfe dieses Integrals wegen $\int dx e^{-x}=1$ die folgenden Werte der Integrale abgeleitet werden:

$$\int x dx e^{-x}=1\,,$$
$$\int x^2 dx e^{-x}=1\cdot 2\,,$$
$$\int x^3 dx e^{-x}=1\cdot 2\cdot 3\,,$$
$$\int x^4 dx e^{-x}=1\cdot 2\cdot 3\cdot 4$$

und allgemein

$$\int x^{n-1} dx e^{-x}=1\cdot 2\cdot 3\cdot 4 \ldots (n-1)\,,$$

wobei sich die Werte dieses Produktes, sofern n eine ganze positive Zahl ist, von selbst ergeben; wenn aber n eine gebrochene Zahl ist, können – wie ich neulich nachgewiesen habe – auf diese Weise die Werte durch Quadratur algebraischer Kurven gewonnen werden. So steht für den Fall $n=\frac{1}{2}$ fest, daß dieser Wert $=\sqrt{\pi}$ ist. [5]

7. Damit also alle Werte dieses unendlichen Produktes $1\cdot 2\cdot 3\cdot 4 \ldots (n-1)$ gleichsam als bekannt angesehen werden können, werde ich diese mit $\triangle$ bezeichnen [6], so daß

$$\triangle=1\cdot 2\cdot 3\cdot 4 \ldots (n-1)$$

ist und wir somit schon dieses Zeichen als Wert des Integrals

$$\int x^{n-1} dx e^{-x}=\triangle$$

erlangt haben, wobei sich das Integral selbstverständlich von $x=0$ bis $x=\infty$ erstreckt; und aus dieser Gleichung habe ich nun alles abgeleitet, was sich auf den zuvor erwähnten Fall bezieht, wo jedenfalls ganz und gar einzigartige Rechenoperationen angewendet werden müssen, die ich hier nunmehr sorgfältiger darlegen werde.

8. Zuerst habe ich jedoch auch $x=ky$ gesetzt, wobei beide Grenzen des Integrals dieselben bleiben; es wird auch

$$k^n \int y^{n-1} dy e^{-ky}=\triangle\ ,$$

wenn sich nämlich dieses Integral ebenfalls von $y=0$ bis $y=\infty$ erstreckt; deshalb haben wir durch k^n zu dividieren und erhalten

$$\int y^{n-1} dy e^{-ky}=\frac{\triangle}{k^n}\,,$$

wozu aber bemerkt werden muß, daß für k keine negative Zahl angenommen werden darf, weil sonst der Ausdruck e^{-ky} nicht mehr im Fall $y=\infty$ verschwinden würde; und jetzt sind diese Werte einzeln auszuschließen, so daß auch imaginäre Werte für k gesetzt werden können, und von daher habe ich jene schwierigen Integrationen bewältigt.

9. Setzen wir also

$$k=p+q\sqrt{-1}$$

und, weil

$$e^{-qy\sqrt{-1}}=\cos qy-\sqrt{-1}\sin qy$$

ist, auch

$$e^{+qy\sqrt{-1}}=\cos qy+\sqrt{-1}\sin qy\,,$$

geht jetzt unser Integral in die Form

$$\int y^{n-1}dye^{-py}(\cos qy-\sqrt{-1}\sin qy)=\frac{\triangle}{(p+q\sqrt{-1})^n}$$

über. Deshalb wird, wenn wir das Zeichen für das imaginäre Integral ändern, auf dieselbe Weise

$$\int y^{n-1}dye^{-py}(\cos qy+\sqrt{-1}\sin qy)=\frac{\triangle}{(p-q\sqrt{-1})^n}.$$

10. Um die gefundenen Werte bequemer ausdrücken zu können, wollen wir

$$p=f\cos\vartheta \quad \text{und} \quad q=f\sin\vartheta$$

setzen, und so wird

$$(p+q\sqrt{-1})^n=f^n(\cos n\vartheta+\sqrt{-1}\sin n\vartheta)$$

und

$$(p-q\sqrt{-1})^n=f^n(\cos n\vartheta-\sqrt{-1}\sin n\vartheta)$$

sein; und es ist nützlich, darauf hinzuweisen, daß $\tan\vartheta=\frac{q}{p}$ sein wird, weshalb aus den angenommenen Werten p und q auch $f=\sqrt{(pp+qq)}$ wird. Auf diese Weise wird also für den ersten Fall

$$\frac{\triangle}{(p+q\sqrt{-1})^n}=\frac{\triangle}{f^n(\cos n\vartheta+\sqrt{-1}\sin n\vartheta)}$$

und für den zweiten

$$\frac{\triangle}{(p-q\sqrt{-1})^n}=\frac{\triangle}{f^n(\cos n\vartheta-\sqrt{-1}\sin n\vartheta)}.$$

Deshalb wird, wenn diese beiden Gleichungen addiert werden,

$$\frac{2\triangle\cos n\vartheta}{f^n}$$

hervorgehen.

Die Differenz dieser Gleichungen aber ergibt

$$\frac{2\triangle\sqrt{-1}\sin n\vartheta}{f^n}.$$

11. Addition der Integrale führt auf

$$\int y^{n-1}dye^{-py}\cos qy=\frac{\triangle\cos n\vartheta}{f^n}.$$

Wenn wir jedoch subtrahieren und durch $2\sqrt{-1}$ teilen, entsteht

$$\int y^{n-1}dye^{-py}\sin qy=\frac{\triangle\sin n\vartheta}{f^n};$$

diese beiden Gleichungen reichen schon sehr weit, da die Zahlen p und q innerhalb unserer Einschränkung weiterhin beliebig sind, wobei nur zu beachten ist, daß für p keine negativen Zahlen angenommen werden. Es wird sich also der Mühe lohnen, diese beiden Gleichungen mit den folgenden zwei Sätzen zu erfassen.

Satz 1

Setzt man

$$\triangle=1\cdot2\cdot3\ldots(n-1)$$

und nimmt für p und q beliebige positive Zahlen, setzt dann

$$\sqrt{(pp+qq)}=f$$

und sucht einen Winkel ϑ, so daß

$$\tan\vartheta=\frac{q}{p}$$

ist, so findet man folgende bemerkenswerte Integration

$$\int x^{n-1}\mathrm{d}x e^{-px} \cos qx \begin{bmatrix}\text{von } x=0 \\ \text{bis } x=\infty\end{bmatrix} = \frac{\triangle \cos n\vartheta}{f^n}.$$

Satz 2

Setzt man

$$\triangle = 1 \cdot 2 \cdot 3 \ldots (n-1)$$

und nimmt für p und q beliebige positive Zahlen, setzt dann

$$\sqrt{(pp+qq)} = f$$

und sucht einen Winkel ϑ, so daß

$$\tan \vartheta = \frac{q}{p}$$

ist, so findet man folgende bemerkenswerte Integration

$$\int x^{n-1}\mathrm{d}x e^{-px} \sin qx \begin{bmatrix}\text{von } x=0 \\ \text{bis } x=\infty\end{bmatrix} = \frac{\triangle \sin n\vartheta}{f^n}.$$

12. Wenn wir also für den Fall der oben durchdachten Kurve zu diesen beiden Gleichungen

$$\int \frac{\mathrm{d}\varphi \cos \varphi}{\sqrt{\varphi}} \quad \text{und} \quad \int \frac{\mathrm{d}\varphi \sin \varphi}{\sqrt{\varphi}}$$

gelangen, wird dann $n=\frac{1}{2}$ sein und schließlich $\triangle = \sqrt{\pi}$, dann aber wird $p=0$ und $q=1$ sein; daraus entsteht $f=1$ und $\tan \vartheta = \frac{q}{p} = \infty$ und schließlich $\vartheta = \frac{\pi}{2}$, also $\cos n\vartheta = \frac{1}{\sqrt{2}} = \sin n\vartheta$. Daraus wird folglich

$$\int \frac{\mathrm{d}\varphi \cos \varphi}{\sqrt{\varphi}} \begin{bmatrix}\text{von } \varphi=0 \\ \text{bis } \varphi=\infty\end{bmatrix} = \sqrt{\frac{\pi}{2}}$$

und zugleich

$$\int \frac{\mathrm{d}\varphi \sin \varphi}{\sqrt{\varphi}} \begin{bmatrix}\text{von } \varphi=0 \\ \text{bis } \varphi=\infty\end{bmatrix} = \sqrt{\frac{\pi}{2}}.$$

13. Es wird sich jedoch der Mühe lohnen, diesen Fall, in dem $n=\frac{1}{2}$ und $\triangle=\sqrt{\pi}$ ist, allgemein zu entwickeln; und da wir

$$\sqrt{(pp+qq)}=f \quad \text{und} \quad \frac{q}{p}=\tan\vartheta$$

gesetzt haben, wird

$$\sin\vartheta=\frac{q}{f} \quad \text{und} \quad \cos\vartheta=\frac{p}{f}$$

sein.
Dadurch folgt also zuerst

$$\sin\frac{1}{2}\vartheta=\sqrt{\frac{1-\cos\vartheta}{2}}=\sqrt{\frac{f-p}{2f}}$$

und dann

$$\cos\frac{1}{2}\vartheta=\sqrt{\frac{1+\cos\vartheta}{2}}=\sqrt{\frac{f+p}{2f}};$$

dadurch entsteht für die Werte der Integrale

$$\frac{\triangle\sin\frac{1}{2}\vartheta}{\sqrt{f}}=\frac{\sqrt{\pi}}{f}\sqrt{\frac{f-p}{2}}$$

und

$$\frac{\triangle\cos\frac{1}{2}\vartheta}{\sqrt{f}}=\frac{\sqrt{\pi}}{f}\sqrt{\frac{f+p}{2}}.$$

Deshalb werden wir die beiden folgenden Gleichungen erhalten

$$\int\frac{\mathrm{d}x}{\sqrt{x}}\,\mathrm{e}^{-px}\sin qx=\frac{\sqrt{\pi}}{f}\sqrt{\frac{f-p}{2}},$$

$$\int\frac{\mathrm{d}x}{\sqrt{x}}\,\mathrm{e}^{-px}\cos qx=\frac{\sqrt{\pi}}{f}\sqrt{\frac{f+p}{2}}.$$

14. Die Fälle allerdings, in denen n eine ganze positive Zahl annimmt und schließlich $\triangle$ allgemein auf ganze Zahlen ange-

wendet wird, sind so beschaffen, daß sie auch durch bekannte Methoden und zwar mit Hilfe der ziemlich bekannten Reduktion der Integralformeln entwickelt und dazu noch auf dem Gebiet der Integralrechnung angewendet werden können. Dieses Vorgehen erfordert jedoch sehr weitläufige Rechenwege, weshalb unsere ziemlich einfachen Formeln im Falle $x=\infty$ beachtenswert sind. Wenn wir aber den Exponenten n negative Werte annehmen lassen, erfordern diese Fälle sofort zu Beginn der Integration die Addition einer unendlichen Konstanten, so daß die Integrale im Falle $x=0$ verschwinden, und somit werden darüberhinaus alle Werte der Integrale, die wir hier suchen, unendlich und sind deshalb auf unser Vorhaben nicht anwendbar.

15. Ein sehr bemerkenswerter Fall tritt dann ein, wo $n=0$ ist, was eine ganz besondere Geschicklichkeit erfordert; diesen Fall wollen wir folglich exakt entwickeln. [7]

Da wir

$$\triangle = 1 \cdot 2 \cdot 3 \cdot 4 \ldots (n-1)$$

gesetzt haben, wollen wir auf ähnliche Weise

$$\triangle' = 1 \cdot 2 \cdot 3 \ldots n \quad \text{und} \quad \triangle'' = 1 \cdot 2 \cdot 3 \ldots (n+1)$$

aufstellen, und es wird augenscheinlich

$$\triangle = \frac{\triangle'}{n} \quad \text{und} \quad \triangle' = \frac{\triangle''}{n+1}$$

und schließlich

$$\triangle = \frac{\triangle''}{n\,(n+1)}\,.$$

Nehmen wir jetzt $n=\omega$, wobei ω als unendlich kleine Größe anzusehen ist, und wenn $\triangle''=1$ ist, dann wird $\triangle=\frac{1}{\omega}$, und schließlich wird sein Wert unbegrenzt anwachsen. Da jedoch in der ersten Gleichung $\sin n\vartheta=\omega\vartheta$ ist, wird ersichtlich, daß $\triangle \sin n\vartheta=\vartheta$ ist; deshalb wird diese erste Gleichung zu

$$\int \frac{\mathrm{d}x}{x}\, \mathrm{e}^{-py} \sin qx = \vartheta\,,$$

wobei sich natürlich das Integral von $x=0$ bis zu $x=\infty$ erstreckt. Die zweite unserer Gleichungen

$$\int \frac{dx}{x} e^{-px} \cos qx$$

führt jedoch auf einen unendlich großen Wert. Dieser Fall aber ist es wert, daß wir ihn in einem gesonderten Satz zusammenfassen.

Satz 3

16. *Wenn p und q beliebige positive Zahlen bezeichnen und man sucht hieraus den Winkel ϑ, so daß*

$$\tan \vartheta = \frac{q}{p},$$

so wird man folgende sehr bemerkenswerte Integration erhalten:

$$\int \frac{dx}{x} e^{-px} \sin qx \begin{bmatrix} \text{von } x=0 \\ \text{bis } x=\infty \end{bmatrix} = \vartheta,$$

wobei der Beweis dieses Resultates zweifelsohne nicht auf andere Weise als durch Näherungen ausfindig gemacht werden kann.

17. Der einfachste Fall jedoch, wo $p=0$ und $q=1$ ist, scheint nunmehr alle bisher bekannten Rechenkünste zu übertreffen; weil aber für diesen Fall

$$\tan \vartheta = \frac{1}{0} = \infty$$

ist, wird

$$\vartheta = \frac{\pi}{2},$$

wodurch dann die Gleichung

$$\int \frac{dx}{x} \sin x = \frac{\pi}{2}$$

hervorgeht.

Unterdessen kann man die Wahrheit dieses Satzes um so weniger anzweifeln, als die angewandten Näherungen beinahe auf denselben Wert führen. Wenn wir diesen Fall mit dem zu Beginn erwähnten

$$\int \frac{dx}{\sqrt{x}} \sin x = \sqrt{\frac{\pi}{2}}$$

vergleichen, so verdient die ungeheure Ähnlichkeit höchste Beachtung, da das Integral desselben genau die Quadratwurzel aus jenem ist. [8]

Anmerkungen

Zu I. „Herleitung der Formeln von Moivre und Euler nach der »Einleitung in die Analysis des Unendlichen«“

In den Kapiteln VI und VII des ersten Bandes der „Introductio in analysin infinitorum“ (Lausanne 1748; E. 101, O. I–9) untersuchte Euler die Logarithmus- und die Exponentialfunktion reellen Arguments. Im VIII. Kapitel „Von den transzendenten Zahlgrößen, welche aus dem Kreise entspringen“[1]), aus dem die obigen Auszüge stammen[2]), geht Euler zur Betrachtung einer „anderen Art“ transzendenter Funktionen über, nämlich der Kreisbögen und deren Sinus und Cosinus, wobei er ihre Beziehungen zur Logarithmus- und zur Exponentialfunktion im komplexen Gebiet herstellt. Am Beginn dieses Kapitels bringt Euler vollständige Klarheit in die Frage nach dem Vorzeichen der trigonometrischen Funktionen von beliebigem reellen Argument und führt die Bezeichnungen sin. z und cos. z ein, die bis auf den Punkt die heutigen Bezeichnungen geblieben sind.

[1] Über die Entdeckung der nach ihm benannten Formeln durch Moivre siehe die Einführung zum vorliegenden Sammelband, S. 38. Euler schreibt die Moivreschen Formeln in der jetzt üblichen Form und gibt für sie eine originelle und dabei völlig elementare Herleitung für ganze positive Werte von n. Wir behalten durchweg die bis zum Ende des 18. Jahrhunderts übliche Bezeichnung $\sqrt{-1}$ für die imaginäre Einheit bei. Das Symbol i (vom lateinischen imaginarius) verwendete Euler im § 2 der Arbeit E. 671 (O. I–19, S. 130), die der Petersburger Akademie am 16. (5.) 5. 1777 vorgelegt, aber erst 1794 gedruckt wurde. C. F. Gauß begann ab 1801 das Symbol i systematisch zu benutzen.

[2] Das Wort „abermals“ bezieht sich auf den Anfang des § 134, wo auf genau dieselbe Weise aus den Formeln des § 133 für cos nz und sin nz die seit den Zeiten von Newton und Leibniz bekannten Potenzreihenentwicklungen von cos v und sin v hergeleitet werden.

[3] Euler bezeichnete schon in dem 1727 niedergeschriebenen, aber erst 1862 veröffentlichten Aufsatz E. 853 (O. II–14) die Basis der natürlichen Logarithmen mit dem Buchstaben e. Im Druck erschien das Symbol e erstmalig in seiner klassischen „Mechanica“, Bd. I, 1736 (E. 15, O. II–1). Die Formel $\left(1+\frac{z}{i}\right)^i = e^z$, wo i eine

---

1) Den Ausdruck „trigonometrische Funktionen“ führte 1770 G. S. Klügel (1739–1812) ein.

2) Diese Auszüge sind entnommen L. Euler: Einleitung in die Analysis des Unendlichen. Erster Teil. Ins Deutsche übertragen von H. Maser, Berlin 1885, S. 99–108.

„unendlich große Zahl" bedeutet, wird im Kap. VII, § 125 angegeben.

[4] Wie in der Einführung, S. 39 bereits bemerkt, wurde die erste verbale Formulierung der „Eulerschen Formel" von Cotes in einem in den Philosoph. Transactions (1714) 1717 abgedruckten Aufsatz angegeben. Cotes schrieb nämlich: „Wenn ein beliebiger Bogen eines Viertelkreises mit dem Radius CE den Sinus CX hat und XE der Sinus des Komplementbogens zum Viertelkreis ist, so wird der Bogen, wenn man den Radius CE als Modul nimmt, das Maß des Verhältnisses[3]) von $EX+XC\sqrt{-1}$ zu CE, multipliziert mit $\sqrt{-1}$" (Zit. Werke, S. 32). Cotes hat diesen Satz ganz beiläufig ausgesprochen, ohne Herleitung und ohne ihn in irgendeiner Weise anzuwenden. Es ist sehr wahrscheinlich, daß Euler die Arbeit von Cotes gekannt hat, und möglicherweise hat der zitierte Satz seine Aufmerksamkeit hervorgerufen. Auf jeden Fall hat erst Euler die jetzt nach ihm benannte Formel auf verschiedene Fragen der Analysis angewandt und sie erstmalig bewiesen.

In den Arbeiten, Briefen und Papieren Eulers tauchen diese Formel oder mit ihr gleichwertige in den Jahren 1739–1742 auf. Die Gleichungen

$$\frac{\sin \pi x \sqrt{-1}}{\sqrt{-1}} = \frac{e^{2\pi x}-1}{2e^{\pi x}} \quad \text{und} \quad \frac{\tan \pi x \sqrt{-1}}{\sqrt{-1}} = \frac{e^{2\pi x}-1}{e^{2\pi x}+1}$$

werden in einem der Aufsätze über Reihensummation E. 130 (O. I–14) verwendet, dessen Verlesung Euler in der Sitzung der Petersburger Akademie vom 2. 11. (22. 10.) 1739 begann und der 1750 publiziert wurde. In einem Brief an Joh. I Bernoulli vom 29. (18.) 10. 1740 erwähnt Euler, daß die Lösung der Differentialgleichung $\mathrm{dd}y + y\,\mathrm{d}x^2 = 0$ sowohl in der Form

$$y = e^{+x\sqrt{-1}} + e^{-x\sqrt{-1}}$$

als auch in der „verständlicheren" Form $y = 2\cos x$ (at posterior expressio magis est intelligibilis) dargestellt werden kann; s. Bibliotheca mathematica, 3. F., Bd. 6, S. 77. Im Druck findet man $\sin x$ und $\cos x$ durch die Exponentialfunktion ausgedrückt erstmalig in der Arbeit E. 61 (O. I–14) über die Summation von Reihen des Typs $\sum\limits_{n=1}^{\infty} \frac{1}{n^{2k}}$, die am 6. 9. 1742 der Berliner Akademie vorgelegt und im Jahre 1743 gedruckt wurde.

[5] Zur Tatsache, daß Euler schon 1728 mit dieser Formel bekannt war, s. S. 40 der Einführung.

---

[3]) Bezüglich des Terminus „Maß des Verhältnisses", der auch von Euler in dem vorn abgedruckten Aufsatz II. E. 168 benutzt wird, siehe die dortige Anm. [2].

Zu II. „Über die Kontroverse . . .“

Der Aufsatz „De la controverse entre Mrs. Leibnitz et Bernoulli sur les logarithmes des nombres négatifs et imaginaires“ (E. 168; O. I–17, 195–232) ist in den Mémoires de l'Académie royale des sciences et des belles-lettres [5] (1749), 1751 abgedruckt. Ihm ging der Artikel „Sur les logarithmes des nombres négatifs et imaginaires“ voraus, welcher am 7. 9. 1747 der Berliner Akademie vorgelegt, aber erst 1862 gedruckt worden ist (E. 807; O. I–19, 401–438). Einen Vermerk über die Vorlage der Arbeit E. 168, die von Euler für die Veröffentlichung bevorzugt wurde, gibt es in den Protokollen der Berliner Akademie nicht.

[1] Commerce littéraire – das ist das Buch Virorum celebrr. Got. Gul. Leibnitii et Joh. Bernoulli commercium philosophicum et mathematicum, t. 2 Lausannae et Genevae, 1745. Das Erscheinen dieses Buches veranlaßte Euler dazu, mit seiner Theorie der Logarithmusfunktion an die Öffentlichkeit zu treten.
Der Streit zwischen Leibniz und Joh. Bernoulli, der von Euler dann analysiert worden ist, wurde in einem Briefwechsel beider Gelehrter zwischen dem 16. März 1712 und dem 29. Juli 1713 ausgetragen. Siehe Leibnizens Mathematische Schriften = [LMS], hrsg. von C. I. Gerhardt, Bd. III, Halle 1856 (Neudruck: G. Olms, Hildesheim 1971), S. 881–918.

[2] Maß des Verhältnisses (mensura rationis) – ein Terminus, der von R. Cotes in der Arbeit „Logometria“ (Phil. Trans. (1714) 1717) verwendet wurde.

[3] LMS, S. 881.

[4] LMS, S. 886–887.

[5] Das Wort Durchmesser hat hier den Sinn von Symmetrieachse, wie im Fall des Hauptdurchmessers eines Kegelschnitts.

[6] LMS, S. 888.

[7] Die Idee Eulers kommt in dem französischen Text, der wahrscheinlich eine Übersetzung aus einem lateinischen Original ist, nicht deutlich genug zum Ausdruck.

[8] Euler ist nicht ganz korrekt, wenn er die Gleichung $\ln(-1) = \frac{\pi}{2}\sqrt{-1}$ Bernoulli zuschreibt. Die Gleichung folgt zwar sehr leicht aus den allgemeinen Theoremen der Arbeit von Bernoulli aus den Jahren 1703–1704, die in der Einführung, S. 36, erwähnt ist, Bernoulli selbst aber hat diese Schlußfolgerung, die seiner allgemeinen Konzeption des Logarithmus widersprochen hätte, nicht gezogen.

[9] Die Überlegungen Eulers im 6. Einwand kommen dem Inhalt der §§ 515–516 des zweiten Teils der „Einleitung in die Analysis des Unendlichen“ sehr nahe (s. Einführung, S. 44).

[10] Über die Behandlung von Problemen der Summation divergenter

Reihen durch Euler s. G. H. Hardy: Divergent series, Oxford 1949, Einleitung und Kap. I–III.

[11] Die Irrationalität der natürlichen Logarithmen rationaler Zahlen bewies später, im Jahre 1766, J. H. Lambert (1728–1777).

[12] Das heißt die Skeptiker: Pyrrhon (4.–3. Jh. v. u. Z.) war der erste bedeutende Vertreter der antiken griechischen Schule der Skeptiker.

[13] Diese Definition formulierte Euler erstmalig in der „Einleitung in die Analysis des Unendlichen", Bd. I, § 102.

[14] Das heißt der Zehnerlogarithmus. In der „Einleitung in die Analysis des Unendlichen", Bd. I, § 122 benutzt Euler auch den Ausdruck „natürliche Logarithmen", der 1668 von N. Mercator (ca. 1620–1687) eingeführt worden ist.

[15] S. „Einleitung in die Analysis des Unendlichen", Bd. I, §§ 114–122.

[16] Wir würden sagen, daß $y = \ln x = \lim_{n \to \infty} n \left(x^{\frac{1}{n}} - 1\right)$ ist.

[17] – [18] Diese Sätze, welche von Cotes stammen und von A. Moivre (1722) bewiesen wurden, werden im IX. Kap. des I. Bandes der „Einleitung in die Analysis des Unendlichen" eingehend betrachtet.

[19] Der Satz, daß die damals bekannten algebraischen und transzendenten Operationen mit Zahlen der Form $a + b\sqrt{-1}$ stets wieder Zahlen derselben Form liefern, findet sich in der Arbeit E. 170, die am 10. 11. 1746 der Berliner Akademie vorgelegt wurde und in ihren „Mémoires" [5] (1749) 1751 veröffentlicht ist (O. I–6, S. 147). – Zum selben Resultat kam gleichzeitig d'Alembert (s. Einführung, S. 45).

[20] Als ganzen Sinus (sinus totus) hat man lange Zeit den Sinus von 90° bezeichnet.

[21] Die Eulersche Theorie der Logarithmusfunktion wurde von d'Alembert nicht akzeptiert. Euler legte d'Alembert in einem Brief vom 20. 12. 1746 seine wichtigsten Resultate dar. Eulers Theorie erregte bei d'Alembert Widerspruch, der eine Position ähnlich der einnahm, welche Joh. Bernoulli vertreten hatte. Die Polemik zwischen Euler und d'Alembert zog sich lange hin; sie wurde teils in Briefen, teils in gedruckten Publikationen ausgetragen. S. dazu die Einleitung zu O. IV–5, S. 15–19 (dort findet sich auch ein kurzes Resumé der Arbeit E. 807, in der Euler von einem anderen Ausgangspunkt als in E. 168 her die Theorie der Logarithmusfunktion entwickelt).

Die Zeitgenossen waren i. a. weit davon entfernt, die prinzipielle Richtigkeit der Eulerschen Konzeption sofort einsehen zu können; sie vermochte in der Mathematik erst im letzten Viertel des 18. Jahrhunderts festen Fuß zu fassen. Siehe dazu J. F. Montucla: Histoire des mathématiques, 2e éd., Vol. III, Paris 1802, S. 380.

Zu III. „Betrachtungen über orthogonale Trajektorien“

Die Arbeit „Considerationes de trajectoriis orthogonalibus“ E. 390 (O. I–28, 99–119) hat der Petersburger Akademie am 29. (18.) 8. 1768 vorgelegen und wurde in ihren Novi commentarii, Bd. 14 (1769) 1770 gedruckt.

Das Problem des Auffindens orthogonaler Trajektorien zu einer gegebenen, von einem Parameter p abhängigen Kurvenschar $f(x, y, p) = 0$, d. h. des Auffindens von Kurven, welche zu allen Kurven der gegebenen Schar orthogonal sind, wurde erstmalig in einem Brief von Joh. I Bernoulli an Leibniz vom 2. 9. 1694 aufgeworfen (LMS, III, S. 151–152); hier stellte Bernoulli sogar die allgemeinere Aufgabe, isogonale Trajektorien zu finden, welche die Kurven der gegebenen Schar unter einem beliebigen gegebenen Winkel, der nicht notwendig ein Rechter sein muß, schneiden. In seiner Antwort vom 6./16. 12. 1694 gab Leibniz die Lösung für eines der Beispiele Bernoullis mittels einer jetzt allgemein bekannten Methode an (ebenda, S. 157). Den Ausdruck „Trajektorie“ benutzte Bernoulli in einem undatierten Brief an Leibniz, der Ende August oder Anfang September 1697 geschrieben worden ist (ebenda, S. 539). Veröffentlicht hat Bernoulli das Problem der Trajektorien im Mai-Heft der Acta Eruditorum von 1697 (Joh. Bernoulli: Opera omnia, II, Lausannae et Genevae 1742, S. 193. Neudruck: G. Olms, Hildesheim 1968). Eine Lösung des Problems fand im November 1697 auch Jacob Bernoulli, der einige seiner Resultate im Mai-Heft der Acta Eruditorum von 1698 kurz darlegte (Jacob Bernoulli: Opera, II, Genevae 1744, S. 806–813). Siehe J. E. Hofmann: Über Jacob Bernoullis Beiträge zur Infinitesimalmathematik, Genève 1956, S. 46.

Im Zeitraum 1716–1720 traten Nicolaus I und Nicolaus II Bernoulli, J. Hermann und B. Taylor (1685–1731) mit Lösungen verschiedener Varianten des Problems an die Öffentlichkeit; auch Newton teilte eine Lösung ohne Beweis mit. Die diesbezüglichen Arbeiten der genannten Mathematiker sind in Joh. Bernoulli: Opera omnia, II, S. 273–314 nachgedruckt. Darüber hinaus hat Nicolaus II Bernoulli in den Acta Eruditorum von 1720 am Ende eines Artikels, der auch im Bd. II der Opera omnia von Joh. I Bernoulli, S. 423–472 nachgedruckt ist, das Problem der sogenannten reziproken Trajektorien gestellt. Die Reihe aller dieser Arbeiten wurde mit einem Artikel von Joh. I Bernoulli in den Acta Eruditorum von 1727 abgeschlossen (Joh. Bernoulli: Opera omnia, II, S. 600–616). Eine kurze Analyse der genannten Arbeiten gab M. Cantor: Vorlesungen über Geschichte der Mathematik, Bd. III, 2. Aufl., Leipzig 1900, S. 461–474.

Dem Problem der reziproken Trajektorien sind einige der frühen Arbeiten Eulers gewidmet, die in O. I–27 wiederabgedruckt sind: E. 3, veröffentlicht in Acta Eruditorum, 1727: E. 5, der Petersburger Akade-

mie vorgelegt am 27. (16.) 1. 1728 und gedruckt im 2. Band ihrer Commentarii 1729 und E. 23, gedruckt im Bd. 5 der Commentarii (1730–1731), 1738. Später gab Euler in dem 1751 gedruckten Aufsatz E. 173 (O. I–27) ein neues Verfahren zur Bestimmung reziproker algebraischer Trajektorien an.
In den „Betrachtungen über orthogonale Trajektorien“, die gegenüber dem Kreis von Arbeiten über reziproke Trajektorien einen erheblichen zeitlichen Abstand aufweisen, verwendet Euler, beginnend mit dem § 10, ein ganz neues Lösungsverfahren, welches auf der Anwendung von Funktionen einer komplexen Veränderlichen beruht. Diese Arbeit haben A. Speiser (1955) und B. N. Delone (1958) vorzüglich kommentiert, ersterer in der Einleitung zu Bd. 28 der Opera omnia Eulers, S. XII–XV, letzterer in dem Artikel „Euler als Geometer“ in dem Sammelband „Leonhard Euler“ (russ.), Moskau 1958, S. 161–164. Hier wird, wie Delone hervorhebt, einerseits der Grundstein für ein Verfahren zum Auffinden eines isothermen Koordinatensystems auf einer Fläche gelegt, andererseits wird der Beginn der Theorie der allgemeinen konformen Abbildungen markiert, obwohl dies beides von Euler nicht bemerkt wurde (und auch nicht bemerkt werden konnte) (loc. cit., S. 139–140).
In den folgenden Anmerkungen werden beide Kommentare ausgiebig zitiert, was jeweils durch die entsprechenden Initialen A. S. bzw. B. D. gekennzeichnet ist.

[1] Die im Original benutzte Bezeichnung der partiellen Ableitungen mit Hilfe von Klammern in der Art $\left(\frac{\mathrm{d}x}{\mathrm{d}p}\right)$ führte Euler in den „Institutiones calculi differentialis“, 1755 (E. 212, O. I–10) ein. Die gegenwärtige Bezeichnung $\frac{\partial x}{\partial p}$ verwendete erstmals C. G. J. Jacobi (1804–1851) in einer Arbeit von 1841.

[2] Nachdem Euler in den ersten Paragraphen einige spezielle Fälle von Aufgaben betrachtet hat, in denen die Differentialgleichung der Trajektorien leicht integriert werden kann, gibt er in den §§ 7–9 den folgenden allgemeinen Zugang zur Lösung an.
Es sei die Differentialgleichung der gegebenen Schar

$$P\,\mathrm{d}x+Q\,\mathrm{d}y=0\,,$$

wo P und Q gegebene Funktionen von x und y sind. Dann hat die Differentialgleichung der Trajektorien die Gestalt

$$Q\,\mathrm{d}x-P\,\mathrm{d}y=0\,.$$

Seien ferner M und N jeweils integrierende Faktoren der beiden Differentialgleichungen, so daß also gilt

$$M\,(P\,\mathrm{d}x+Q\,\mathrm{d}y)=\mathrm{d}p, \qquad N\,(Q\,\mathrm{d}x-P\,\mathrm{d}y)=\mathrm{d}q\,,$$

wo p und q gewisse Funktionen von x und y sind. Dann ist

$$dx = PR\,dp + QS\,dq, \qquad dy = QR\,dp - PS\,dq,$$

wo R und S durch M, N, P, Q ausgedrückt werden können und man P, Q, R, S als Funktionen von p und q betrachten kann. Dann gilt

$$\frac{\partial x}{\partial p}\frac{\partial x}{\partial q} + \frac{\partial y}{\partial p}\frac{\partial y}{\partial q} = 0$$

und die Kurven $p(x, y) = \text{const.}$, $q(x, y) = \text{const.}$ sind die gesuchten Trajektorien.

[3] Diese Methode Eulers besteht in folgendem. Er bildet die Ausdrücke

$$dx + dy\sqrt{-1} = (R + S\sqrt{-1})\,(P\,dp - Q\,dq\sqrt{-1})$$
$$dx - dy\sqrt{-1} = (R - S\sqrt{-1})\,(P\,dp + Q\,dq\sqrt{-1})$$

und behauptet, daß man für beliebige von p und q abhängige Funktionen P, Q einen (komplexen) integrierenden Faktor M des Ausdrucks $P\,dp \pm Q\,dq\sqrt{-1}$ finden kann.

„Es sei $\int M\,(P\,dp \pm Q\,dq\sqrt{-1}) = T \pm V\sqrt{-1}$, dann ist $\dfrac{R \pm S\sqrt{-1}}{M}$ eine gewisse (analytische) Funktion von $T + V\sqrt{-1}$ (die reell auf der reellen Achse ist). Indem wir integrieren, haben wir

$$x + y\sqrt{-1} = \Gamma\,(T + V\sqrt{-1}), \qquad x - y\sqrt{-1} = \Gamma\,(T - V\sqrt{-1}),$$

wo Γ eine gewisse (auf der reellen Achse reelle analytische) Funktion von $T + V\sqrt{-1}$ ist, und wir erhalten schließlich

$$x = \frac{1}{2}\,\Gamma\,(T + V\sqrt{-1}) + \frac{1}{2}\,\Gamma\,(T - V\sqrt{-1}),$$

$$y = \frac{1}{2\sqrt{-1}}\,\Gamma\,(T + V\sqrt{-1}) - \frac{1}{2\sqrt{-1}}\,\Gamma\,(T - V\sqrt{-1}).$$

Diese Formeln, so sagt Euler im § 13, sind insofern der Praxis angepaßt, als man mit ihrer Hilfe unendlich viele Lösungen finden kann. Wenn man nämlich verschiedene Funktionen Γ nimmt und nach diesen Formeln für x die Ausdrücke T, T', T'', T''', ..., für y die Ausdrücke V, V', V'', V''', ... erhält, so sind auch

$$x = \alpha T + \beta T' + \gamma T'' + \delta T''' + \dots$$
$$y = \alpha V + \beta V' + \gamma V'' + \delta V''' + \dots$$

Lösungen, wobei α, β, γ, δ, ... beliebige passende konstante Koeffizienten sind. Im weiteren (§ 14) nimmt Euler für Γ Potenzen mit ganzen positiven und negativen Exponenten und zeigt für diese direkt, daß man orthogonale Scharen erhält, d. h., daß für diese die Gleichung $\dfrac{\partial t}{\partial p}\dfrac{\partial t}{\partial q} + \dfrac{\partial u}{\partial p}\dfrac{\partial u}{\partial q} = 0$ erfüllt ist.

Speiser bemerkt in seinen Kommentaren zu dieser Arbeit von Euler zu Recht, daß die eben beschriebene Überlegung Eulers, einen komplexen integrierenden Faktor des Ausdrucks $Pdp \pm \pm Qdq\sqrt{-1}$ zu finden, auch den Grundstein für das bekannte Verfahren zum Aufsuchen eines isothermen Koordinatensystems auf einer Fläche legte ...[4])
Indessen hat Euler selbst dies in der betrachteten Arbeit nicht bemerkt." (B. D., S. 162–163).
Speiser und Delone haben allerdings nicht erwähnt, daß die hier von Euler angewendete Methode jener Methode ähnlich ist, die d'Alembert zur Integration von totalen Differentialgleichungen der Art $d\xi = pdx + qdy$, $d\eta = pdy - qdx$ mittels Funktionen einer komplexen Veränderlichen in den §§ 57–60 seines „Essai sur la résistance des fluides", Paris 1752, verwendet hat. Das lateinische Manuskript dieses Werkes hatte d'Alembert 1749 der Berliner Akademie anläßlich einer Ausschreibung eingereicht, allerdings erfolglos, denn den Preis hat keine der fünf eingereichten Schriften erhalten (gerade hier erscheinen zum ersten Mal die Cauchy-Riemannschen Gleichungen; vgl. Einführung, S. 47). Auf die enge Verwandtschaft der Methoden von Euler und d'Alembert hat schon I. J. Timčenko in seinem Werk „Grundlagen der Theorie der analytischen Funktionen" (russ.), Teil I, Bd. I, Odessa 1899, S. 558–559 hingewiesen. Euler hat d'Alemberts Methode sehr geschätzt; er hat sie als „äußerst scharfsinnig" bezeichnet und in der Arbeit E. 227 „Continuation des recherches sur la théorie du mouvement des fluides" angewandt. Diese Arbeit erschien in Mémoires de l' acad. d. sc. de Berlin,12 (1755) 1757 (O. II–12; s. dort die Einleitung von C. Truesdell, besonders LIV–LV und XCVI–XCVII). Siehe auch A. I. Markuschewitsch: Skizzen zur Geschichte der analytischen Funktionen, § I.6.

[4] Wie in [3] bereits erwähnt, geht Euler ab § 14 zur Betrachtung konkreter Beispiele orthogonaler Trajektorien über. Als analytische Funktion, welche die entsprechende konforme Abbildung der gegebenen Kurvenschar bestimmt, nimmt er einfachste Typen der Potenzfunktion $z^n = (t + u\sqrt{-1})^n$ und erhält entsprechend Scharen von gewissen Geraden, von Parabeln mit gemeinsamer Achse und gemeinsamem Brennpunkt und auch von Kurven dritter und vierter Ordnung. In den §§ 22 und 24 wird der Fall konfokaler Ellipsen und Hyperbeln betrachtet und im § 23 wird gezeigt, daß die gebrochen-lineare Transformation

[4]) Hier übernimmt Delone den Inhalt eines von Speiser angeführten Zitats aus dem Buch L. Bianchi: Vorlesungen über Differentialgeometrie, übers. von M. Lukat, 2. Aufl., Leipzig 1910.

$Z=\frac{f+g(t+u\sqrt{-1})}{h+k(t+u\sqrt{-1})}$ Geraden in Kreise überführt. Beiläufig bemerkt Euler im § 21, daß algebraische Funktionen Z Scharen algebraischer Kurven in algebraische orthogonale Trajektorien überführen.

[5] „Eine Formel, welche oben schon gefunden worden ist." A. S.

[6] „Vgl. die letzten Formeln des Paragraphen 23." A. S.

[7] „Die beiden letzten Paragraphen 27 und 28 bieten noch eine Überraschung. Euler hatte schon im § 17 am Beispiel der Parabeln $y^2=p^2-2px$ gesehen, daß die beiden orthogonalen Scharen durch denselben Parameter p umfaßt werden, indem die eine Schar für positive, die andere für negative p entsteht. Dasselbe konnte er auch am Beispiel der konfokalen Ellipsen und Hyperbeln feststellen, wo auch jede der beiden Gleichungen am Schluß von § 22 beide Kurvenscharen liefert, wie man leicht einsieht. Nun will er den allgemeinen Fall finden, wo diese Eigenschaft gilt. Zu diesem Zweck betrachtet Euler die Funktion $w=z^n$, wo wir $w=u+iv$, $z=x+iy$ setzen, und fragt, wann zwei zur Geraden $x=y$ spiegelbildliche Punkte in zwei zur u-Achse spiegelbildliche übergehen. Er findet als allgemeinste Funktion

$$w=A+Bz^4+Cz^8+\dots,$$

wo die Koeffizienten reelle Zahlen bedeuten. Wir betrachten nun die beiden orthogonalen Geradenscharen $x=$ Konst. und $y=$ Konst., die zur Geraden $x=y$ spiegelbildlich liegen. Sie gehen in Kurvenscharen über, die zur u-Achse spiegelbildlich liegen, also sich nur durch das Vorzeichen von w unterscheiden.

Man beachte die Fundgegenstände, nämlich die allgemeinen Formeln der konformen Abbildung, die Herstellung isothermer Parameter, die Sätze über lineare gebrochene Funktionen, schließlich die Entdeckung interessanter Fälle des Spiegelungsprinzipes, so wird man an Petri Fischzug erinnert. Zugegeben, daß wohlausgearbeitete Abhandlungen leichter zu lesen sind, aber einer unmittelbaren Improvisation folgen zu können, hat etwas Ergreifendes." A. S.

[8] Eine Ergänzung zur Arbeit E. 390 ist der Artikel E. 433, der Petersburger Akademie vorgelegt am 25. (14.) 1. 1771 und publiziert 1773 (O. I–28, Kommentar von A. Speiser ebenda, S. XXIX–XXX). Hier betrachtete Euler eine Reihe interessanter spezieller Aufgaben, darunter solche, die mit der Theorie der Enveloppen zusammenhängen. Zu eben dieser Thematik kehrte Euler in seinen letzten Lebensjahren zurück, nämlich in den Arbeiten E. 604, E. 609 und E. 757, die alle erst nach seinem Tode veröffentlicht worden sind. In der letzteren, welche am 23. (12.) 8. 1782 der Akademie vorgelegen hatte, behandelte

Euler das Problem, Flächen zu finden, die orthogonal zu einer vorgegebenen einparametrigen Flächenschar sind. Alle diese Arbeiten sind in den Band O. I–29 aufgenommen worden; die Einführung dazu stammt auch von A. Speiser.

Zu IV. „Über die Abbildung einer Kugelfläche in einer Ebene“

Die Arbeit „De repraesentatione superficiei sphaericae super plano“ E. 490 (O. I–28, S. 248–275) wurde der Petersburger Akademie am 15. (4.) 9. 1775 vorgelegt und in ihren Acta (1777: I) 1778 veröffentlicht. Gleichzeitig erfolgte die Vorlage und Publikation der damit eng zusammenhängenden Arbeit „De projectione geographica superficiei sphaericae“ (Über die Darstellung einer Kugelfläche auf einer Karte) E. 491, und im selben Band der Acta folgt unmittelbar darauf der Artikel E. 492 „De projectione geographica de Lisliana in mappa generali imperii Russici usitata“ (Über die de Lislesche Kartenprojektion und ihre Anwendung auf die Gesamtkarte des russischen Reiches). In derselben Reihenfolge sind diese drei Arbeiten in O. I–28 abgedruckt. Allerdings ist der Artikel über die geographische Projektion von de Lisle in der Einführung von A. Speiser unrichtig datiert: Speiser sagt, daß die Arbeit E. 492 der Petersburger Akademie nach den Arbeiten E. 490 und E. 491 vorgelegen hat, nämlich am 20. (9.) 10. 1775 (loc. cit. S. XXX), während sie in Wirklichkeit das erste Mal wesentlich früher, am 29. (18.) 5. 1772 vorgelegt wurde. Am 20. (9.) 10. 1775 hat sie zum zweiten Male vorgelegen. Die Arbeit E. 492 hängt mit den um vieles früheren Studien Eulers zur Kartographie zusammen. Ihr mathematischer Apparat ist elementar und beansprucht kein besonderes Interesse. – Alle drei genannten Arbeiten sind in deutscher Übersetzung erschienen in L. Euler: Drei Abhandlungen über Kartenprojektion, hrsg. von A. Wangerin, Ostwalds Klassiker Nr. 93, Leipzig 1898.

Mit dem Zeichnen geographischer Karten hatte sich Euler schon sehr aktiv in den Jahren 1733–1741 befaßt, zuerst zusammen mit de Lisle, später mit dem Petersburger Akademiker G. Heinsius (1709–1769), einem Astronomen. Die russische Regierung hatte nämlich der Petersburger Akademie als wichtigen Staatsauftrag die Herstellung eines großen und möglichst genauen Atlas des russischen Reiches übertragen. Nach Eulers Weggang nach Berlin wurde die Arbeit unter Leitung von Heinsius und eines weiteren Akademikers, des Astronomen Ch.-N. Winsheim, zum Abschluß gebracht, und der Atlas erschien 1745. Euler beschäftigte sich noch einige Jahre nach Erscheinen des Atlas mit den allgemeinen Fragen der praktischen Kartographie, insbesondere im Zusammenhang mit einer Reihe kritischer Bemerkungen, die verschiedene Spezialisten zu diesem Atlas gemacht hatten; interessante Überlegungen Eulers zur Herstellung geographischer Karten im allgemeinen und zur Kartographie Rußlands im besonderen sind in einer Reihe seiner Briefe enthalten, die er in den Jahren 1746 bis 1754 aus Berlin an die Petersburger Akademie gerichtet hat (s. Die Berliner und die Petersburger Akademie der Wissenschaften im Briefwechsel Leonhard Eulers. hrsg. und eingeleitet von A. P. Juškevič und E. Winter. Bd. 2. Berlin 1961. S. 26–29 und die dort angegebene zusätzliche Literatur). Indessen besaß Euler zu jener Zeit noch nicht den mathematischen Apparat, der für eine tiefere Begründung der theoretischen Grundlagen der Kartographie erforderlich ist.

Es ist möglich, daß der Anstoß zu den neuerlichen Untersuchungen Eulers zur mathematischen Kartographie von der Arbeit J. H. Lamberts (1728–1777) „Anmerkungen und Zusätze zur Entwerfung der Land- und Himmelscharten", gedruckt in seinem Werk „Beiträge zum Gebrauche der Mathematik und deren Anwendung". 3 Bde., Berlin 1772, S. 105–192 ausgegangen ist. Diese große Arbeit[5]) schrieb Lambert, als er an der Erarbeitung eines Atlas teilnahm, mit dessen Erstellung die Berliner Akademie beauftragt war. In ihr sind erstmalig zahlreiche Projektionen mit diesen oder jenen Eigenschaften, z. B. Winkel- oder Flächentreue, systematisch untersucht. Lambert schlug auch einige neue Arten von Projektionen vor. Die mathematische Ausarbeitung des Problems war bei Lambert nicht besonders tiefgehend, er hat jedoch in der Kartographie schon differentialgeometrische Methoden angewandt und beispielsweise die Gleichungen hergeleitet, welche die Differentiale der beiden Koordinaten der stereographischen Projektion einer Kugel auf die Ebene als Funktion der geographischen Breite und Länge ausdrücken; diese Gleichungen hat er mit Hilfe unendlicher Reihen integriert.

Eine detaillierte Analyse der Arbeit E. 490 gaben A. Speiser in der Einleitung zu O. I–28, S. XXXI–XXXIV und B. N. Delone in einem Artikel, der in den Anmerkungen zur Arbeit E. 390 genannt ist (loc. cit., 171–179). Auch in dem von V. Kommerell verfaßten Kapitel XXIV der „Vorlesungen über Geschichte der Mathematik", Bd. 4, hrsg. von M. Cantor, Leipzig 1908, S. 572–575 wird auf die Arbeit E. 490 eingegangen. Im folgenden werden die Hauptresultate von E. 490 kurz dargestellt, vor allem jene, die mit dem Thema des vorliegenden Bandes in Beziehung stehen.

Das allgemeine Problem besteht darin, die Koordinaten x und y der Abbildung der Einheitskugel auf die Ebene als Funktionen der geographischen Länge t und Breite u so darzustellen, daß diese Abbildung gewissen Bedingungen genügt. Nach einigen vorbereitenden Bemerkungen beweist Euler im § 9, daß eine vollkommen genaue, d. h. kongruente Abbildung einer Kugelfläche auf eine Ebene unmöglich ist. Dann betrachtet er unter der Voraussetzung, daß das gerad-

---

[5]) Sie ist wiederabgedruckt in: Ostwalds Klassiker Nr. 54, hrsg. von A. Wangerin, Leipzig 1894.

linige Netz, welches durch Abbildung der Meridiane und Breitenkreise entsteht, orthogonal ist, drei Klassen von Abbildungen: 1. Breitenkreise und Meridiane der Kugel gehen in Geraden über, die zur Abszissen- bzw. Ordinatenachse parallel sind (§§ 13–23), 2. winkeltreue Abbildungen (§§ 24–51) und 3. flächentreue Abbildungen (§§ 52–60). Ein besonderes Interesse bietet die zweite Klasse von Abbildungen dar, bei denen die „kleinsten Teile" (regiones minimae) der Erdoberfläche auf der Karte ähnlich abgebildet werden und die wir heute konforme Abbildungen nennen[6]).

Die allgemeinen Bedingungen dafür, daß die Abbildung konform ist, drückt Euler im § 26 durch die Gleichungen

$$dx = p\,du + r \cos u \, dt, \qquad dy = r\,du - p \cos u \, dt$$

aus, wo $p = \frac{\partial x}{\partial u}$, $q = \frac{\partial x}{\partial t}$, $r = \frac{\partial y}{\partial u}$, $s = \frac{\partial y}{\partial t}$ ist. Die Sache läuft nun darauf hinaus, solche Funktionen p und r von t und u zu finden, daß die rechten Seiten dieser Gleichungen vollständige Differentiale werden. In den §§ 29–41 wird eine Methode zum Auffinden partikulärer Lösungen auseinandergesetzt, deren Linearkombinationen dann die allgemeine Lösung liefern. Gleich darauf entwickelt Euler in den §§ 42–44 eine andere Methode, welche auf der Anwendung von Funktionen komplexen Arguments beruht und welche direkt die allgemeine Lösung ergibt. Aus den erwähnten Gleichungen für dx und dy bildet er den Ausdruck

$$dx + dy\sqrt{-1} = (p + r\sqrt{-1})\,(du - \sqrt{-1}\cos u \, dt)\,,$$

welcher mittels gewisser Transformationen und durch Substitution der Variablen integriert wird. Als Ergebnis erhält man

$$x + y\sqrt{-1} = 2\Gamma(z) \quad \text{mit} \quad z = \log s - t\sqrt{-1}\,,$$

woraus sofort folgt, daß

$$x - y\sqrt{-1} = 2\Gamma\,(\log s + t\sqrt{-1}) \quad \text{ist.}$$

Hierbei ist $\Gamma(z)$ eine beliebige Funktion von z, von der angenommen wird, daß sie analytisch ist und auf der reellen Achse reelle Werte annimmt. Somit ergibt sich die Lösung des Problems der konformen Abbildung einer Kugel auf die Ebene im allgemeinen Fall durch die folgenden Formeln

$$x = \Gamma\,(\log s - t\sqrt{-1}) + \Gamma\,(\log s + t\sqrt{-1})$$
$$y\sqrt{-1} = \Gamma(\log s - t\sqrt{-1}) - \Gamma\,(\log s + t\sqrt{-1})\,,$$

---

6) Den Ausdruck „projectio conformis" verwendete als erster der Petersburger Akademiker F.-T. Schubert (1758–1825) in einer in der Nova acta acad. Petrop. IV (1786) 1789 publizierten Arbeit.

welche, wie Euler schlußfolgert, reelle Werte x und y liefern (s. auch Anm. [10]). Während Euler in der Arbeit über orthogonale Trajektorien (E. 390, § 10) das Problem der konformen Abbildung mittels Funktionen einer komplexen Veränderlichen löste, ohne dabei explizit auf die grundlegende Eigenschaft einer solchen Abbildung hinzuweisen, hat er in der vorliegenden Abhandlung den Grundstein einer allgemeinen Theorie der konformen Abbildungen als winkeltreue Abbildungen gelegt.

Weil Euler bei der konformen Abbildung den Punkten der Ebene mit den Koordinaten x, y die komplexen Zahlen $x+y\sqrt{-1}$ zuordnet, kommt A. Speiser zu dem Schluß, daß Euler die geometrische Deutung der komplexen Zahlen bekannt war, die man oft mit den Namen von J. R. Argand (1768–1822) und Gauß verbindet und die – wie zusätzlich zu bemerken ist –, auch mit dem Namen Bessel verknüpft werden muß (O. I–24, XXXVII). Dieser Meinung schließt sich auch Markuschewitsch an (A. I. Markuschewitsch: Skizzen zur Geschichte der analytischen Funktionen, § 1.6). Bei Euler gibt es allerdings keine Äußerungen, die eine solche Schlußfolgerung zulassen, und mir scheint, wie bereits in der Einführung zu vorliegendem Band gesagt, daß die komplexen Zahlen bei ihm immer nur ein formales Mittel gewisser Zwischenrechnungen waren. Auf jeden Fall muß eine vollständige geometrische Interpretation der komplexen Zahlen eine Deutung der grundlegenden Rechenoperationen mit ihnen einschließen, welche Bessel, Argand und Gauß kannten, bezüglich der es bei Euler aber keinerlei Andeutung gibt – ein Umstand, den auch Markuschewitsch einräumt.

Wir geben hier keine Übersetzung der unmittelbar an E. 490 anschließenden Arbeit E. 491, wo beginnend mit § 16 mittels der gebrochenlinearen Funktion

$$\Delta(z)=\frac{a+bz}{c+dz}$$

die allgemeinen stereographischen Projektionen erhalten werden, d. h. solche, bei denen die Projektion aus einem beliebigen Punkt der Kugel erfolgt, also nicht notwendig aus einem Pol oder einem Punkt des Äquators. Einen knappen Kommentar zur Arbeit E. 491 gibt Speiser in O. I–28, S. XXXIV–XXXV.

Diese zwei Abhandlungen Eulers, zusammen mit der oben erwähnten Arbeit von Lambert, begründeten die mathematische Kartographie, welche dann vor allem durch J. L. Lagrange in der Arbeit „Sur la construction de cartes géographiques" eine weitere Entwicklung erfuhr (publiziert in den Nouveaux Mémoires de l'acad. d. sc. de Berlin (1779) 1781). Ähnlich wie Euler verwendet Lagrange dabei Funktionen einer komplexen Veränderlichen (s. das zitierte Kapitel von Kommerell in den „Vorlesungen" von M. Cantor, S. 575). – Eine

deutsche Übersetzung dieser Arbeit von Lagrange erschien, ebenfalls von A. Wangerin herausgegeben, in Ostwalds Kassiker Nr. 55, Leipzig 1894.
Die Anmerkungen zur Arbeit E. 490 stammen von A. Wangerin und sind mit den Initialen A. W. versehen. Ich habe nur die Anmerkung [4] ersetzt, in der Wangerin auf eine seiner Anmerkungen in Ostwalds Klassiker Nr. 54 verweist.

[1] Euler setzt hier als bekannt voraus, daß eine Kugelfläche nicht in eine Ebene abgewickelt werden kann, und schließt daraus, daß es unmöglich ist, den Gleichungen I–III des § 7 gleichzeitig zu genügen. Weiterhin weist er in § 9 diese Unmöglichkeit direkt nach. A. W.

[2] Die Bezeichnung „exakte Differentiale" kennt Euler noch nicht. In der Übersetzung ist diese Bezeichnung überall benutzt, wo Euler, wie z. B. an der vorliegenden Stelle, sagt: „ut istae binae formulae integrabiles evadant". A. W.

[3] Eulers Ausdrucksweise, daß dx einem Längengrade entsprechen soll usw. (Euler sagt „referat gradum", an der zweiten Stelle „denotet gradum"), ist nach modernen Begriffen unzulässig. Vielmehr würden hier die Differentiale durch endliche Zunahmen der Variabeln zu ersetzen sein mit dem Hinzufügen, daß für letztere die Differentialformeln noch angenähert gelten. –
Die Abb. 3 ist im Original nicht ganz richtig gezeichnet; dort sind PR und QS nicht parallel EF, und der Winkel QPR ist kein rechter. A. W.

[4] Gerhard Mercator (latinisierte Form des Familiennamen Cremer, 1512–1594) war ein holländischer Geograph, welcher auf seinen Karten verschiedene Arten von Projektionen benutzte. Den Namen Mercators trägt die winkeltreue Zylinderprojektion, die von ihm 1569 für eine Weltkarte benutzt wurde und die seitdem für Seekarten eine weite Verbreitung fand. Von der großen Bequemlichkeit dieser Projektion spricht Euler im § 16.

[5] Euler bezeichnet den § 16^a eben so wie den vorhergehenden mit 16, so daß die Zahl 16 doppelt vorkommt. Dagegen fehlt später § 33 ganz. Um diese Unzweckmäßigkeit zu vermeiden und andererseits mit Eulers Bezeichnung der einzelnen Paragraphen in möglichster Übereinstimmung zu bleiben, ist in der Übersetzung dem zweiten § 16 die Nummer 16^a gegeben, während der § 32 des Originals in die beiden Paragraphen 32 und 33 geteilt ist. A. W.

[6] Daß die Kurve in E unter dem Winkel ϑ gegen EF geneigt ist, folgt unmittelbar daraus, daß die kleinsten Teile der Kugel denen der Bildebene ähnlich sind und hätte deshalb einer besonderen Ableitung nicht bedurft. – Die vorletzte Formel des § 21 enthält irrtümlich vor der Wurzel das Zeichen $\pm$ statt des allein richtigen $+$. A. W.

[7] Euler hat die in § 26 gestellte Aufgabe in § 27 auf die Bestimmung einer Funktion r zurückgeführt, bricht dann aber ab und sucht andere Lösungsmethoden. — Auch der in § 27 eingeschlagene Weg hätte zum Ziele geführt. Die Bedingung dafür nämlich, daß die rechte Seite der letzten Gleichung von § 27 ein exaktes Differential ist, läßt sich, wenn man, wie in § 44, an Stelle von u die Variable

$$s=\int \frac{du}{\cos u}=\log \tan \left(45^\circ+\frac{1}{2} u\right)$$

einführt, auf die Form bringen:

$$\text{(a)} \qquad \frac{\partial^2 (r \cos u)}{\partial t^2}+\frac{\partial^2 (r \cos u)}{\partial s^2}=0 .$$

Die allgemeine Lösung von (a) kann man so schreiben:

$$r \cos u=f (s+t \sqrt{-1})+f_1 (s-t \sqrt{-1}) ,$$

falls f eine willkürliche Funktion, f_1 die konjugierte Funktion bezeichnet. Aus r ergibt sich mittelst der letzten Gleichung von § 27 p, und daraus folgen x und y. Um die Ausdrücke für x und y zu erhalten, die weiterhin in § 44 sich ergeben, hat man nur $f=-f_1=\sqrt{-1}\, \Gamma'$ zu setzen, wo Γ' die Ableitung der in § 44 auftretenden Funktion Γ bezeichnet. —
Auch die in den §§ 29–41 untersuchten Partikularlösungen hätten sich unmittelbar aus Gleichung (a) ableiten lassen. A. W.

[8] Im Original heißen die Überschriften: „Methodus particularis (vor § 42 Methodus generalis) resolvendi aequationes“ usw. A. W.

[9] Die Bildung der allgemeinen Lösung aus den Partikularlösungen beruht auf einer bekannten Eigenschaft linearer homogener Differentialgleichungen. A. W.

[10] Euler setzt hier stillschweigend voraus, daß die Funktion Γ mit reellem Argument reell ist. Bezeichnet allgemeiner Γ eine Funktion, die auch komplex sein kann, so ist, wenn

$$x+y \sqrt{-1}=2\Gamma (\log s-t \sqrt{-1})$$

ist, und wenn x und y selbst reell werden sollen,

$$x-y \sqrt{-1}=2\Gamma_1 (\log s+t \sqrt{-1})$$

zu setzen, wo Γ_1 die zu Γ konjugierte Funktion ist, d. h. diejenige, welche aus Γ durch Änderung des Vorzeichens von $\sqrt{-1}$ entsteht. A. W.

[11] Die hier angeführte Reihenentwicklung ist stets nur für ganzzahlige Werte von λ statthaft, nicht aber ohne Weiteres auch für beliebige λ. A. W.

[12] Die Endformeln des § 49 sind noch nicht so allgemein, wie die in § 40 entwickelten. Um letztere zu erhalten, müßte man einmal

$$Z = \sin \frac{z + \log \varepsilon - \delta \sqrt{-1}}{\mu}$$

nehmen, wo

$$z = \log s - t \sqrt{-1}$$

ist, während ε, δ, μ Konstante bezeichnen, sodann

$$Z = \sin \frac{z + \log \varepsilon - (\delta + \delta_1) \sqrt{-1}}{\mu}.$$

Die Kombination beider Lösungen würde dann auf die Formeln des § 40 führen. A. W.

[13] Daß die Meridiane und Parallelkreise einander senkrecht schneiden, ist eine Folge der Ähnlichkeit der kleinsten Teile, nicht eine daneben bestehende Eigenschaft. A. W.

[14] Die in Rede stehende Projektion bezeichnet man gewöhnlich als stereographische Polarprojektion. Bei y ist wieder, wie oben, das Vorzeichen in das entgegengesetzte verwandelt; ferner sind die in den Formeln des § 48 auftretenden Faktoren fortgelassen. A. W.

[15] Die Lösung der hier besprochenen Aufgabe führt, falls man noch $k^2 = z$ setzt, auf die nichtlineare partielle Differentialgleichung

$$\frac{\partial^2 z}{\partial t^2} + \frac{\partial^2 \left(\frac{1}{z}\right)}{\partial v^2} = 0\,.$$

Die allgemeine Lösung dieser Gleichung läßt sich nicht in geschlossener Form darstellen. A. W.

[16] Zu dem hier Gesagten ist Folgendes zu bemerken. Daß bei der Integration der Gleichung $\mathrm{d}t = -\alpha \mathrm{d}T$ die willkürliche Konstante fortgelassen ist, ist deshalb zulässig, weil man einen beliebigen Meridian als Anfangsmeridian wählen kann. Ferner sind die Konstanten c und α durch folgende Bedingungen bestimmt. Soll der Punkt, in dem die Meridiane der Karte zusammenlaufen, das Bild des Poles sein, so muß, falls man sich auf die nördliche Halbkugel beschränkt, für $u = 90°$, d. h. $v = 1$, $x = 0$ und $y = 0$, mithin $c = -1$ werden, und α muß negativ sein. Sollen endlich die Meridiane der Karte dieselben Winkel miteinander bilden, wie auf der Kugel, so muß $\alpha = -1$ sein. Die Formeln des § 59 werden dann:

$$\sqrt{x^2 + y^2} = \sqrt{2\,(1 - \sin u)} = 2 \sin \left(\frac{\pi}{4} - \frac{u}{2}\right), \quad \frac{y}{x} = \tan t\,.$$

Das Bogenelement eines Meridians der Karte wird, absolut genommen,

$$\mathrm{d}\sigma_1 = -\mathrm{d} \sqrt{x^2 + y^2} = \cos \left(\frac{\pi}{4} - \frac{u}{2}\right) \mathrm{d}u\,,$$

das Bogenelement eines Parallelkreises dagegen

$$d\sigma_2 = \sqrt{x^2+y^2}\ dt = 2\sin\left(\frac{\pi}{4}-\frac{u}{2}\right) dt\,,$$

während die entsprechenden Bogenelemente der Kugel sind:

$$ds_1 = du, \quad ds_2 = \cos u\ dt = \sin\left(\frac{\pi}{2}-u\right) dt\,.$$

Daraus folgt

$$\frac{d\sigma_1}{ds_1} = \cos\left(\frac{\pi}{4}-\frac{u}{2}\right), \quad \frac{d\sigma_2}{ds_2} = \frac{1}{\cos\left(\frac{\pi}{4}-\frac{u}{2}\right)}\,.$$

Hieraus erkennt man die Größe der Verzerrung, die, außer am Pol, immer eintritt. Die Gestalt, die irgendein Gebiet auf der Karte hat, weicht nur dann nicht erheblich von der Wirklichkeit ab, wenn das Gebiet in der Nähe des Poles liegt. A. W.

Zu V. „Über höchst bemerkenswerte aus dem Imaginären-Kalkül herstammende Integrationen“ und VI. „Eine weitere Untersuchung über imaginäre Integrale“

Während Euler am Ausgang seines sechsten Lebensjahrzehnts die Grundlagen der Theorie der konformen Abbildungen legte, begann er gleichzeitig seine Pionierarbeiten auf einem anderen Gebiet der Theorie der analytischen Funktionen – der Berechnung von Integralen mit Hilfe komplexer Veränderlicher. Einzelne Beispiele der Anwendung imaginärer Transformationen bei der Integration fanden sich schon bei Leibniz und Joh. I Bernoulli. Euler begann in dieser Richtung systematische Untersuchungen und erzielte Resultate von sehr allgemeinem Charakter. Alle 9 seiner Arbeiten zu dieser Frage, der Petersburger Akademie vorgelegt 1776–1777 und 1781, sind postum in den Jahren 1788–1805 publiziert worden[7]. Im vorliegenden Sammelband sind drei von ihnen, die in dieser oder jener Beziehung ein besonderes Interesse beanspruchen, abgedruckt. Die ersten beiden, die inhaltlich sehr eng zusammenhängen, enthalten die Darlegung eines allgemeinen Verfahrens für die Integration mittels imaginärer Substitutionen und einige Beispiele für die Berechnung schwieriger unbestimmter Integrale auf diesem Wege. Es sind dies die Aufsätze „De integrationibus maxime memorabilibus ex calculo imaginariorum oriundis“ E. 656 (O. I–19, 1–44), der Petersburger Akademie vorgelegt am 31. (20.) 3. 1777 und gedruckt in den Nova acta 7 (1789) 1793 und „Ulterior disquisitio de

[7]) Es handelt sich um die Arbeiten E. 621 (O. I–18) und E. 656, E. 657, E. 694, E. 695, E. 721, E. 671, E. 707, E. 675 (alle enthalten in O. I–19).

formulis integralibus imaginariis" E. 694, vorgelegt am 11. 4. (31. 3.) 1777[8]) und gedruckt in den Nova acta 10 (1792) 1797.

Etwas detaillierter setzt Euler seine Methode in der zweiten der genannten Arbeiten auseinander. Er geht davon aus, daß die von ihm betrachteten Funktionen einer komplexen Veränderlichen gemeinsam mit ihrem Argument zum konjugiert-komplexen Wert (ein Ausdruck von Cauchy, 1821) übergehen, d. h. mit anderen Worten, er betrachtet faktisch solche analytischen Funktionen, die auf der reellen Achse reelle Werte annehmen.

Wenn also für $z=x+y\sqrt{-1}$ die Funktion $Z(z)=M+N\sqrt{-1}$ ist und ihr Integral $\int Z(z)dz=V(z)=P+Q\sqrt{-1}=\int(M+N\sqrt{-1})(dx+dy\sqrt{-1})$, so ist für $z=x-y\sqrt{-1}$ der Wert Z gleich $M-N\sqrt{-1}$ und $P-Q\sqrt{-1}=$ $=\int(M-N\sqrt{-1})(dx-dy\sqrt{-1})$, so daß gilt $P=\int(M\,dx-N\,dy)$, $Q=\int(N\,dx+M\,dy)$.

Deshalb sind die Ausdrücke $M\,dx-N\,dy$, $N\,dx+M\,dy$ vollständige Differentiale der Funktionen P bzw. Q und folglich gilt

$$\frac{\partial M}{\partial x}=\frac{\partial N}{\partial y}, \quad \frac{\partial M}{\partial y}=-\frac{\partial N}{\partial x} \qquad (C-R).$$

So hat Euler erstmalig allgemein gezeigt, daß Real- und Imaginärteil einer beliebigen analytischen Funktion (die auf der reellen Achse reell ist) jenen Gleichungen genügen, die sich bei ihm und d'Alembert schon in Arbeiten zur Hydrodynamik fanden und die dann eine grundlegende Bedeutung in der Theorie der analytischen Funktionen bei Cauchy und später bei Riemann erlangten. Offenbar genügen auch die Funktionen P und Q Gleichungen vom Typ $(C-R)$.

Euler hat nicht die Rolle vorhergesehen, welche die Gleichungen $(C-R)$ in der Folgezeit spielen sollten; sein Ziel war es, neue komplizierte unbestimmte Integrale zu berechnen, indem er irgendein bekanntes Integral $\int Z\,dz=V(z)$ mittels der Substitution $z=x+y\sqrt{-1}$ in andere Integrale transformierte. Dabei hat er die Substitution z in trigonometrischer Form

$$z=x+y\sqrt{-1}=v(\cos\varphi+\sqrt{-1}\sin\varphi)$$

geschrieben und φ oder v als konstant angenommen, wodurch er zu Integralen von Funktionen einer reellen Veränderlichen gelangte. Seine Methode verwendete Euler in der Arbeit E. 656 zur Integration rationaler Funktionen der Art $\frac{z^{m-1}}{1+z^n}$, insbesondere für $m=1$ und $n=1, 2, 3$ und in E. 694 zur Integration der irrationalen Funktionen

---

[8]) In O. I–19, S. XXX und S. 268 ist das Datum der Vorlage von E. 694 (21. 3. 1777 nach altem Stil) nicht richtig angegeben.

$\frac{z^{m-1}}{(a+bz^n)^{\frac{m}{n}}}$, nachdem er diese vorher mittels einer geeigneten Substitution auf rationale Gestalt gebracht hatte. Im Ergebnis gelang es Euler auf diese Weise, eine ganze Reihe komplizierter Integrale von trigonometrischen Funktionen und von deren Kombinationen mit ganzen und rationalen Funktionen durch elementare Funktionen auszudrücken; siehe z. B. E. 656, § 29 und E. 694, § 15.

Unter den Anmerkungen zu den beiden Arbeiten E. 656 und E. 694 sind auch diejenigen der wissenschaftlichen Bearbeiter des Bandes O. I–19, A. M. Ljapunov, A. Krazer und G. Faber enthalten; sie sind jeweils mit den entsprechenden Initialen versehen.

[1] In der Arbeit E. 575 (O. I–15) „De mirabilibus proprietatibus unciarum, quae in evolutione binomii ad potestatem quamcunque evecti occurrunt", der Petersburger Akademie vorgelegt am 24. (13.) 5. 1776 und in den Acta (1781: I) 1784 gedruckt, werden mit dem Terminus unciae die Koeffizienten in der Binomialentwicklung belegt; in diesem Sinne hat — wie es scheint — erstmalig W. Oughtred (1574–1660) das Wort unciae verwendet. In derselben Arbeit E. 575, beginnend mit dem § 19, wird der Binomialkoeffizient $\frac{n(n-1)\dots(n-p+1)}{1\cdot 2\cdot 3\dots\cdot p}$ mit $\left[\frac{n}{p}\right]$ bezeichnet; die eckigen Klammern verwendete Euler auch in den anderen Arbeiten, die postum veröffentlicht worden sind. Er benutzte auch die Bezeichnung $\left(\frac{n}{p}\right)$; genaueres siehe in den Anmerkungen von L. G. du Pasquier in O. I–7, S. XXVI und S. 409. Die etwas einfachere Bezeichnung $\binom{n}{p}$ führte 1827 A. von Ettinghausen (1796–1878) ein.

[2] In der ursprünglichen Ausgabe sind anstelle der Buchstaben T und U die Buchstaben P und Q benutzt, denen aber schon eine andere Bedeutung beigelegt ist. A. L.

[3] Diese Transformation ist nicht hinreichend definiert, denn F und G müssen hier keine Konstanten, sondern Funktionen der beiden Veränderlichen x und y sein. A. L.

[4) Euler verwendete als abgekürzte Bezeichnung der Arcustangensfunktion A. tang (von arcus — Bogen), vorher auch die Abkürzungen A t (1736) und A $\overline{\text{tag}}$ t (1744).

[5] Siehe E. 168 (O. I–17, S. 218), und auch E. 170 (O. I–6, S. 134 und 144).

[6] Euler verwendet hier jene Regel, die G. F. de l'Hospital (1661–1704) erstmalig in seinem Buch Analyse des infiniment petits pour l'intelligence des lignes courbes, Paris 1696, S. 145 veröffentlicht hat und die seitdem seinen Namen trägt. Diese

Regel hat aber Joh. I Bernoulli entdeckt, der sie l'Hospital in einem Brief vom 22. 7. 1694 übermittelte (s. Der Briefwechsel von Johann Bernoulli, Bd. I, Basel 1955, S. 235).

[7] Erste Auflage:

$$v^n = \cos n\varphi + \sqrt{-1} \sin n\varphi ,$$

wobei dieser Wert, eingesetzt in jenen Nenner, liefert:

$$\frac{1 - v \cos \omega}{n \cos n\varphi^2 + n \sqrt{-1} \sin n\varphi \cos n\varphi - n} = \frac{v \cos \omega - 1}{n \sin n\varphi (\sin n\varphi - \sqrt{-1} \cos n\varphi)} .$$

Hiernach war schließlich die Endformel dieses Absatzes

$$\frac{-v \sin(\omega - n\varphi) - \sin n\varphi}{n \sin n\varphi}$$

Korrigiert durch A. L.

[8] Siehe Anmerkung [7]. G. F.

[9] Siehe A. J. Lexell (1740–1784): De criteriis integrabilitatis formularum differentialium, Novi comment. acad. sc. Petrop. 15 (1770) 1771, S. 127; vergl. ferner L. Euleri Institutionum calculi integralis, vol. tertium, Petropoli 1770, appendix § 95 (O. I–13, S. 411). G. F.

[10] In der ersten Auflage ist die Nummer 41 irrtümlicherweise wiederholt. G. F.

[11] Erste Auflage:

$$F = -\frac{1}{3} \sin \omega (\sin(\omega + \varphi) + \sqrt{-1} \cos(\omega + \varphi)) ,$$

woher aus Versehen die Endformel folgt:

$$F = -\frac{1}{3} v \cos(\omega + \varphi) + \frac{1}{3} \cos(2\omega + \varphi) .$$

Korrigiert durch A. L.

[12] Siehe Anmerkung [6]. G. F.

[13] Es ist anzumerken, daß durch diese Formeln nicht die gesamten Größen P und Q dargestellt werden, sondern nur jeweils einer ihrer Summanden. A. L.

[14] Dieses Resumé hat wahrscheinlich N. I. Fuß verfaßt, der viele Jahre lang Eulers nachgelassene Arbeiten für den Druck vorbereitete.

Zu VII. „Über die Werte der von $x=0$ bis $x=\infty$ erstreckten Integrale“

Der Aufsatz „De valoribus integralium a termino variabilis $x=0$ usque ad $x=\infty$ extensorum“ E. 675 (O. I–19, S. 217–227), der Petersburger Akademie vorgelegt am 10. 5. (30. 4.) 1781, wurde im 4. Band der zweiten Auflage der „Institutiones calculi integralis“, 1794 (E. 660) abgedruckt, in welchem, als Ergänzung zu den drei Bänden der ersten Auflage 1768–1770, 13 bereits publizierte und 14 vorher nicht veröffentlichte Arbeiten Eulers Platz gefunden hatten. Der Aufsatz E. 675 ist ein hervorragendes Beispiel der Anwendung einer komplexen Substitution zur Berechnung bestimmter Integrale von Funktionen, deren unbestimmte Integrale nicht in geschlossener Form ausgedrückt werden können. Dort sind die uneigentlichen Integrale

$$\int_0^\infty \frac{\cos x\,dx}{\sqrt{x}} = \int_0^\infty \frac{\sin x\,dx}{\sqrt{x}} = \sqrt{\frac{\pi}{2}}$$

ausgerechnet, die oft nach J. A. Fresnel (1788–1827) benannt werden, bei dem sie sich in etwas anderer Form in Arbeiten über die Lichtbrechung finden. Ferner berechnet Euler das Integral

$$\int_0^\infty \frac{\sin x\,dx}{x} = \frac{\pi}{2},$$

welches P. G. Lejeune-Dirichlet (1805–1855) in seiner ersten Arbeit über die hinreichenden Bedingungen für die Darstellbarkeit von Funktionen durch ihre Fourierreihen benutzte (1829).

[1] Eine solche Benennung bestimmter Integrale (diesen Ausdruck führte Laplace in einer Arbeit von 1779 ein, die 1782 publiziert wurde) findet sich auch in anderen Arbeiten Eulers, beginnend mit E. 421 (O. I–17), vorgelegt am 15. (4.) 6. 1771 und gedruckt in den Novi commentarii 16 (1771), 1772.

[2] Diese Bezeichnung bestimmter Integrale verwendete Euler in E. 499, vorgelegt am 30. (19.) 8. 1776 und gedruckt in den Acta (1777: II), 1780. Eine ähnliche Bezeichnung hat Laplace etwas früher (1773, publiziert 1776) vorgeschlagen. Das heutige Zeichen $\int_a^b f(x)\,dx$ führte Fourier 1816 und danach 1821 ein. In dem Buch von F. Cajori: A history of mathematical notations, vol. II, Chicago 1929, § 625 ist die Geschichte dieser Bezeichnungen unkorrekt angegeben.

[3] Die Kurve, welche durch die genannte Bedingung definiert wird, wurde erstmalig von Jacob Bernoulli in einer Arbeit betrachtet, die in seinen Opera, 1744 auf S. 1084 abgedruckt ist. Im § 3 drückt Euler die Koordinaten dieser Kurve, die von E. Cesaro (1859 bis 1906) Klothoide genannt worden ist (1886), in Form „Fresnelscher Integrale“ aus. Siehe G. Loria: Spezielle algebraische und transzendente ebene Kurven. Theorie und Geschichte, Bd. 2, 2. Aufl., Leipzig 1911.

[4] In den §§ 5–6 führt Euler die jetzt übliche Formel

$$\int_0^\infty x^{n-1} e^{-x}\, dx$$

für die Gammafunktion ein; die heutige Bezeichnung $\Gamma(n)$ für diese Funktion stammt von A.-M. Legendre aus einer Arbeit von 1809, die 1810 veröffentlicht wurde. Auf Legendre geht auch der Terminus „Eulersches Integral zweiter Art" zurück.
Zur Entdeckung der Gammafunktion wurde Euler 1729 geführt, als er das Problem der „Interpolation" der Folge $u_n = n!$, $n=1, 2, 3, \ldots$ untersuchte, d. h. die Frage einer zweckmäßigen Definition von u_n für nicht ganze Werte des Index n stellte – eine Frage, die vor ihm Goldbach mit D. Bernoulli erörtert hatte. Schon in dem Artikel E. 19 (O. I–14), der Petersburger Akademie vorgelegt am 9. 12. (28. 11.) 1729 und gedruckt in den Commentarii 5 (1730–1731) 1738, drückte Euler $\Gamma(n+1)$ durch das Integral

$$\int_0^1 (-\ln x)^n\, dx, \quad n > -1$$

aus, welches leicht in das oben genannte transformiert werden kann; auf diese Weise charakterisierte Euler die Gammafunktion indessen erst viel später in den Arbeiten E. 368 (O. I–28), vorgelegt am 30. (19.) 12. 1765 (Novi commentarii 13 (1768) 1769) und E. 421 (O. I–17), vorgelegt am 15. (4.) 6. 1771 (Novi commentarii 16 (1771) 1772).

[5] In E. 19 (s. Anm. [4]) bewies Euler, daß $\Gamma\left(\frac{3}{2}\right) = \frac{\sqrt{\pi}}{2}$ ist, woraus unter Berücksichtigung der ihm bekannten Eigenschaft $\Gamma(n+1) = n\Gamma(n)$ die Beziehung $\Gamma\left(\frac{1}{2}\right) = \sqrt{\pi}$ folgt.

[6] Die Bezeichnung der Gammafunktion $\Gamma(n)$ mit dem Zeichen $\triangle$ oder mit dem Zeichen $[x] = \Gamma(x+1)$ benutzte Euler auch in früheren Arbeiten der 60er und 70er Jahre. Näheres siehe in der Einleitung von G. Faber zu O. I–16/2, S. XLI–XLII. Die Angaben über die Bezeichnung der Gammafunktion im § 649 des in Anm. [2] erwähnten Buches von F. Cajori sind sehr unvollständig.

[7] Euler nimmt jetzt in den Formeln des § 11, die man in der Form

$$\int_0^\infty y^{n-1} e^{-py} \cos qy\, dy = \frac{\Gamma(n) \cos n\vartheta}{q^n},$$

$$\int_0^\infty y^{n-1} e^{-py} \sin qy\, dy = \frac{\Gamma(n) \sin n\vartheta}{q^n},$$

schreiben kann, die Größe n als unendlich klein an. Nach Ersetzen von $\sin n\vartheta$ durch $n\vartheta$ und $\Gamma(n)=\frac{\Gamma(n+1)}{n}$ durch $\frac{1}{n}$ erweist sich das erste Integral als divergent, für das zweite erhält man

$$\int_0^\infty \frac{e^{-px}\sin qx}{q}\,dx=\vartheta=\arctan\frac{q}{p},$$

was für $p=0$, $q=1$

$$\int_0^\infty \frac{\sin x}{x}\,dx=\frac{\pi}{2} \quad \text{liefert.}$$

[8] Bezüglich einer kurzen Analyse gewisser anderer Arbeiten Eulers, in denen er zur Berechnung von Integralen komplexe Variable verwendete, nämlich E. 657, E. 671, E. 695, E. 707, E. 721, siehe die Einleitung von A. Krazer und G. Faber zu O. I–19, S. XXI–XXII, XXIX–XXX, XXXII.
Über die weitere Entwicklung der Theorie der Integration im komplexen Gebiet in den Arbeiten von Laplace (eine Reihe von Untersuchungen der Jahre 1782–1812), Poisson (1820) und Cauchy (1815 und 1825) und auch über die tiefschürfenden Ideen von Gauß, die von ihm lediglich in einem privaten Brief im Jahre 1811 ausgesprochen worden sind, siehe A. I. Markuschewitsch: Skizzen zur Geschichte der analytischen Funktionen, § 2. 1–4.

**OSTWALDS KLASSIKER
DER EXAKTEN WISSENSCHAFTEN**

Band 256
C. F. GAUSS
Mathematisches Tagebuch
1796–1814

Einl. und Anm.: O. Neumann
234 Seiten, kt.,
ISBN 978-3-8171-3402-1

Carl Friedrich Gauß (1777–1855), Professor für Astronomie der Universität Göttingen und Direktor der Göttinger Sternwarte, arbeitete auf fast allen Gebieten der Mathematik, lieferte aber auch bedeutende Beiträge zur Physik, Geodäsie und Astronomie.

Erst Ende des 19. Jahrhunderts entdeckte Carl Gauß, der Enkel von Carl F. Gauß, das wissenschaftliche Tagebuch seines Großvaters. Dieses Büchlein gewährt Einblick in die kreativste Schaffensperiode des naturwissenschaftlichen Genies. Der wissenschaftliche Werdegang des jungen Gauß ist dadurch für die entscheidenden Jahre 1796–1800 und dann mit Unterbrechungen für seine „astronomische Schaffensperiode" bis 1814 nachprüfbar geworden.

Der Nutzwert der neuen Auflage wird durch Doppelungen der Texte deutlich verbessert: Jeweils auf Doppelseiten sind im ersten Teil handschriftlicher und lateinischer Text gegenübergestellt, im zweiten Teil lateinischer und deutscher Text und im dritten Teil schließlich deutscher Text und Anmerkungen.

OSTWALDS KLASSIKER
DER EXAKTEN WISSENSCHAFTEN

Band 107
J. BERNOULLI
Wahrscheinlichkeitsrechnung
I. bis IV. Teil

Reprint der Einzelbände 107 und 108
Übers. und Hrsg.: R. Haussner
328 Seiten, kt.,
ISBN 978-3-8171-3107-5

Der Schweizer Jacob Bernoulli (1654–1705) war einer der herausragenden Mathematiker seiner Zeit. Schon während seines Studiums der Theologie beschäftigte er sich autodidaktisch mit der Mathematik und der Physik. Ab 1687 bis zu seinem Tod hatte er den Lehrstuhl für Mathematik an der Universität von Basel inne. Seine Forschungen umfaßten drei größere Komplexe der Mathematik: die Reihenlehre, die Analysis und die Wahrscheinlichkeitsrechnung.
Ausgangspunkt für die Auseinandersetzung J. Bernoullis mit wahrscheinlichkeitstheoretischen Problemen waren die Studien von C. Huygens über Glücksspiele aus dem Jahre 1657. Er baute sie zu einer umfassenden Theorie aus, der „Ars conjectandi", in der er versucht, dieses Gebiet der Mathematik über die bislang üblichen Anwendungen auf Glücksspiele hinaus auf „bürgerliche, sittliche und wirtschaftliche Verhältnisse" auszuweiten.
Das Werk enthält Gedanken über Gewißheit, Notwendigkeit, Zufall, moralische und rechnerische Erwartung, Gewinnaussichten sowie die Auswertung von Potenzsummen mittels Bernoullischer Zahlen.